UNA NUEVA
TIERRA

UNA NUEVA TIERRA

**UN DESPERTAR AL PROPÓSITO
DE SU VIDA**

Eckhart Tolle

Traducción
Adriana de Hassan

GRUPO
EDITORIAL
norma

Bogotá, Barcelona, Buenos Aires, Caracas, Guatemala,
Lima, México, Panamá, Quito, San José, San Juan,
Santiago de Chile, Santo Domingo

Tolle, Eckhart
Una nueva tierra / Eckhart Tolle; traductora Adriana de Hassan. — Bogotá: Grupo
Editorial Norma, 2005.
   288 p.; 21 cm.
   Título original: A New Earth.
   IBSN 958-04-9061-9
   1. Espiritualidad 2. Vida espiritual 3. Conducta (Ética)
I. Hassan, Adriana de, tr. II. Tít.
248 cd 20 ed.
AJF3783

CEP-Banco de la República-Biblioteca Luis Ángel Arango

Edición original en inglés:
A NEW EARTH
Awakening to Your Life's Purpose
Una publicación de Dutton Adult

Edición, Natalia García Calvo
Director de arte, Jorge Alberto Osorio Villa
Diagramación, Andrea Rincón Granados

Este libro se compuso en caracteres Aldus

ISBN 958-04-9061-9

CONTENIDO

CAPÍTULO UNO

EL FLORECER DE
LA CONCIENCIA HUMANA

EVOCACIÓN

La Tierra, hace 114 millones de años, una día poco después de despuntar el alba: la primera flor en existir sobre el planeta abre sus pétalos para recibir los rayos del sol. Con anterioridad a ese suceso extraordinario que anuncia la transformación evolutiva de la vida vegetal, el planeta había estado cubierto de vegetación durante millones de años. Es probable que la primera flor no hubiera sobrevivido por mucho tiempo y que las flores hubieran seguido siendo fenómenos raros y aislados, puesto que las condiciones seguramente no eran favorables para una florescencia generalizada. Sin embargo, un día se llegó a un umbral crítico y súbitamente debió producirse una explosión de colores y aromas por todo el planeta, de haber habido una conciencia con capacidad de percepción para presenciarla.

Mucho tiempo después, esos seres delicados y perfumados a los cuales denominamos flores desempeñarían un papel esencial en la evolución de la conciencia de otras especies. Los seres humanos se sentirían cada vez más atraídos y fascinados por ellas. Seguramente, a medida que la conciencia humana se fue desarrollando, las flores pudieron ser la primera cosa que los seres humanos valoraron sin que representaran un valor utilitario para ellos, es decir, sin que tuvieran alguna relación con su supervivencia. Sirvieron de inspiración para un sinnúmero de artistas, poetas y místicos. Jesús nos dice que contemplemos las flores y aprendamos a vivir como ellas. Se dice que Buda pronunció una vez un "sermón silencioso" mientras contemplaba una flor. Al cabo de un rato, uno de los presentes, un monje de nombre Mahakasyapa, comenzó a sonreír. Se dice que fue el único que comprendió el sermón. Según la leyenda, esa sonrisa (la realización) pasó a veintiocho maestros sucesivos y mucho después se convirtió en el origen del Zen.

La belleza de una flor pudo arrojar un breve destello de luz sobre la parte esencial más profunda del ser humano, su verdadera naturaleza. El momento en que se reconoció por primera vez la belleza fue uno de los más significativos de la evolución de la conciencia humana. Los sentimientos de alegría y amor están íntimamente ligados con ese reconocimiento. Sin que nos diéramos cuenta, las flores se convertirían en una forma de expresión muy elevada y sagrada que moraría dentro de nosotros pero que no tendría forma. Las flores, con su vida más efímera, etérea y delicada que la de las plantas de las cuales nacieron, se convertirían en especie de mensajeras de otro plano, un puente entre el mundo de las formas físicas y de lo informe. Su aroma no solamente era delicado y agradable para los sentidos, sino que traía una fragancia desde el plano del espíritu. Si utilizamos la palabra "iluminación" en un sentido más amplio del aceptado convencionalmente, podríamos pensar que las flores constituyen la iluminación de las plantas.

Cualquiera de las formas de vida de los distintos reinos (mineral, vegetal, animal o humano) pasa por la "iluminación". Sin embargo, es algo que sucede muy rara vez puesto que es más que un paso en la evolución: también implica una discontinuidad de su desarrollo, un salto hacia un nivel completamente diferente del Ser, acompañado, en lo que es más importante, de una disminución de la materialidad.

¿Qué podría ser más denso e impenetrable que una roca, la más densa de todas las formas? No obstante, algunas rocas sufren cambios en su estructura molecular, convirtiéndose en cristales para dar paso a la luz. Algunos carbones se convierten en diamantes bajo condiciones inconcebibles de calor y de presión, mientras que algunos minerales pesados se convierten en piedras preciosas.

La mayoría de los reptiles rastreros, los más íntimamente unidos a la tierra, han permanecido iguales durante millones de años. Sin embargo, algunos otros desarrollaron plumas y alas para convertirse en aves, desafiando la fuerza de la gravedad que los había mantenido sujetos al suelo durante tanto tiempo. No aprendieron a reptar o a andar mejor, sino que trascendieron totalmente esos dos pasos.

Desde tiempos inmemoriales, las flores, los cristales, las piedras preciosas y las aves han tenido un significado especial para el espíritu humano. Al igual que todas las formas de vida, son, lógicamente, manifestaciones temporales de la Vida y la Conciencia. Su significado especial y la razón por la que los seres humanos se han sentido fascinados y atraídos por ellas pueden atribuirse a su cualidad etérea.

Cuando el ser humano tiene un cierto grado de Presencia, de atención y alerta en sus percepciones, puede sentir la esencia divina de la vida, la conciencia interior o el espíritu de todas las criaturas y de todas las formas de vida, y reconocer que es uno con esa esencia y amarla como a sí mismo. Sin embargo, hasta tanto eso sucede, la mayoría de los seres humanos perciben solamente las formas exteriores sin tomar conciencia de su esencia interior, de la misma manera que no reconocen su propia esencia y se limitan a identificarse solamente con su forma física y psicológica.

Sin embargo, en el caso de una flor, un cristal, una piedra preciosa o un ave, hasta una persona con un grado mínimo de Presencia puede sentir ocasionalmente que en esa forma hay algo más que una simple existencia física, aún sin comprender la razón por la que se siente atraída y percibe una cierta afinidad por ella. Debido a su naturaleza etérea, esa forma oculta menos el espíritu interior que otras formas de vida. La excepción de esto son todas las formas recién nacidas como los bebés, los cachorros, los gatitos, los corderos, etcétera; son frágiles, delicados y no se han establecido firmemente en la materialidad. De ellos emana todavía inocencia, dulzura y una belleza que no es de este mundo. Son un deleite hasta para los seres humanos relativamente insensibles.

Así que cuando contemplamos conscientemente una flor, un cristal o un ave sin decir su nombre mentalmente, se convierte en una ventana hacia el mundo de lo informe. Podemos vislumbrar algo del mundo del espíritu. Es por eso que estas tres formas "iluminadas y aligeradas" de vida han desempeñado un papel tan importante en la evolución de la conciencia humana desde la antigüedad; es la razón por la cual la joya de la flor de loto es un símbolo central del budismo y la paloma, el ave blanca, representa al Espíritu Santo en el cristianismo. Han venido abonando el terreno para un cambio más profundo de la conciencia planetaria, el cual debe manifestarse en la especie humana. Es el despertar espiritual que comenzamos a presenciar ahora.

¿CUÁL ES LA FINALIDAD DE ESTE LIBRO?

¿Está lista la humanidad para una transformación de la conciencia, un florecimiento interior tan radical y profundo que la florescencia de las plantas, con toda su hermosura, sea apenas un pálido reflejo? ¿Podrán los seres humanos perder la densidad de las estructuras mentales condicionadas y llegar a ser, lo mismo que los cristales o las piedras preciosas, transparentes a la luz de la conciencia? ¿Podrán desafiar la fuerza de gravedad del materialismo y la materialidad para elevarse por encima de la forma cuya identidad mantiene al ego en su lugar y los condena a vivir prisioneros dentro de su personalidad?

La posibilidad de esa transformación ha sido el tema central de las enseñanzas de los grandes sabios de la humanidad. Los mensajeros como Buda, Jesús y otros (no todos conocidos) fueron las primeras flores de la humanidad. Fueron los precursores, unos seres raros y maravillosos. En su época no era posible todavía un florecimiento generalizado y su mensaje fue distorsionado o mal comprendido. Ciertamente no transformaron el comportamiento humano, salvo en unas cuantas personas.

¿Está más preparada la humanidad ahora que en la época de los primeros maestros? ¿Por qué habría de ser así? ¿Hay algo que podamos hacer para propiciar o acelerar este cambio interior? ¿Qué es lo que caracteriza el tradicional estado egotista de la conciencia y cuáles son las señales que permitirán reconocer el surgimiento de la nueva conciencia? Estos son los interrogantes que trataremos de resolver en este libro. Pero es más importante el hecho de que este libro es en sí un medio de transformación emanado de esa nueva conciencia que comienza a aflorar. Aunque los conceptos y las ideas aquí contenidos son importantes, son secundarios. No son más que señales a lo largo del camino que conduce hacia el despertar. A medida que vaya leyendo se operará un cambio en usted.

La finalidad principal de este libro no es darle a su mente más información ni creencias, ni tratar de convencerlo de algo, sino generar en usted un cambio de conciencia, es decir, un despertar. En ese sentido, este libro no es "interesante", puesto que esa palabra implica la posibilidad de mantener una distancia, jugar con las ideas y los conceptos en la mente y manifestarse de acuerdo o en desacuerdo con ellos. Este libro es sobre usted. Si no contribuye a modificar el estado de su conciencia, no tendrá significado alguno. Solamente servirá para despertar a quienes estén listos. Aunque no todo el mundo está listo, muchas personas sí lo están y, cada vez que alguien despierta se amplifica el ímpetu de la conciencia colectiva, facilitando el cambio para los demás. Si no sabe lo que significa despertar, siga leyendo. Es solamente a través del despertar que podrá comprender el verdadero significado de la palabra. Basta con un destello para iniciar el proceso, que es irreversible. Para algunos, este libro será ese destello, para muchos otros que quizás no se hayan dado cuenta, el proceso ya ha comenzado. Este libro les ayudará a reconocerlo. Algunos habrán emprendido el camino como consecuencia del sufrimiento o de una pérdida, mientras que otros quizás lo hayan hecho a través del contacto con un maestro o una enseñanza espiritual, la lectura de *El poder del ahora* o de algún otro libro pleno de vida espiritual y de energía transformadora, o una combinación de lo anterior. Si ya se ha iniciado en usted el proceso del despertar, éste se acelerará e intensificará con esta lectura.

6

Una parte esencial del despertar consiste en reconocer esa parte que todavía no despierta, el ego con su forma de pensar, hablar y actuar, además de los procesos mentales colectivos condicionados que perpetúan el estado de adormecimiento. Es por eso que el libro muestra los principales aspectos del ego y la forma como operan tanto a nivel individual como colectivo. Esto es importante por dos razones conexas: la primera es que a menos de que usted conozca la mecánica fundamental del ego, no podrá reconocerlo y caerá en el error de identificarse con él una y otra vez. Eso significa que el ego se apoderará de usted y fingirá ser usted. La segunda razón es que el acto mismo de reconocer es uno de los mecanismos para despertar. Cuando usted reconozca su inconciencia, será precisamente el surgimiento de la conciencia, el despertar, el que hará posible ese reconocimiento. No es posible vencer en la lucha contra el ego, como no es posible luchar contra la oscuridad. Lo único que hace falta es la luz de la conciencia. Usted es esa luz.

NUESTRA HERENCIA DISFUNCIONAL

Si entendemos de manera más profunda las religiones y las tradiciones espirituales antiguas de la humanidad, encontramos que debajo de las diferencias aparentes hay dos principios fundamentales en los cuales convergen prácticamente todas. Si bien las palabras utilizadas para expresar esos principios son diferentes, todas apuntan hacia una doble verdad fundamental. La primera parte de esa verdad es el reconocimiento de que el estado mental "normal" de la mayoría de los seres humanos contiene un elemento fuerte de disfunción o locura. Son quizás algunas de las enseñanzas centrales del hinduismo las que más se acercan a ver esta disfunción como una forma de enfermedad mental colectiva. La denominan *maya*, el velo de la ilusión. Ramana Maharshi, uno de los grandes sabios de la India, afirma claramente que "la mente es *maya*".

El budismo utiliza términos diferentes. Para Buda, la mente humana en su estado normal genera *dukkha*, vocablo que puede traducirse como sufrimiento, descontento o simple desdicha. La ve como una característica de la condición humana. A donde quiera que vamos, en cualquier cosa que hacemos, dice Buda, tropezamos con *dukkha*, que termina manifestándose en todas las situaciones tarde o temprano.

Según las enseñanzas cristianas, el estado colectivo normal de la humanidad es el del "pecado original". La palabra "pecado" ha sido mal comprendida y mal interpretada. Traducida literalmente del griego antiguo, idioma en el cual se escribió el Nuevo Testamento, pecar significa errar el blanco, como el arquero que no clava la flecha en la diana. Por consiguiente, significa *no dar en el blanco* de la existencia humana. Significa vivir torpe y ciegamente, sufriendo y causando sufrimiento. Así, una vez despojado de su bagaje cultural y de las interpretaciones erróneas, el término apunta a una disfunción inherente a la condición humana.

Los logros de la humanidad son impresionantes e innegables. Hemos creado obras sublimes en la música, la literatura, la pintura, la arquitectura y la escultura. En épocas recientes, la ciencia y la tecnología han provocado cambios radicales para nuestra forma de vida y nos han permitido hacer y crear cosas que habrían parecido prodigiosas apenas hace 200 años. No hay duda de que la mente humana es enorme. Sin embargo, esa misma inteligencia está tocada de locura. La ciencia y la tecnología han amplificado el impacto destructivo ejercido por la disfunción de la mente humana sobre el planeta, sobre otras formas de vida y sobre los mismos seres humanos. Es por eso que la historia del siglo veinte es la que permite reconocer más claramente esa locura colectiva. Otro de los factores es que esta disfunción se está acelerando e intensificando.

La Primera Guerra Mundial estalló en 1914. Toda la historia de la humanidad había estado preñada de guerras crueles y destructivas, motivadas por el miedo, la codicia y las ansias de poder, además de los episodios ignominiosos como la esclavitud, la tortura y la violencia generalizada motivada por razones religiosas e ideológicas. Los seres humanos habían sufrido más a manos de otros seres humanos que a causa de los desastres naturales. Sin embargo, en 1914, la inteligencia de la mente humana había inventado no solamente el motor de combustión interna sino los tanques, las bombas, las ametralladoras, los submarinos, los lanzallamas y los gases tóxicos. ¡La inteligencia al servicio de la locura! En una guerra estática de trincheras perecieron en Francia y en Bélgica millones de hombres tratando de conquistar unas cuantas millas de marismas. Al terminar la guerra en 1918, los sobrevivientes observaron horrorizados e incrédulos la devastación provocada: 10 millones de seres humanos muertos y muchos más mutilados o desfigurados. Nunca antes habían sido tan destructivos, tan dolorosamente palpables, los efectos de la locura humana. Estaban lejos de saber que eso era apenas el comienzo.

Para finales del siglo, el número de personas muertas violentamente a manos de sus congéneres aumentaría a más de cien millones. Serían muertes provocadas no solamente por las guerras entre las naciones, sino por los exterminios masivos y el genocidio, como el asesinato de 20 millones de "enemigos de clase, espías y traidores" en la Unión Soviética de Stalin, o los horrores innombrables del holocausto en la Alemania nazi. También hubo muertes acaecidas durante un sinnúmero de conflictos internos como la Guerra Civil Española o durante el régimen de los Khmer Rojos en Cambodia cuando fue asesinada una cuarta parte de la población de ese país.

Basta con ver las noticias de todos los días en la televisión para reconocer que la locura no solamente no ha menguado sino que todavía continúa en el siglo veintiuno. Otro aspecto de la disfunción colectiva de la mente humana es la violencia sin precedentes desatada contra otras formas de vida y contra el planeta mismo: la destrucción de los bosques productores de oxígeno y de otras formas de vida vegetal y animal, el tratamiento cruel de los animales en las granjas mecanizadas y la contaminación de los ríos, los océanos y el aire. Empujados por la codicia e ignorantes de su conexión con el todo, los seres humanos insisten en un comportamiento que, de continuar desbocado, provocará nuestra propia destrucción.

Las manifestaciones colectivas de la locura asentada en el corazón de la condición humana constituyen la mayor parte de la historia de la humanidad. Es, en gran medida, una historia de demencia. Si la historia de la humanidad fuera la historia clínica de un solo ser humano, el diagnóstico sería el siguiente: desórdenes crónicos de tipo paranoide, propensión patológica a cometer asesinato y actos de violencia y crueldad extremas contra sus supuestos "enemigos", su propia inconciencia proyectada hacia el exterior; demencia criminal, con unos pocos intervalos de lucidez.

El miedo, la codicia y el deseo de poder son las fuerzas psicológicas que no solamente inducen a la guerra y la violencia entre las naciones, las tribus, las religiones y las ideologías, sino que también son la causa del conflicto incesante en las relaciones personales. Hacen que tengamos una percepción distorsionada de nosotros mismos y de los demás. A través de ellas interpretamos equivocadamente todas las situaciones, llegando a actuaciones descarriadas encaminadas a eliminar el miedo y satisfacer la necesidad de tener *más:* ese abismo sin fondo que no se llena nunca.

Sin embargo, es importante reconocer que el miedo, la codicia y el deseo de poder no son la disfunción de la que venimos hablando sino que son productos de ella. La disfunción realmente es un delirio colectivo profundamente arraigado dentro de la mente de cada ser humano. Son varias las enseñanzas espirituales que nos aconsejan deshacernos del miedo y del deseo, pero esas prácticas espirituales por lo general no surten efecto porque no atacan la raíz de la disfunción. El miedo, la codicia y el deseo de poder no son los factores causales últimos. Si bien el anhelo de mejorar y de ser buenos es un propósito elevado y encomiable, es un empeño condenado al fracaso a menos de que haya un cambio de conciencia. Esto se debe a que sigue siendo parte de la misma disfunción, una forma más sutil y enrarecida de superación, un deseo de alcanzar algo más y de fortalecer nuestra identidad conceptual, nuestra propia imagen. No podemos llegar a ser buenos esforzándonos por serlo sino encontrando la bondad que mora en nosotros para dejarla salir. Pero ella podrá aflorar únicamente si se produce un cambio fundamental en el estado de conciencia.

La historia del comunismo, inspirado originalmente en ideales nobles, ilustra claramente lo que sucede cuando las personas tratan de cambiar la realidad externa, de crear una nueva tierra, sin un cambio previo de su realidad interior, de su estado de conciencia. Hacen planes sin tomar en cuenta la impronta de disfunción que todos los seres humanos llevamos dentro: el ego.

EL DESPERTAR DE UNA NUEVA CONCIENCIA

En la mayoría de las tradiciones religiosas y espirituales antiguas existe la noción común de que el estado "normal" de nuestra mente está marcado por un defecto fundamental. Sin embargo, de esta noción sobre la naturaleza de la condición humana (las malas noticias) se deriva una segunda noción: la buena nueva de una posible transformación radical de la conciencia humana. En las enseñanzas del hinduismo (y también en ocasiones del budismo), esa transformación se conoce como *iluminación*. En las enseñanzas de Jesús, es la *salvación* y en el budismo es el *final del sufrimiento*. Otros términos empleados para describir esta transformación son los de liberación y despertar.

El logro más grande de la humanidad no está en sus obras de arte, ciencia o tecnología, sino en reconocer su propia disfunción, su locura. Algunos individuos del pasado remoto tuvieron ese reconocimiento. Un hombre llamado Gautama Siddhartha, quien vivió en la India hace 2.600 años, fue quizás el primero en verlo con toda claridad. Más adelante se le confirió el título de Buda. Buda significa "el iluminado". Por la misma época vivió en China otro de los maestros iluminados de la humanidad. Su nombre era Lao Tse. Dejó el legado de sus enseñanzas en el *Tao Te Ching*, uno de los libros espirituales más profundos que haya sido escrito.

Reconocer la locura es, por su puesto, el comienzo de la sanación y la trascendencia. En el planeta había comenzado a surgir una nueva dimensión de conciencia, un primer asomo de florescencia. Esos maestros les hablaron a sus contemporáneos. Les hablaron del pecado, el sufrimiento o el desvarío. Les dijeron, "Examinen la manera cómo viven. Vean lo que están haciendo, el sufrimiento que están creando". Después les hablaron de la posibilidad de despertar de la pesadilla colectiva de la existencia humana "normal". Les mostraron el camino.

El mundo no estaba listo para ellos y, aún así, constituyeron un elemento fundamental y necesario del despertar de la humanidad. Era inevitable que la mayoría de sus contemporáneos y las generaciones posteriores no los comprendieran. Aunque sus enseñanzas eran a la vez sencillas y poderosas, terminaron distorsionadas y malinterpretadas incluso en el momento de ser registradas por sus discípulos. Con el correr de los siglos se añadieron muchas cosas que no tenían nada que ver con las enseñanzas originales sino que reflejaban un error fundamental de interpretación. Algunos de esos maestros fueron objeto de burlas, escarnio y hasta del martirio. Otros fueron endiosados. Las enseñanzas que señalaban un camino que estaba más allá de la disfunción de la mente humana, el camino para desprenderse de la locura colectiva, se distorsionaron hasta convertirse ellas mismas en parte de esa locura.

Fue así como las religiones se convirtieron en gran medida en un factor de división en lugar de unión. En lugar de poner fin a la violencia y el odio a través de la realización de la unicidad fundamental de todas las formas de vida, desataron más odio y violencia, más divisiones entre las personas y también al interior de ellas mismas. Se convirtieron en ideologías y credos con los cuales se pudieran identificar las personas y que pudieran usar para amplificar su falsa sensación de ser. A través de ellos podían "tener la razón" y juzgar "equivocados" a los demás y así definir su identidad por oposición a sus enemigos, esos "otros", los "no creyentes", cuya muerte no pocas veces consideraron justificada. El hombre hizo a "Dios" a su imagen y semejanza. Lo eterno, lo infinito y lo innombrable se redujo a un ídolo mental al cual había que venerar y en el cual había que creer como "mi dios" o "nuestro dios".

Y aún así... a pesar de todos los actos de locura cometidos en nombre de la religión, la Verdad hacia la cual esos actos apuntan, continúa brillando en el fondo, pero su resplandor se proyecta tenuemente a través de todas esas capas de distorsiones e interpretaciones erradas. Sin embargo, es poco probable que podamos percibirlo a menos de que hayamos podido aunque sea vislumbrar esa Verdad en nuestro interior. A lo largo de la historia han existido seres que han experimentado el cambio de conciencia y han reconocido en su interior Aquello hacia lo cual apuntan todas las religiones. Para describir esa Verdad no conceptual recurrieron al marco conceptual de sus propias religiones.

Gracias a algunas de esas personas, al interior de todas las religiones principales se desarrollaron "escuelas" o movimientos que representaron no solamente un redescubrimiento sino, en algunos casos, la intensificación de la luz de la enseñanza original. Fue así como apareció el gnosticismo y el misticismo entre los primeros cristianos y durante la Edad Media, el sufismo en el Islam, el jasidismo y la cábala en el judaísmo, el *vedanta advaita* en el hinduismo, y el Zen y el Dzogchen en el budismo. La mayoría de estas escuelas eran iconoclastas. Eliminaron una a una todas las capas sofocantes de la conceptualización y las estructuras de los credos mentales, razón por la cual la mayoría fueron objeto de suspicacia y hasta de hostilidad de parte de las jerarquías religiosas establecidas. A diferencia de las religiones principales, sus enseñanzas hacían énfasis en la realización y la transformación interior. Fue a través de esas escuelas o movimientos esotéricos que las religiones recuperaron el poder transformador de las enseñazas originales, aunque en la mayoría de los casos solamente una minoría de personas tuvieron acceso a ellas. Nunca fueron suficientes en número para tener un impacto significativo sobre la profunda inconsciencia colectiva de las mayorías. Con el tiempo, algunas de esas escuelas desarrollaron unas estructuras formales demasiado rígidas o conceptualizadas como para permitirles conservar su vigencia.

ESPIRITUALIDAD Y RELIGIÓN

¿Cuál es el papel de las religiones convencionales en el surgimiento de la nueva conciencia? Muchas personas ya han tomado conciencia de la diferencia entre la espiritualidad y la religión. Reconocen que el hecho de tener un credo (una serie de creencias consideradas como la verdad absoluta) no las hace espirituales, independientemente de cuál sea la naturaleza de esas creencias. En efecto, mientras más se asocia la identidad con los pensamientos (las creencias), más crece la separación con respecto a la dimensión espiritual interior. Muchas personas "religiosas" se encuentran estancadas en ese nivel. Equiparan la verdad con el pensamiento y, puesto que están completamente identificadas con el pensamiento (su mente), se consideran las únicas poseedoras de la verdad, en un intento inconsciente por proteger su identidad. No se dan cuenta de las limitaciones del pensamiento. A menos de que los demás crean (piensen) lo mismo que ellas, a sus ojos, estarán equivocados; y en un pasado no muy remoto, habrían considerado justo eliminar a esos otros por esa razón. Hay quienes todavía piensan así en la actualidad.

La nueva espiritualidad, la transformación de la conciencia, comienza a surgir en gran medida por fuera de las estructuras de las religiones institucionalizadas. Siempre hubo reductos de espiritualidad hasta en las religiones dominadas por la mente, aunque las jerarquías institucionalizadas se sintieran amenazadas por ellos y muchas veces trataran de suprimirlos. La apertura a gran escala de la espiritualidad por fuera de las estructuras religiosas es un acontecimiento completamente nuevo. Anteriormente, esa manifestación habría sido inconcebible, especialmente en Occidente, cultura en la cual es más grande el predominio de la mente y en donde la Iglesia cristiana tenía prácticamente la franquicia sobre la espiritualidad. Era imposible pensar en dar una charla o publicar un libro sobre espiritualidad sin la venia de la Iglesia. Y sin esa venia, el intento era silenciado rápidamente. Pero ya comienzan a verse señales de cambio inclusive en el seno de ciertas iglesias y religiones. Realmente es alentador y gratificante ver algunas señales de apertura como el hecho de que Juan Pablo II visitara una mezquita y también una sinagoga.

Esto sucede en parte como resultado de las enseñanzas espirituales surgidas por fuera de las religiones tradicionales, pero también debido a la influencia de las enseñanzas de los antiguos sabios orientales, que un número creciente de seguidores de las religiones tradicionales pueden dejar de identificarse con la forma, el dogma y los credos rígidos para descubrir la profundidad original oculta dentro de su propia tradición espiritual, y descubrir al mismo tiempo la profundidad de su propio ser. Se dan cuenta de que el grado de "espiritualidad" de la persona no tiene nada que ver con sus creencias sino todo que ver con su estado de conciencia. Esto determina a su vez la forma como actúan en el mundo y se relacionan con los demás.

Quienes no logran ver más allá de la forma se encierran todavía más en sus creencias, es decir, en su mente. En la actualidad estamos presenciando un surgimiento sin precedentes de la conciencia, pero también el atrincheramiento y la intensificación del ego. Habrá algunas instituciones religiosas que se abrirán a la nueva conciencia mientras que otras endurecerán sus posiciones doctrinarias para convertirse en parte de todas esas otras estructuras forjadas por el hombre detrás de las cuales se ha de atrincherar el ego para "dar la pelea". Algunas iglesias, sectas, cultos o movimientos religiosos son básicamente entidades egotistas colectivas identificadas tan rígidamente con sus posiciones mentales como los seguidores de cualquier ideología política cerrada ante cualquier otra interpretación diferente de la realidad.

Pero el ego está destinado a disolverse, y todas sus estructuras osificadas, ya sea de las religiones o de otras instituciones, corporaciones o gobiernos, se desintegrarán desde adentro, por afianzadas que parezcan. Las estructuras más rígidas, las más refractarias al cambio, serán las primeras en caer. Esto ya sucedió en el caso del comunismo soviético. A pesar de cuán afianzado, sólido y monolítico parecía, al cabo de unos cuantos años se desintegró desde adentro. Nadie lo vio venir. A todos nos cayó por sorpresa. Y son muchas otras las sorpresas que nos esperan.

LA URGENCIA DE UNA TRANSFORMACIÓN

La vida, ya sea de una especie o de una forma individual, muere, o se extingue, o se impone por encima de las limitaciones de su condición por medio de un salto evolutivo siempre que se ve enfrentada a una crisis radical, cuando ya no funciona la forma anterior de ser en el mundo o de relacionarse con otras formas de vida y con la naturaleza, o cuando la supervivencia se ve amenazada por problemas aparentemente insuperables.

Se cree que las formas de vida que habitan este planeta evolucionaron primero en el mar. Cuando todavía no había animales en la superficie de la tierra, el mar estaba lleno de vida. Entonces, en algún momento, alguna de las criaturas se aventuró a salir a la tierra seca. Quizás se arrastró primero unos cuantos centímetros hasta que, agobiada por la enorme atracción de la gravedad, regresó al agua donde esta fuerza prácticamente no existe y donde podía vivir con mayor facilidad. Después intentó una y otra vez hasta que, mucho después, pudo adaptarse a vivir en la tierra, desarrolló patas en lugar de aletas y pulmones en lugar de agallas. Parece poco probable que una especie se hubiera aventurado en semejante ambiente desconocido y se hubiera sometido a una transformación evolutiva a menos que alguna crisis la hubiera obligado a hacerlo. Quizás pudo suceder que una gran zona del mar hubiera quedado separada del océano principal y que el agua se hubiera secado gradualmente con el paso de miles de años, obligando a los peces a salir de su medioambiente y a evolucionar.

El desafío de la humanidad en este momento es el de reaccionar ante una crisis radical que amenaza nuestra propia supervivencia. La disfunción de la mente humana egotista, reconocida desde hace más de 2.500 años por los maestros sabios de la antigüedad y amplificada en la actualidad a través de la ciencia y la tecnología, amenaza por primera vez la supervivencia del planeta. Hasta hace muy poco, la transformación de la conciencia humana (señalada también por los antiguos sabios) era tan sólo una posibilidad a la cual tenían acceso apenas unos cuantos individuos aquí y allá, independientemente de su trasfondo cultural o religioso. No hubo un florecimiento generalizado de la conciencia humana porque sencillamente no era todavía una necesidad apremiante.

Una proporción significativa de la población del planeta no tardará en reconocer, si es que no lo ha hecho ya, que la humanidad está ante una encrucijada desgarradora: evolucionar o morir. Un porcentaje todavía relativamente pequeño pero cada vez más grande de personas ya está experimentando en su interior el colapso de los viejos patrones egotistas de la mente y el despertar de una nueva dimensión de la conciencia.

Lo que comienza a aflorar no es un nuevo sistema de creencias ni una religión, ideología espiritual o mitología. Estamos llegando al final no solamente de las mitologías sino también de las ideologías y de los credos. El cambio viene de un nivel más profundo que el de la mente, más profundo que el de los pensamientos. En efecto, en el corazón mismo de la nueva conciencia está la trascendencia del pensamiento, la habilidad recién descubierta de elevarse por encima de los pensamientos, de reconocer al interior del ser una dimensión infinitamente más vasta que el pensamiento. Por consiguiente, ya no derivamos nuestra identidad, nuestro sentido de lo que somos de ese torrente incesante de pensamientos que confundimos con nuestro verdadero ser de acuerdo con la vieja conciencia. Es inmensa la sensación de liberación al saber que no somos esa "voz que llevamos en la cabeza". ¿Quién soy entonces? Aquel que observa esa realidad. La conciencia que precede al pensamiento, el espacio en el cual sucede el pensamiento, o la emoción o la percepción.

El ego no es más que eso: la identificación con la forma, es decir, con las formas de pensamiento principalmente. Si es que hay algo de realidad en el concepto del mal (realidad que es relativa y no absoluta), su definición sería la misma: identificación total con la forma: las formas físicas, las formas de pensamiento, las formas emocionales. El resultado es un desconocimiento total de nuestra conexión con el todo, de nuestra unicidad intrínseca con "todo lo demás" y también con la Fuente. Este estado de olvido es el pecado original, el sufrimiento, el engaño. ¿Qué clase de mundo creamos cuando esta falsa idea de separación total es la base que gobierna todo lo que pensamos, decimos y hacemos? Para hallar la respuesta basta con observar la forma como los seres humanos se relacionan entre sí, leen un libro de historia o ven las noticias de la noche.

Si no cambian las estructuras de la mente humana, terminaremos siempre por crear una y otra vez el mismo mundo con sus mismos males y la misma disfunción.

UN NUEVO CIELO Y UNA NUEVA TIERRA

La inspiración para este libro vino de una profecía bíblica, que parece más aplicable en la actualidad que en ningún otro momento de la historia humana. Aparece tanto en el Antiguo como en el Nuevo Testamento y se refiere al colapso del orden existente del mundo y el surgimiento de "un nuevo cielo y una nueva tierra".[1] Debemos comprender aquí que el cielo no es un lugar sino que se refiere al plano interior de la conciencia. Este es el significado esotérico de la palabra y también es el significado que tiene en las enseñanzas de Jesús. Por otra parte, la tierra es la manifestación externa de la forma, la cual es siempre un reflejo del interior. La conciencia colectiva de la humanidad y la vida en nuestro planeta están íntimamente conectadas. *"El nuevo cielo" es el florecimiento de un estado transformado de la conciencia humana, y "la nueva tierra" es su proyección en el plano físico.* Puesto que la vida y la conciencia humanas son una con la vida en el planeta, a medida que se disuelva la vieja conciencia deberán producirse simultáneamente unos cataclismos geográficos y climáticos en muchas partes del planeta, algunos ya los hemos comenzado a presenciar.

CAPÍTULO DOS

EL EGO: EL ESTADO ACTUAL DE LA HUMANIDAD

Las palabras, ya sean vocalizadas y convertidas en sonido o formuladas silenciosamente en los pensamientos, pueden ejercer un efecto prácticamente hipnótico sobre la persona. Es fácil perdernos en ellas, dejarnos arrastrar por la idea implícita de que el simple hecho de haberle atribuido una palabra a algo equivale a saber lo que ese algo es. La realidad es que no sabemos lo que ese algo es. Solamente hemos ocultado el misterio detrás de un rótulo. En últimas, todo escapa al conocimiento: un ave, un árbol, hasta una simple piedra, y sin duda alguna el ser humano. Esto se debe a la profundidad inconmensurable de todas las cosas. Todo aquello que podemos percibir, experimentar o pensar es apenas la capa superficial de la realidad, menos que la punta de un témpano de hielo.

Debajo de la superficie no solamente todo está conectado entre sí, sino que también está conectado con la Fuente de la vida de la cual provino. Hasta una piedra, aunque más fácilmente lo harían una flor o un pájaro, podría mostrarnos el camino de regreso a Dios, a la Fuente, a nuestro propio ser. Cuando observamos o sostenemos una flor o un pájaro y le *permitimos ser* sin imponerle un sustantivo o una etiqueta mental, se despierta dentro de nosotros una sensación de asombro, de admiración. Su esencia se comunica calladamente con nosotros y nos permite ver, como en un espejo, el reflejo de nuestra propia esencia. Esto es lo que sienten los grandes artistas y logran transmitir a través de sus obras. Van Gogh no dijo: "Esa es sólo una silla vieja". La observó una y otra vez. Percibió la calidad del ser de la silla. Y entonces se sentó ante el lienzo y tomó el pincel. La silla se habría vendido por unos cuantos dólares. La pintura de esa misma silla se vendería hoy por más de $25.000 millones.

Cuando nos abstenemos de tapar el mundo con palabras y rótulos, recuperamos ese sentido de lo milagroso que la humanidad perdió hace mucho tiempo, cuando en lugar de servirse del pensamiento, se sometió a él. La profundidad retorna a nuestra vida. Las cosas recuperan su frescura y novedad. Y el mayor de los milagros es la experiencia de nuestro ser esencial anterior a las palabras, los pensamientos, los rótulos mentales y las imágenes. Para que esto suceda debemos liberar a nuestro Ser, nuestra sensación de Existir, del abrazo sofocante de todas las cosas con las cuales se ha confundido e identificado. Es de ese proceso de liberación del que trata este libro.

Mientras más atentos estamos a atribuir rótulos verbales a las cosas, a las personas o a las situaciones, más superficial e inerte se hace la realidad y más muertos nos sentimos frente a la realidad, a ese milagro de la vida que se despliega continuamente en nuestro interior y a nuestro alrededor. Ese puede ser un camino para adquirir astucia, pero a expensas de la sabiduría que se esfuma junto con la alegría, el amor, la creatividad y la vivacidad. Estos se ocultan en el espacio quieto entre la percepción y la interpretación. Claro está que las palabras y los pensamientos tienen su propia belleza y debemos utilizarlos, pero ¿es preciso que nos dejemos aprisionar en ellos?

Las palabras buscan reducir la realidad a algo que pueda estar al alcance de la mente humana, lo cual no es mucho. El lenguaje consta de cinco sonidos básicos producidos por las cuerdas vocales. Son las vocales "a, e, i, o, u". Los otros sonidos son las consonantes producidas por la presión del aire: "s, f, g", etcétera. ¿Es posible creer que alguna combinación de esos sonidos básicos podría explicar algún día lo que somos o el propósito último del universo, o la esencia profunda de un árbol o de una roca?

LA ILUSIÓN DEL SER

La palabra "yo" encierra a la vez el mayor error y la verdad más profunda, dependiendo de la forma como se utilice. En su uso convencional, no solamente es una de las palabras utilizadas más frecuentemente en el lenguaje (junto con otras afines como: "mío" y "mi"), sino también una de las más engañosas. Según la utilizamos en la cotidianidad, la palabra "yo" encierra el error primordial, una percepción equivocada de lo que somos, un falso sentido de identidad. Ese es el ego. Ese sentido ilusorio del ser es lo que Albert Einstein, con su percepción profunda no solamente de la realidad del espacio y el tiempo sino de la naturaleza humana, denominó "ilusión óptica de la conciencia". Esa ilusión del ser se convierte entonces en la base de todas las demás interpretaciones o, mejor aún, nociones erradas de la realidad, de todos los procesos de pensamiento, las interacciones y las relaciones. La realidad se convierte en un reflejo de la ilusión original.

La buena noticia es que cuando logramos reconocer la ilusión por lo que es, ésta se desvanece. La ilusión llega a su fin cuando la reconocemos. Cuando vemos lo que no somos, la realidad de lo que somos emerge espontáneamente. Esto es lo que sucederá a medida que usted lee lenta y cuidadosamente este capítulo y el siguiente, los cuales tratan sobre la mecánica del falso yo al cual llamamos ego. Así, ¿cuál es la naturaleza de este falso ser?

Cuando hablamos de "yo" generalmente no nos referimos a lo que somos. Por un acto monstruoso de reduccionismo, la profundidad infinita de lo que somos se confunde con el sonido emitido por las cuerdas vocales o con el pensamiento del yo que tengamos en nuestra mente y lo que sea con lo cual éste se identifique. ¿Entonces a qué se refieren normalmente el yo, el mi y lo mío?

Cuando un bebé aprende que una secuencia de sonidos emitidos por las cuerdas vocales de sus padres corresponde a su nombre, el niño comienza a asociar la palabra, la cual se convierte en pensamiento en su mente, con lo que él es. En esa etapa, algunos niños se refieren a sí mismos en tercera persona. "Felipe tiene hambre". Poco después aprenden la palabra mágica "yo" y la asocian directamente con su nombre, el cual ya corresponde en su mente a lo que son. Entonces se producen otros pensamientos que se fusionan con ese pensamiento original del "yo". El paso siguiente son las ideas de lo que es mío para designar aquellas cosas que son parte del yo de alguna manera. Así sucede la identificación con los objetos, lo cual implica atribuir a las cosas (y en últimas a los pensamientos que representan esas cosas) un sentido de ser, derivando así una identidad a partir de ellas. Cuando se daña o me quitan "mi" juguete, me embarga un sufrimiento intenso, no porque el juguete tenga algún valor intrínseco (el niño no tarda en perder interés en él y después será reemplazado por otros juguetes y objetos) sino por la idea de lo "mío". El juguete se convirtió en parte del sentido del ser, del yo del niño.

Sucede lo mismo a medida que crece el niño, el pensamiento original del "yo" atrae a otros pensamientos: viene la identificación con el género, las pertenencias, la percepción del cuerpo, la nacionalidad, la raza, la religión, la profesión. El Yo también se identifica con otras cosas como las funciones (madre, padre, esposo, esposa, etcétera), el conocimiento adquirido, las opiniones, los gustos y disgustos, y también con las cosas que me pasaron a "mí" en el pasado, el recuerdo de las cuales son pensamientos que contribuyen a definir aún más mi sentido del ser como "yo y mi historia". Estas son apenas algunas de las cosas de las cuales derivamos nuestra identidad. En últimas no son más que pensamientos sostenidos precariamente por el hecho de que todos comparten la misma noción del ser. Esta interpretación mental es a la que normalmente nos referimos cuando decimos "yo". Para ser más exactos, la mayoría de las veces no somos nosotros quienes hablamos cuando decimos y pensamos el "Yo", sino algún aspecto de la interpretación mental, del ser egotista. Una vez acaecido el despertar continuamos hablando de "yo", pero con una noción emanada de un plano mucho más profundo de nuestro ser interior.

La mayoría de las personas continúa identificándose con el torrente incesante de la mente, el pensamiento compulsivo, principalmente repetitivo y banal. No hay un yo aparte de los procesos de pensamiento y de las emociones que los acompañan. Eso es lo que significa vivir en la inconciencia espiritual. Cuando se les dice que tienen una voz en la cabeza que no calla nunca, preguntan, "¿cuál voz?" o la niegan airadamente, obviamente con *esa* voz, desde quien piensa, desde la mente no observada. A esa voz casi podría considerársela como la entidad que ha tomado posesión de las personas.

Algunas personas nunca olvidan la primera vez que dejaron de identificarse con sus pensamientos y experimentaron brevemente el cambio, cuando dejaron de ser el contenido de su mente para ser la conciencia de fondo. Para otras personas sucede de una manera tan sutil que casi no la notan, o apenas perciben una corriente de alegría o paz interior, sin comprender la razón.

LA VOZ DE LA MENTE

En mi caso, ese primer destello de conciencia se manifestó siendo estudiante de primer año en la Universidad de Londres. Solía tomar el metro dos veces a la semana para ir a la biblioteca de la universidad, generalmente a eso de las nueve de la mañana, terminando la hora de la congestión. Una vez me senté al frente de una mujer de unos treinta años. La había visto otras veces en el mismo tren. Era imposible no fijarse en ella. Aunque el tren estaba lleno, nadie ocupaba los dos asientos al lado de ella, sin duda porque parecía demente. Se veía extremadamente tensa y hablaba sola sin parar, en tono fuerte y airado. Iba tan absorta en sus pensamientos que, al parecer, no se daba cuenta de lo que sucedía a su alrededor. Llevaba la cabeza inclinada hacia abajo y ligeramente hacia la izquierda, como si conversara con alguien que estuviera en el asiento vacío de al lado. Aunque no recuerdo el contenido exacto de su monólogo, era algo así: "Y entonces ella me dijo… y yo le contesté que era una mentirosa y cómo te atreves a acusarme… cuando eres tú quien siempre se ha aprovechado de mi… Confié en ti y tú traicionaste mi confianza…". Tenía el tono airado de alguien a quien se ha ofendido y que necesita defender su posición para no ser aniquilado.

Cuando el tren se aproximaba a la estación de Tottenham Court Road, se puso de pie y se dirigió a la puerta sin dejar de pronunciar el torrente incesante de palabras que salían de su boca. Como era también mi parada, me bajé del tren detrás de ella. Ya en la calle comenzó a caminar hacia Bedford Square, todavía inmersa en su diálogo imaginario, acusando y afirmando rabiosamente su posición. Lleno de curiosidad, la seguí mientras continuó en la misma dirección en la que yo debía ir. Aunque iba absorta en su diálogo imaginario, aparentemente sabía cuál era su destino. No tardamos en llegar a la estructura imponente de Senate House, un edificio de los años 30 en el cual se alojaban las oficinas administrativas y la biblioteca de la Universidad. Sentí un estremecimiento. ¿Era posible que nos dirigiéramos para el mismo sitio? Exactamente, era hacia allá que se dirigía. ¿Era profesora, estudiante, oficinista, bibliotecaria? Iba a unos veinte pasos de distancia de tal manera que cuando rebasé la puerta del edificio (el cual fue, irónicamente, la sede de la "Policía de la mente" en la versión cinematográfica de *1984*, la novela de George Orwell), había desaparecido dentro de uno de los ascensores.

Me sentí desconcertado con lo que venía de presenciar. A mis 25 años sentía que era un estudiante maduro en proceso de convertirme en intelectual y estaba convencido de poder dilucidar todos los dilemas de la existencia humana a través del intelecto, es decir, a través del pensamiento. No me había dado cuenta de que pensar inconscientemente *es* el principal dilema de la existencia humana. Pensaba que los profesores eran sabios poseedores de todas las respuestas y que la Universidad era el templo del conocimiento. ¿Cómo podía una demente como ella formar parte de eso?

Seguía pensando en ella cuando entré al cuarto de baño antes de dirigirme a la biblioteca. Mientras me lavaba las manos, pensé,

"Espero no terminar como ella". El hombre que estaba a mi lado me miró por un instante y me sobresalté al darme cuenta de que no había pensado las palabras sino que las había pronunciado en voz alta. "Por Dios, ya estoy como ella", pensé. ¿Acaso no estaba tan activa mi mente como la de ella? Las diferencias entre los dos eran mínimas. La emoción predominante era la ira, mientras que en mi caso era principalmente la ansiedad. Ella pensaba en voz alta. Yo pensaba, principalmente, dentro de mi cabeza. Si ella estaba loca, entonces todos estábamos locos, incluido yo mismo. Las diferencias eran solamente cuestión de grado.

Por un momento pude distanciarme de mi mente y verla, como quien dice, desde una perspectiva más profunda. Hubo un paso breve del pensamiento a la conciencia. Continuaba en el cuarto de baño, ya solo, y me miraba en el espejo. En ese momento en que pude separarme de mi mente, solté la risa. Pudo haber sonado como la risa de un loco, pero era la risa de la cordura, la risa del Buda del vientre grande. "La vida no es tan seria como la mente pretende hacérmelo creer", parecía ser el mensaje de la risa. Pero fue solamente un destello que se olvidaría rápidamente. Pasaría los siguientes tres años de mi vida en un estado de angustia y depresión, completamente identificado con mi mente. Tuve que llegar casi hasta el suicidio para que regresara la conciencia y, en esa ocasión, no fue apenas un destello. Me liberé del pensamiento compulsivo y del yo falso ideado por la mente.

El incidente que acabo de narrar no solamente fue mi primer destello de conciencia, sino que también sembró en mi la duda acerca de la validez absoluta del intelecto humano. Unos meses más tarde sucedió una tragedia que acrecentó mis dudas. Un lunes llegamos temprano en la mañana para asistir a la conferencia de un profesor al que admiraba profundamente, sólo para enterarnos de que se había suicidado de un disparo durante el fin de semana. Quedé anonadado. Era un profesor muy respetado, quien parecía tener todas las respuestas. Sin embargo, yo todavía no conocía ninguna otra alternativa que no fuera cultivar el pensamiento. Todavía no me daba cuenta de que pensar es solamente un aspecto minúsculo de la conciencia y tampoco sabía nada sobre el ego y menos aún sobre la posibilidad de detectarlo en mi interior.

CONTENIDO Y ESTRUCTURA DEL EGO

La mente egotista está completamente condicionada por el pasado. Su condicionamiento es doble y consta de contenido y estructura.

Para el niño que llora amargamente porque ya no tiene su juguete, éste representa el contenido. Es intercambiable con cualquier otro contenido, otro juguete u objeto. El contenido con el cual nos identificamos está condicionado por el entorno, la crianza y la cultura que nos rodea. El hecho de que sea un niño rico o pobre, o que el juguete sea un trozo de madera en forma de animal o un aparato electrónico sofisticado no tiene importancia en lo que se refiere al sufrimiento provocado por su pérdida. La razón por la que se produce ese sufrimiento agudo está oculta en la palabra "mío" y es estructural. La compulsión inconsciente de promover nuestra identidad a través de la asociación con un objeto es parte integral de la estructura misma de la mente egotista.

Una de las estructuras mentales básicas a través de la cual entra en existencia el ego es la identificación. El vocablo "identificación" viene del latín "ídem" que significa "igual" y "facere" que significa "hacer". Así, cuando nos identificamos con algo, lo "hacemos igual". ¿Igual a qué? Igual al yo. Dotamos a ese algo de un sentido de ser, de tal manera que se convierte en parte de

nuestra "identidad". En uno de los niveles más básicos de identificación están las cosas: el juguete se convierte después en el
automóvil, la casa, la ropa, etcétera. Tratamos de hallarnos en las
cosas pero nunca lo logramos del todo y terminamos perdiéndo-
nos en ellas. Ese es el destino del ego.

LA IDENTIFICACIÓN CON LAS COSAS

Quienes trabajan en la industria de la publicidad saben muy bien
que para vender cosas que las personas realmente no necesitan
deben convencerlas de que esas cosas aportarán algo a la forma
como se ven a sí mismas o como las perciben los demás, en otras
palabras, que agregarán a su sentido del ser. Lo hacen, por ejemplo,
afirmando que podremos sobresalir entre la multitud utilizando el
producto en cuestión y, por ende, que estaremos más completos. O
crean la asociación mental entre el producto y un personaje famoso
o una persona joven, atractiva o aparentemente feliz. Hasta las
fotografías de las celebridades ancianas o fallecidas cuando estaban
en la cima de sus carreras cumplen bien con ese propósito. El supuesto tácito es que al comprar el producto llegamos, gracias a un
acto mágico de apropiación, a ser como ellos o, más bien, como su
imagen superficial. Por tanto, en muchos casos no compramos un
producto sino un "refuerzo para nuestra identidad". Las etiquetas
de los diseñadores son principalmente identidades colectivas a las
cuales nos afiliamos. Son costosas y, por tanto, "exclusivas". Si
estuvieran al alcance de todo el mundo, perderían su valor psicológico y nos quedaríamos solamente con su valor material, el cual
seguramente equivale a una fracción del precio pagado.

Las cosas con las cuales nos identificamos varían de una persona a otra de acuerdo con la edad, el género, los ingresos, la clase

social, la moda, la cultura, etcétera. *Aquello* con lo cual nos identificamos tiene relación con el contenido; por otra parte, la compulsión inconsciente por identificarse es estructural. Esta es una de las formas más elementales como opera la mente egotista.

Paradójicamente, lo que sostiene a la llamada sociedad de consumo es el hecho mismo de que el intento por reconocernos en las cosas no funciona: la satisfacción del ego dura poco y entonces continuamos con la búsqueda y seguimos comprando y consumiendo.

Claro está que en esta dimensión física en la cual habita nuestro ser superficial, las cosas son necesarias y son parte inevitable de la vida. Necesitamos vivienda, ropa, muebles, herramientas, transporte. Quizás haya también cosas que valoramos por su belleza o sus cualidades inherentes. Debemos honrar el mundo de las cosas en lugar de despreciarlo. Cada cosa tiene una cualidad de Ser, es una forma temporal originada dentro de la Vida Única informe fuente de todas las cosas, todos los cuerpos y todas las formas. En la mayoría de las culturas antiguas se creía que todas las cosas, hasta los objetos inanimados, alojaban un espíritu y, en este sentido, estaban más cerca de la verdad que nosotros. Cuando se vive en un mundo aletargado por la abstracción mental, no se percibe la vida del universo. La mayoría de las personas no viven en una realidad viva sino conceptualizada.

Pero no podemos honrar realmente las cosas si las utilizamos para fortalecer nuestro ser, es decir, si tratamos de encontrarnos a través de ellas. Eso es exactamente lo que hace el ego. La identificación del ego con las cosas da lugar al apego y la obsesión, los cuales crean a su vez la sociedad de consumo y las estructuras económicas donde la única medida de progreso es tener siempre *más*. El deseo incontrolado de tener más, de crecer incesantemente, es una disfunción y una enfermedad. Es la misma disfunción que manifiestan las células cancerosas cuya única finalidad es multiplicarse sin darse cuenta de que están provocando su propia destrucción al destruir al organismo del cual forman parte. Algunos economistas están tan apegados a la noción de crecimiento que no pueden soltar la palabra y entonces hablan de "crecimiento negativo" para referirse a la recesión.

Muchas personas agotan buena parte de su vida en la preocupación obsesiva por las cosas. Es por eso que uno de los males de nuestros tiempos es la proliferación de los objetos. Cuando perdemos la capacidad de sentir esa vida que somos, lo más probable es que tratemos de llenar la vida con cosas. A manera de práctica espiritual, le sugiero investigar su relación con el mundo de las cosas observándose a si mismo y, en particular, observando las cosas designadas con la palabra "mi". Debe mantenerse alerta y ver honestamente si su sentido de valía está ligado a sus posesiones. ¿Hay cosas que inducen una sensación sutil de importancia o superioridad? ¿Acaso la falta de esas cosas le hace sentir inferior a otras personas que poseen más que usted? ¿Menciona casualmente las cosas que posee o hace alarde de ellas para aparecer superior a los ojos de otra persona y, a través de ella, a sus propios ojos? ¿Siente ira o resentimiento cuando alguien tiene más que usted o cuando pierde un bien preciado?

EL ANILLO PERDIDO

Cuando servía de consejero y maestro espiritual, estuve visitando dos veces por semana a una mujer invadida por el cáncer. Tenía cuarenta y tantos años y era maestra de escuela. Los médicos le habían pronosticado apenas unos cuantos meses de vida. Algunas veces pronunciábamos unas pocas palabras durante esas visitas, pero la mayoría de las veces nos sentábamos en silencio. Fue así como comenzó a tener los primeros destellos de su quietud interior, la cual no había aprendido a conocer durante sus años agitados como educadora.

Sin embargo, un día la encontré desesperada y enojada. "¿Qué pasó?" le pregunté. No encontraba su anillo de diamante, el cual tenía un valor monetario y sentimental muy grande, y me dijo que estaba segura de que lo había robado la mujer que iba a cuidarla durante unas horas todos los días. Dijo que no entendía cómo alguien podía ser tan cruel y despiadado como para hacerle eso a ella. Me preguntó si se debía enfrentar a la mujer o si sería mejor llamar a la policía inmediatamente. Le dije que me era imposible decirle lo que debía hacer pero le pedí que reflexionara acerca de la importancia que un anillo, o cualquier otra cosa, podía tener para ella en ese momento de su vida. "No entiende", me respondió. "Era el anillo de mi abuela. Lo usé todos los días hasta que enfermé y se me hincharon las manos. Es más que un anillo para mí. ¿Cómo podría estar tranquila?"

La rapidez de su respuesta y el tono airado y defensivo de su voz me indicaron que todavía no estaba lo suficientemente anclada en el presente para mirar en su interior y separar su reacción del evento a fin de observarlos ambos. La ira y la defensividad eran señales de que el ego hablaba a través de ella. Entonces le dije, "Le haré unas cuantas preguntas, pero en lugar de responderlas inmediatamente, trate de encontrar las respuestas en su interior. Haré una pausa breve entre cada una. Cuando le llegue la respuesta, quizás no llegue en forma de palabras". Dijo estar lista para escucharme. Entonces pregunté: "¿Se da cuenta de que tendrá que separarse del anillo en algún momento, quizás muy pronto? ¿Cuánto tiempo más necesita para desprenderse de él? ¿Perderá algo como persona cuando se desprenda de él? ¿Acaso *ese ser que es usted* se ha disminuido a causa de la pérdida?" Hubo unos minutos de silencio después de la última pregunta.

Cuando comenzó a hablar nuevamente sonreía y parecía sentirse en paz. "Con la última pregunta caí en cuenta de algo importante. Primero busqué una respuesta en mi mente y lo que oí fue, 'por supuesto que te sientes disminuída'. Entonces me hice la pregunta nuevamente, '¿acaso esa que soy yo se ha disminuido?' pero tratando de sentir en lugar de pensar la respuesta. Y entonces sentí lo que soy. No había sentido eso antes. Si logro sentir lo que soy tan fuertemente, entonces esa que soy yo no se ha disminuido para nada. Todavía lo siento; es una sensación de paz pero muy vívida". "Esa es la alegría de Ser", le dije. "La única manera de sentirla es saliendo de la mente. El Ser se debe sentir, no se puede pensar. El ego lo desconoce porque está hecho de pensamiento. El anillo estaba realmente en su mente en forma de pensamiento, el cual usted confundió con el sentido de lo que Es. Pensó que esa que usted Es o una parte suya estaba en el anillo".

"Todo aquello que el ego persigue y a lo cual se apega son sustitutos del Ser que el ego no puede sentir. Usted puede valorar y cuidar las cosas pero si siente apego es porque es cosa del ego. Y realmente no nos apegamos nunca a las cosas sino al pensamiento que incluye las nociones de 'yo', 'mi' o 'mío'. Siempre que aceptamos totalmente una pérdida, trascendemos el ego, y entonces emerge lo que somos, ese Yo Soy que es la conciencia misma". Entonces ella dijo, "ahora comprendo algo que dijo Jesús y a lo cual nunca le había encontrado mucho sentido: 'Si alguien te pide la camisa, entrégale también tu capa'". "Así es", le respondí. "No significa que no debamos cerrar la puerta. Significa que algunas veces desprenderse de las cosas es un acto mucho más poderoso que el hecho de defenderlas o de aferrarse a ellas".

En las últimas semanas de vida su cuerpo se debilitaba, pero ella se tornó cada vez más radiante, como si una luz brillara en su interior. Regaló muchos de sus bienes, algunos a la mujer de quien sospechaba había tomado el anillo, y con cada cosa que entregaba ahondaba su dicha. Cuando la madre me llamó para anunciarme la noticia de su muerte, también mencionó que habían encontrado el anillo en el botiquín del baño. ¿Acaso la mujer devolvió el anillo, o había estado ahí todo el tiempo? Nunca lo sabremos. Pero algo sí sabemos. La vida nos pone en el camino las experiencias que más necesitamos para la evolución de nuestra conciencia. ¿Cómo saber si ésta es la experiencia que usted necesita? Porque es la experiencia que está viviendo en este momento.

¿Es un error sentirnos orgullosos de lo que poseemos o resentir a los demás por tener más que nosotros? En lo absoluto. Esa sensación de orgullo, la necesidad de sobresalir, el aparente fortalecimiento del saber en virtud del "más" y la mengua en virtud del "menos" no es algo bueno ni malo: es el ego. El ego no es malo, sencillamente es inconsciente. Cuando nos damos a la tarea de observar el ego, comenzamos a trascenderlo. No conviene tomar al ego muy en serio. Cuando detectamos un comportamiento egotista, sonreímos. A veces hasta reímos. ¿Cómo pudo la humanidad tomarlo en serio durante tanto tiempo? Por encima de todo, es preciso saber que el ego no es personal, no es lo que somos. Cuando consideramos que el ego es nuestro problema personal, es sólo cuestión de más ego.

LA ILUSIÓN DE LA PROPIEDAD

¿Qué significa realmente ser "dueños" de algo? ¿Qué significa el que algo sea "mío". Si parados en la mitad de una calle en Nueva York señalamos un rascacielos y decimos, "Ese edificio es mío, me pertenece", o bien es porque somos muy ricos o mentirosos o locos. En todo caso, contamos una historia en la que la forma mental "yo" y la forma mental "edificio" se confunden en una sola. Es así como funciona el concepto mental de la propiedad. Si todo el mundo coincide con nuestra historia, se producirán unos documentos para certificar ese acuerdo. Entonces somos ricos. Si nadie está de acuerdo con la historia, terminaremos donde el psiquiatra. Entonces somos locos o mitómanos.

Es importante reconocer aquí que la historia y las formas de pensamiento que la componen, bien sea que los demás estén o no de acuerdo, no tienen absolutamente nada que ver con lo que somos. Aunque los demás coincidan con nosotros, la historia no es más que ficción. Son muchas las personas que es apenas en su lecho de muerte, cuando todo lo externo se desvanece, cuando se dan cuenta de que *ninguna cosa* tuvo nunca que ver con lo que son. Ante la cercanía de la muerte, todo el concepto de la propiedad se manifiesta totalmente carente de significado. En los últimos momentos de la vida también se dan cuenta de que mientras pasaron toda la vida buscando un sentido más completo del ser, lo que buscaban realmente, el Ser, siempre había estado allí pero parcialmente oculto por la identificación con las cosas, es decir, la identificación con la mente.

"Bienaventurados los pobres de espíritu", dijo Jesús, "porque de ellos es el reino de los cielos".[1] ¿Qué significa "pobres de espíritu"? Es la ausencia de equipaje interior, de identificaciones.

Nada de identificación con las cosas, ni con los conceptos mentales que contengan un sentido de ser. ¿Y qué es el reino de los cielos? La dicha simple pero profunda de Ser, la cual aparece cuando nos desprendemos de las identificaciones y nos volvemos "pobres de espíritu".

Es por eso que la renuncia a todas las posesiones ha sido una práctica espiritual antigua tanto en Oriente como en Occidente. Sin embargo, el hecho de renunciar a las posesiones no lleva automáticamente a la liberación del ego. Este tratará de asegurar su supervivencia encontrando otra cosa con la cual identificarse, por ejemplo, una imagen mental de nuestra persona como alguien que ha superado todo interés por los bienes materiales y, por tanto, superior y *más* espiritual que los demás. Hay personas que han renunciado a todos sus bienes pero tienen un ego más grande que el de algunos millonarios. Cuando se suprime un tipo de identificación, el ego no tarda en encontrar otro. En últimas no le interesa aquello con lo cual se identifica, siempre y cuando tenga identidad. La oposición al consumismo o a la propiedad privada sería otra forma de pensamiento, otra posición mental, la cual puede reemplazar la identificación con las posesiones. A través de ella la persona podría considerar que tiene la razón mientras que las demás personas están equivocadas. Como veremos más adelante, sentir que tenemos la razón mientras que los demás están equivocados es uno de los principales patrones egotistas de la mente, una de las principales formas de inconciencia. En otras palabras, el contenido del ego puede cambiar; la estructura mental que lo mantiene vivo no.

Uno de los supuestos inconscientes es que al identificarnos con un objeto a través de la ficción de la propiedad, la aparente solidez y permanencia de ese objeto material nos proporcionará un sentido de ser más sólido y permanente. Esto se aplica en particular a las edificaciones y todavía más a la tierra porque son las únicas cosas que podemos poseer y de las cuales pensamos que no se destruyen. El absurdo de la propiedad se manifiesta más claramente en el caso de la tierra. En los días de los colonos blancos, para los nativos de Norteamérica el concepto de la propiedad de la tierra era incomprensible. Entonces la perdieron cuando los europeos los obligaron a firmar unos documentos igualmente incomprensibles. Ellos sentían que pertenecían a la tierra y no que la tierra les pertenecía.

Para el ego, tener es lo mismo que Ser: tengo, luego existo. Y mientras más tengo, más soy. El ego vive a través de la comparación. La forma como otros nos ven termina siendo la forma como nos vemos a nosotros mismos. Si todo el mundo habitara en mansiones o todos fuéramos ricos, nuestra mansión o nuestra riqueza ya no nos serviría para engrandecer nuestro sentido del ser. Podríamos irnos a vivir a una choza modesta, regalar la riqueza y recuperar la identidad viéndonos y siendo vistos como personas más espirituales que los demás. La forma como otros nos ven se convierte en el espejo que nos dice cómo y quiénes somos. El sentido de valía del ego está ligado en la mayoría de los casos con la forma como los otros nos valoran. Necesitamos de los demás para conseguir la sensación de ser, y si vivimos en una cultura en donde el valor de la persona es igual en gran medida a lo que se tiene, y si no podemos reconocer la falacia de ese engaño colectivo, terminamos condenados a perseguir las cosas durante el resto de nuestra existencia con la vana esperanza de encontrar nuestro valor y la realización del ser.

¿Cómo desprendernos del apego a las cosas? Ni siquiera hay que intentarlo. Es imposible. El apego a las cosas se desvanece por si solo cuando renunciamos a identificarnos con ellas. Entretanto, lo importante es tomar conciencia del apego a las cosas. Algunas veces quizás no sepamos que estamos apegados a algo, es decir identificados con algo, sino hasta que lo perdemos o sentimos la amenaza de la pérdida. Si entonces nos desesperamos y sentimos ansiedad, es porque hay apego. Si reconocemos estar identificados con algo, la identificación deja inmediatamente de ser total. "Soy la conciencia que está consciente de que hay apego". Ahí comienza la transformación de la conciencia.

QUERER MÁS: LA NECESIDAD DE POSEER MÁS

El ego se identifica con lo que se tiene, pero la satisfacción que se obtiene es relativamente efímera y de corta duración. Oculto dentro de él permanece un sentimiento profundo de insatisfacción, de "no tener suficiente", de estar incompleto. "Todavía no tengo suficiente", dice el ego queriendo decir realmente, "Todavía no *soy* suficiente".

Como hemos visto, *tener* (el concepto de la propiedad) es una ficción creada por el ego para dotarse a sí mismo de solidez y permanencia y poder sobresalir y ser especial. Sin embargo, puesto que es imposible encontrarnos a nosotros mismos a través de la tenencia, hay otro ímpetu más fuerte y profundo relacionado con la estructura del ego: la necesidad de poseer más, a la cual denominamos "deseo". No hay ego que pueda durar mucho tiempo sin la necesidad de poseer más. Por consiguiente, el deseo mantiene al ego vivo durante más tiempo que la propiedad. El ego desea desear más que lo que desea tener. Así, la satisfacción somera de poseer siempre se reemplaza por más deseo. Se trata de la necesidad psicológica de tener más, es decir, más cosas con las cuales identificarse. Es una necesidad adictiva y no es auténtica.

En algunos casos, la necesidad psicológica de tener más o la sensación de la carencia tan características del ego se transfieren al nivel físico, de tal manera que se convierte en un apetito insaciable. Las personas afectadas por la bulimia se obligan a vomitar para continuar comiendo. El hambre está en su mente, no en el cuerpo. Este trastorno de la alimentación se curaría si la víctima, en lugar de identificarse con la mente, pudiera entrar en contacto con su cuerpo y sentir las verdaderas necesidades del mismo en lugar de las falsas necesidades de la mente egotista.

Algunos egos saben lo que desean y persiguen su propósito con determinación siniestra y despiadada: Gengis Khan, Stalin, Hitler serían algunos ejemplos más que ilustrativos. Sin embargo, la energía que alimenta su deseo crea una energía opuesta de igual intensidad, la cual provoca finalmente su caída. Entretanto, siembran la infelicidad para ellos mismos y los demás o, en el caso de los ejemplos anteriores, crean el infierno en la tierra. La mayoría de los egos sienten deseos contradictorios. Desean cosas diferentes a cada momento o quizás no sepan lo que desean, salvo que no desean lo que es: el momento presente. Como resultado de ese deseo insatisfecho vienen el desasosiego, la inquietud, el aburrimiento, la ansiedad y la insatisfacción. El deseo es estructural, de manera que no hay contenido que pueda proporcionar una sensación duradera de logro mientras esa estructura mental continúe existiendo. En el ego de los adolescentes, (muchos viven en un estado permanente de negatividad e insatisfacción), se encuentra con frecuencia ese deseo de algo inespecífico.

Las necesidades físicas de alimento, agua, cobijo, vestido y las comodidades básicas podrían satisfacerse fácilmente para todos los seres humanos del planeta si no fuera por el desequilibrio generado por la necesidad rapaz y demente de tener más recursos, por la codicia del ego. Esta encuentra su expresión colectiva en las estructuras económicas de este mundo tales como las corporaciones gigantescas, las cuales son entidades egotistas que compiten entre sí por tener más. Su único objetivo cegador es conseguir utilidades. Persiguen ese objetivo de manera absolutamente inmisericorde. La naturaleza, los animales, las personas y hasta sus propios empleados no son otra cosa que cifras en un balance, objetos inanimados para explotar y luego descartar.

Las formas de pensamiento de *mi* y *mío, más que, quiero, necesito, preciso tener* y *no es suficiente,* no se relacionan con el contenido sino con la estructura del ego. El contenido es intercambiable. Mientras no se reconozca la existencia de esas formas de pensamiento y permanezcan en el inconsciente, estamos sujetos a creer en ellas; estamos condenados a manifestar esos pensamientos inconscientes, condenados a buscar sin encontrar, porque cuando operan esas formas de pensamiento no hay nada que pueda satisfacernos, ninguna posesión, ningún lugar, ninguna persona ni ninguna condición. Independientemente de lo que tengamos u obtengamos, no podremos ser felices. Siempre estaremos buscando algo que prometa una mayor realización, que encierre la promesa de completar el ser incompleto y de llenar esa sensación de carencia que llevamos dentro.

LA IDENTIFICACIÓN CON EL CUERPO

Aparte de la identificación con los objetos, otra forma primordial de identificación es con *mi* cuerpo. Ante todo, el cuerpo es masculino o femenino, de manera que el sentido de ser hombre o mujer absorbe buena parte del sentido del ser de la mayoría de las personas. El género se convierte en identidad. La identificación con el género se promueve desde los primeros años de vida y obliga a asumir un papel y a amoldarse a unos patrones condicionados de comportamiento que inciden en todos los aspectos de la vida y no solamente en la sexualidad. Es un papel en el cual quedan atrapadas totalmente muchas personas, generalmente en mayor medida en las sociedades tradicionales que en la cultura occidental, donde la identificación con el género comienza a disminuir ligeramente. En algunas culturas tradicionales, el peor destino para una mujer es ser soltera o infértil, y lo peor para un hombre es carecer de potencia sexual y no poder producir hijos. La realización en la vida es sinónimo de la realización de la identidad de género.

En Occidente, la apariencia física del cuerpo contribuye en gran medida a nuestro sentido de lo que creemos ser: su vigor o debilidad, su belleza o fealdad en comparación con los demás. Muchas personas consideran que su valor es proporcional a su vigor físico, su apariencia, su estado físico y su belleza externa. Muchas sienten que valen menos porque consideran que su cuerpo es feo o imperfecto.

En algunos casos, la imagen mental o el concepto de "mi cuerpo" es una distorsión completa de la realidad. Una mujer joven, sintiéndose pasada de peso, puede matarse de hambre cuando en realidad es delgada. Ha llegado a un punto en que ya no puede ver su cuerpo, lo único que "ve" es el concepto mental de su cuerpo, el cual le dice, "soy gorda", o "engordaré". En la raíz de esta condición está la identificación con la mente. Ahora que las personas se identifican más con su mente, intensificando la disfunción egotista, ha habido un aumento considerable en la incidencia de la anorexia. La víctima podría comenzar a sanar si pudiera mirar su cuerpo sin la interferencia de sus juicios mentales, o si pudiera al menos reconocer esos juicios por lo que son en lugar de creer en ellos o, mejor aún, si pudiera sentir su cuerpo desde adentro.

Quienes se identifican con su físico, su vigor o sus habilidades, sufren cuando esos atributos comienzan a desaparecer, lo cual es inevitable, por supuesto. Como su misma identidad se apoyaba en ellos, se ven abocados a la destrucción. Las personas, bien sean bellas o feas, derivan del cuerpo buena parte de su identidad, sea ésta positiva o negativa. Dicho más exactamente, derivan su identidad del pensamiento del yo que asignan erróneamente a la imagen o el concepto de su cuerpo, el cual no es más que una forma física que comparte la suerte de todas las formas: la transitoriedad y, finalmente, el deterioro.

Equiparar con el "yo" al cuerpo físico percibido por los sentidos, el cual está destinado a envejecer, marchitarse y morir, siempre genera sufrimiento tarde o temprano. Abstenerse de identificarse con el cuerpo no implica descuidarlo, despreciarlo o dejar de interesarse por él. Si es fuerte, bello y vigoroso, podemos disfrutar y apreciar esos atributos, mientras duren. También podemos mejorar la condición del cuerpo mediante el ejercicio y una buena alimentación. Cuando no equiparamos el cuerpo con la esencia de lo que somos, cuando la belleza desaparece, el vigor disminuye o no podemos valernos por nosotros mismos, nuestro sentido de valía o de identidad no sufre de ninguna manera. En realidad, cuando el cuerpo comienza a debilitarse la luz de la conciencia puede brillar más fácilmente a través del desvanecimiento de la forma.

No son solamente las personas que poseen cuerpos hermosos o casi perfectos quienes tienen mayor probabilidad de equipararlo con su ser. Podemos identificarnos fácilmente también con un cuerpo "problemático" y convertir la imperfección, la enfermedad o la invalidez en nuestra propia identidad. Entonces comenzamos a proyectarnos como "víctimas" de tal o cual enfermedad o invalidez crónica. Nos rodeamos de la atención de los médicos y de otras personas que confirman constantemente nuestra identidad conceptual de víctimas o pacientes. Entonces nos aferramos inconscientemente a la enfermedad porque se ha convertido en el aspecto más importante de la noción del ser. Se ha convertido en otra forma mental con la cual se puede identificar el ego. Cuando el ego encuentra una identidad, no se desprende de ella. Es sorprendente, pero no infrecuente, que al buscar una identidad más fuerte, el ego opte por crear enfermedades a fin de fortalecerse a través de ellas.

LA PERCEPCIÓN DEL CUERPO INTERIOR

Aunque la identificación con el cuerpo es una de las formas más básicas del ego, la buena noticia es que también es la más fácil de trascender. Esto no se logra haciendo un esfuerzo por convencernos de que no somos cuerpo, sino dejando de prestar atención a la forma corporal externa y a las formas mentales del cuerpo (bello, feo, fuerte, débil, demasiado gordo, demasiado delgado) para centrar la atención en la sensación de vida que lo anima. Independientemente de la apariencia externa del cuerpo, más allá de la forma exterior hay un campo de energía intensamente vivo.

Si usted desconoce la conciencia del cuerpo interior, cierre los ojos por unos momentos y trate de discernir si sus manos tienen vida. No le pregunte a la mente porque ésta le responderá diciendo, "No siento absolutamente nada". Quizás también responda,

"Necesito cosas más interesantes en las cuales pensar". Entonces, en lugar de preguntarle a su mente, vaya directamente a las manos. Con esto quiero decir que tome conciencia de la sensación sutil de vida que ellas encierran. Está ahí. Lo único que debe hacer es fijar su atención para notarla. Al principio podrá sentir un leve cosquilleo y después una sensación de energía o de vida. Si mantiene su atención en las manos durante un rato, esa sensación de vida se intensificará. Algunas personas ni siquiera necesitan cerrar los ojos puesto que logran sentir sus "manos interiores" mientras leen estas frases. Después lleve su atención a los pies y fije en ellos su atención durante uno o dos minutos. Comience a sentir las manos y los pies al mismo tiempo. Después incorpore otras partes del cuerpo (piernas, brazos, abdomen, tórax, etcétera) hasta tener conciencia de su cuerpo interior como una sensación global de vida.

Lo que denomino el "cuerpo interior" no es realmente cuerpo sino energía vital, el puente entre la forma y lo informe. Desarrolle el hábito de sentir el cuerpo interior con la mayor frecuencia posible. Al cabo de un tiempo ya no tendrá que cerrar los ojos para sentirlo. Por ejemplo, trate de sentir el cuerpo interior cuando esté en compañía de alguien. Es casi como una paradoja: al estar en contacto con el cuerpo interior deja uno de identificarse con el cuerpo y con la mente. Quiere decir que ya no nos identificamos con la forma sino que nos apartamos de esa identificación hacia lo informe, al cual podemos también denominar el Ser. Es nuestra identidad esencial. Tomando conciencia del cuerpo no solamente nos anclamos en el momento presente sino que abrimos una puerta para escapar de la cárcel del ego. También fortalecemos nuestro sistema inmunitario y la capacidad del cuerpo de sanarse a sí mismo.

EL OLVIDO DEL SER

El ego siempre es identificación con la forma, es buscarnos a nosotros mismos y perdernos en algún tipo de forma. Las formas no
son solamente objetos materiales o cuerpos físicos. Más fundamentales que las formas externas, que las cosas y los cuerpos, son
las formas de pensamiento que brotan constantemente en el campo de la conciencia. Son formaciones de energía más finas y menos
densas que la materia física, pero formas en todo caso. Aquella
voz que oímos incesantemente en la cabeza es el torrente de pensamientos incansables y compulsivos. Cuando cada pensamiento
absorbe nuestra atención completamente, cuando nos identificamos hasta tal punto con la voz de la mente y las emociones que
la acompañan que nos perdemos en cada pensamiento y cada
emoción, nos identificamos totalmente con la forma y, por lo
tanto, permanecemos en las garras del ego. El ego es un conglo-
merado de pensamientos repetitivos y patrones mentales y emocionales condicionados dotados de una sensación de "yo", una
sensación de ser. El ego emerge cuando el sentido del Ser, del "Yo
soy", el cual es conciencia informe, se confunde con la forma. Ese
es el significado de la identificación. Es el olvido del Ser, el error
primario, la ilusión de la separación absoluta, la cual convierte la
realidad en una pesadilla.

DEL ERROR DE DESCARTES A LA VISIÓN DE SARTRE

Descartes, el filósofo del siglo diecisiete, considerado el funda-
dor de la filosofía moderna, dotó de expresión a este error primario con su famosa aseveración (para él la verdad primaria) de

"Pienso, luego existo". Fue su respuesta a la pregunta de si "¿Hay algo que pueda saber con absoluta certeza?" Se dio cuenta de que no había duda alguna acerca del hecho de estar pensando constantemente, de manera que concluyó que pensar era sinónimo de Ser, es decir que la identidad –el yo soy– era sinónimo del pensamiento. En lugar de la verdad última, encontró la raíz del ego, aunque nunca lo supo.

Pasaron casi 300 años antes de que otro filósofo famoso reconociera en esa afirmación algo que ni Descartes ni nadie más había visto. Su nombre era Jean Paul Sartre. Reflexionó a fondo acerca de ese "Pienso, luego existo" y súbitamente descubrió, según sus propias palabras, que "La conciencia que dice 'existo' no es la conciencia que piensa". ¿Qué quiso decir con eso? Cuando tomamos conciencia de estar pensando, esa conciencia no es parte del pensamiento. Es una dimensión diferente de la conciencia. Y es esa conciencia la que dice "existo". Si solamente hubiera pensamientos en nosotros, ni siquiera sabríamos que pensamos. Seríamos como el soñador que no sabe que está soñando. Estaríamos tan identificados con cada pensamiento como lo está el soñador con cada una de las imágenes del sueño. Muchas personas todavía viven de esa manera, como sonámbulas, atrapadas en la mentalidad disfuncional que crea una y otra vez la misma pesadilla de la realidad. Cuando reconocemos que estamos soñando es porque estamos despiertos dentro del sueño y ha entrado en escena otra dimensión de la conciencia.

La implicación de la visión de Sartre es profunda, pero él estaba todavía demasiado identificado con el pensamiento para darse cuenta del enorme significado de lo que había descubierto: el afloramiento de una nueva dimensión de la conciencia.

LA PAZ QUE SOBREPASA TODA COMPRENSIÓN

Muchas personas han dado su testimonio acerca del afloramiento de una nueva dimensión de la conciencia como consecuencia de una pérdida trágica en algún momento de sus vidas. Algunas perdieron todos sus bienes, otras a sus hijos o su cónyuge, su posición social, su reputación o sus habilidades físicas. En algunos casos, a causa de un desastre o de la guerra, perdieron todo eso al mismo tiempo, quedando sin "nada". Esto es lo que llamamos una situación extrema. Cualquier cosa con la cual se hubieran identificado, cualquier cosa que les hubiera dado un sentido de ser, desapareció. Entonces, súbita e inexplicablemente, la angustia o el miedo profundo que las atenazó inicialmente dio paso a la sensación de una Presencia sagrada, una paz y serenidad interiores, una liberación total del miedo. San Pablo seguramente conoció ese fenómeno pues dijo, "la paz de Dios que está más allá de toda comprensión".[2] En efecto, es una paz que parece no tener sentido, y las personas que la han experimentado han tenido que preguntarse, "¿Cómo es posible que ante semejante situación pueda sentir esta paz?"

La respuesta es sencilla, sucede una vez que reconocemos al ego por lo que es y la forma como funciona. Cuando desaparecen o nos arrebatan las formas con las cuales nos hemos identificado y las cuales nos han proporcionado el sentido del ser, el ego se derrumba puesto que el ego *es* identificación con la forma. ¿Qué somos cuando ya no tenemos nada con lo cual identificarnos? Cuando las formas que nos rodean mueren o se aproxima la muerte, nuestro sentido del Ser, del Yo Soy, se libera de su confusión con la forma: el Espíritu vuela libre de su prisión material. Reconocemos que nuestra identidad esencial es informe, una omnipresencia, un Ser anterior a todas las formas y a todas las identificaciones. Reconocemos que nuestra verdadera identidad es la conciencia misma y no aquellas cosas con las cuales se había identificado la conciencia. Esa es la paz de Dios. La verdad última de lo que somos no está en decir yo soy esto o aquello, sino en decir Yo Soy.

No todas las personas que experimentan una gran pérdida tienen este despertar, este deslindarse de la forma. Algunas crean inmediatamente una imagen mental fuerte o una forma de pensamiento en la cual se proyectan como víctimas, ya sea de las circunstancias, de otras personas, de la injusticia del destino, o de Dios. Esta forma de pensamiento, junto con las emociones que genera como la ira, el resentimiento, la autocompasión, etcétera, es objeto de una fuerte identificación y toma inmediatamente el lugar de las demás identificaciones destruidas a raíz de la pérdida. En otras palabras, el ego busca rápidamente otra forma. El hecho de que esta nueva forma sea profundamente infeliz no le preocupa demasiado al ego, siempre y cuando le sirva de identidad, buena o mala. En efecto, este nuevo ego será más contraído, más rígido e impenetrable que el antiguo.

La reacción ante una pérdida trágica es siempre resistirse o ceder. Algunas personas se vuelven amargadas y profundamente resentidas; otras se vuelven compasivas, sabias y amorosas. Ceder implica aceptar internamente lo que es, es abrirse a la vida. La resistencia es una contracción interior, un endurecimiento del cascarón del ego, es cerrarse. Toda acción emprendida desde el estado de resistencia interior (al cual podríamos llamar negatividad) generará más resistencia externa y el universo no brindará su apoyo; la vida no ayudará. El sol no puede penetrar cuando los postigos están cerrados. Cuando cedemos y nos entregamos, se abre una nueva dimensión de la conciencia. Si la acción es posible o necesaria, la acción estará en armonía con el todo y recibirá el apoyo de la inteligencia creadora, la conciencia incondicionada, con la cual nos volvemos uno cuando estamos en un estado de apertura interior. Entonces las circunstancias y las personas ayudan y colaboran, se producen las coincidencias. Si la acción no es posible, descansamos en la paz y la quietud interior en actitud de entrega; descansamos en Dios.

CAPÍTULO TRES

LA ESENCIA DEL EGO

La mayoría de las personas se identifican completamente con la voz de la mente, con ese torrente incesante de pensamientos involuntarios y compulsivos y las emociones que lo acompañan. Podríamos decir que están poseídas por la mente. Mientras permanezcamos completamente ajenos a esa situación, creeremos que somos el pensador. Esa es la mente egotista. La llamamos egotista porque hay una sensación de ser, de yo (ego) en cada pensamiento, en cada recuerdo, interpretación, opinión, punto de vista, reacción y emoción. Hablando en términos espirituales, ése es el estado de inconciencia. El pensamiento, el contenido de la mente, está condicionado por el pasado: la crianza, la cultura, la historia familiar, etcétera. La esencia de toda la actividad mental consta de ciertos pensamientos, emociones y patrones reactivos repetitivos y persistentes con los cuales nos identificamos más fuertemente. Esa entidad es el ego.

En la mayoría de los casos, cuando decimos "yo", es el ego quien habla, no nosotros, como ya hemos visto. El ego consta de pensamiento y emoción, un paquete de recuerdos que identificamos con "yo y mi historia", de papeles que representamos habitualmente sin saberlo, de identificaciones colectivas como la nacionalidad, la religión, la raza, la clase social o la filiación política. También contiene identificaciones personales, no solamente con los bienes materiales sino también con las opiniones, la apariencia externa, los resentimientos acumulados o las ideas de ser superiores o inferiores a los demás, de ser un éxito o un fracaso.

El contenido del ego varía de una persona a otra, pero en todo ego opera la misma estructura. En otras palabras, los egos son diferentes sólo en la superficie. En el fondo son todos iguales. ¿En qué sentido son iguales? Viven de la identificación y la separación. Cuando vivimos a través del ser emanado de la mente, constituido por pensamientos y emociones, la base de nuestra identidad es precaria porque el pensamiento y las emociones son, por naturaleza, efímeros, pasajeros. Así, el ego lucha permanentemente por sobrevivir, tratando de protegerse y engrandecerse. Para mantener el pensamiento del Yo necesita el pensamiento opuesto de "el otro". El "yo" conceptual no puede sobrevivir sin el "otro" conceptual. Los otros son más "otros" cuando los vemos como enemigos. En un extremo de la escala de este patrón egotista inconsciente está el hábito compulsivo de hallar fallas en los demás y de quejarse de ellos. Jesús se refirió a esto cuando dijo, "¿Por qué ves la paja en el ojo ajeno pero no la viga en el tuyo propio?"[1] En el otro extremo de la escala está la violencia física entre los individuos y la guerra entre las naciones. En la Biblia, la pregunta de Jesús queda sin respuesta, pero obviamente ésta es que cuando criticamos o condenamos al otro, nos sentimos más grandes y superiores.

QUEJAS Y RESENTIMIENTO

Renegar es una de las estrategias predilectas del ego para fortalecerse. Cada queja es una historia inventada por la mente y la creemos ciegamente. No importa si manifestamos nuestras quejas o si las pensamos en silencio. Algunos egos sobreviven fácilmente a base de lamentos únicamente, quizás porque no tienen mucho más con lo cual identificarse. Cuando somos presa de esa clase de ego, nos lamentamos habitualmente, en particular de los demás. Sin embargo, es algo que hacemos inconscientemente, lo cual significa que no sabemos lo que hacemos. Aplicar rótulos mentales negativos a los demás, ya sea en su cara o cuando se habla de ellos con otros, o sencillamente cuando se piensa en ellos, suele ser uno de los componentes de este patrón. Utilizar adjetivos ultrajantes es la forma más cruda de esos rótulos y de la necesidad del ego de tener la razón y triunfar sobre los demás: "idiota, perra, imbécil", son pronunciamientos definitivos contra los cuales no hay argumento posible. En el siguiente nivel más bajo en la escala de la inconciencia están los gritos y las injurias, y bastante cerca, está la violencia física.

El resentimiento es la emoción que acompaña a las lamentaciones y a los rótulos mentales, y refuerza todavía más el ego. El resentimiento equivale a sentir amargura, indignación, agravio u ofensa. Resentimos la codicia de la gente, su deshonestidad, su falta de integridad, lo que hace, lo que hizo en el pasado, lo que dijo, lo que no hizo, lo que debió o no hacer. Al ego le encanta. En lugar de pasar por alto la inconciencia de los demás, la incorporamos en su identidad. ¿Quién lo hace? Nuestra inconciencia, nuestro ego. Algunas veces, la "falta" que percibimos en otra persona ni siquiera existe. Es una interpretación equivocada, una proyección de una mente condicionada para ver enemigos en los demás y elevarse por encima de ellos. En otras ocasiones, la falta puede existir pero la amplificamos al fijarnos en ella, a veces hasta el punto de excluir todo lo demás. Y fortalecemos en nosotros aquello contra lo cual reaccionamos en otra persona.

No reaccionar al ego de los demás es una de las formas más eficaces no solamente de trascender el ego propio sino también de disolver el ego colectivo de los seres humanos. Pero solamente podemos estar en un estado donde no hay reacción si podemos reconocer que el comportamiento del otro viene del ego, que es una expresión de la disfunción colectiva de la humanidad. Cuando reconocemos que no es personal, se pierde la compulsión de reaccionar como si lo fuera. Al no reaccionar frente al ego logramos hacer aflorar la cordura en los demás, es decir, oponer la conciencia incondicionada a la condicionada. En ocasiones quizás sea necesario tomar medidas prácticas para protegernos contra personas profundamente inconscientes. Y podemos hacerlo sin crear enemistad. Sin embargo, la mayor protección es permanecer en la conciencia. Una persona se convierte en enemiga cuando personalizamos la inconciencia de su ego. No reaccionar no es señal de debilidad sino de fuerza. Otra forma de expresar la ausencia de reacción es el perdón. Perdonar es pasar por alto o no reparar. No reparamos en el ego sino que miramos la cordura alojada en la esencia de todos los seres humanos.

Al ego le encanta quejarse y resentirse no solamente con respecto a otras personas, sino también a las situaciones. Lo mismo que se le hace a una persona se le puede hacer a una situación: convertirla en enemiga. La implicación siempre es: esto no debería estar sucediendo; no quiero estar aquí; no quiero tener que hacer esto; es una injusticia conmigo. Por supuesto el peor enemigo del ego es el momento presente, es decir, la vida misma.

No se deben confundir las quejas con el hecho de hacer ver a una persona una deficiencia o un error a fin de que pueda corregirlo. Y abstenerse de quejarse no significa necesariamente tolerar la mala calidad o la mala conducta. No es cuestión de ego decirle a un mesero que la sopa está fría y que debe calentarse, siempre y cuando nos atengamos a los hechos, los cuales siempre son neutros. Renegar es decir "Cómo se atreve a traerme una sopa fría". Hay allí un "yo" al cual le encanta sentirse personalmente ofendido por la sopa fría y que va a sacar el mayor provecho de la situación, un "yo" que disfruta cuando encuentra la falta en el otro. Las quejas a las cuales nos referimos están al servicio del ego, no del cambio. Algunas veces es obvio que el ego realmente no desee cambiar a fin de poder continuar quejándose.

Trate de atrapar a la voz de su mente en el momento mismo en que se queja de algo, y reconózcala por lo que es: la voz del ego, nada más que un patrón mental condicionado, un pensamiento. Cada vez que tome nota de esa voz, también se dará cuenta de que usted no es la voz sino el ser que toma conciencia de ella. En efecto, usted es la conciencia consciente de la voz. Allá en el fondo está la conciencia, mientras que la voz, el pensador, está en primer plano. Es así como usted se libera del ego, de la mente no observada. Tan pronto como tome conciencia del ego que mora en usted, deja de ser ego para convertirse en un viejo patrón mental condicionado. El ego implica inconciencia. La conciencia y el ego no pueden coexistir. El viejo patrón o hábito mental puede sobrevivir y reaparecer durante un tiempo porque trae el impulso de miles de años de inconciencia colectiva, pero cada vez que se lo reconoce, se debilita.

LA REACTIVIDAD Y LOS AGRAVIOS

Mientras que el resentimiento suele ser la emoción que acompaña a las quejas y lamentos, también puede venir acompañado de una emoción más fuerte como la ira u otra forma de malestar. De esa forma trae una carga de energía mayor. Las quejas se convierten entonces en reactividad, otra manera de fortalecerse el ego. Hay muchas personas que siempre están a la espera de lo siguiente para reaccionar, sentirse enojadas o perturbadas: y nunca tienen que esperar demasiado. "Esto es una vergüenza", exclaman. "¿Cómo se atreve…?" "Esto no me gusta". Son tan adictas a la ira y el enojo como otras lo son a las drogas. Al reaccionar contra una cosa u otra afirman y fortalecen su sentido de ser.

Un resentimiento viejo es un agravio. Cargar con un agravio es estar en estado permanente de "oposición" y por eso es que los agravios constituyen una parte significativa del ego en muchos casos. Los agravios colectivos pueden perdurar durante siglos en la psique de una nación o tribu, y alimentar un círculo interminable de violencia.

Un agravio es una emoción negativa intensa conectada con un suceso que pudo ocurrir en el pasado distante pero que se mantiene vivo gracias a un pensamiento compulsivo, repitiendo la historia en la cabeza o en voz alta: "esto fue lo que me hicieron" o "esto fue lo que alguien nos hizo". Un agravio también contamina otros aspectos de la vida. Por ejemplo, mientras pensamos y revivimos el agravio, la energía negativa puede distorsionar nuestra manera de ver un suceso que ocurre en el presente, o influir sobre la forma como hablamos o nos comportamos con alguien en el presente. Un agravio intenso es suficiente para contaminar muchos aspectos de la vida y mantenernos presos en las garras del ego.

Se necesita honestidad para determinar si todavía guardamos agravios, si hay alguien en su vida a quien no haya perdonado totalmente, o a quien considere su "enemigo". Si es así, debe tomar conciencia del agravio tanto a nivel mental como de emotivo; eso implica tomar conciencia de los pensamientos que lo mantienen vivo y sentir la emoción con la cual el cuerpo responde a esos pensamientos. No se esfuerce por deshacerse del agravio. El *esfuerzo* de perdonar y de soltar no sirve. El perdón se produce naturalmente cuando vemos que el rencor no tiene otro propósito que reforzar un falso sentido del ser y mantener al ego en su lugar. Ver es liberar. Cuando Jesús enseñó que debemos "perdonar a nuestros enemigos" básicamente se refería a deshacer una de las principales estructuras egotistas de la humanidad.

El pasado no tiene poder para impedirnos estar en el presente. Los agravios del pasado sí. ¿Y qué es un agravio? El peso de viejas emociones y viejos pensamientos rancios.

TENER LA RAZÓN, FABRICAR EL ERROR

Cuando nos quejamos, encontramos faltas en los demás y reaccionamos, el ego fortalece la noción de los linderos y la separación de la cual depende su existencia. Pero también se fortalece de otra manera al sentirse superior. Quizás no sea fácil reconocer que nos sentimos superiores cuando nos quejamos, por ejemplo, de una congestión de tráfico, de los políticos, de la "codicia de los ricos" o de "los desempleados perezosos", o de los colegas o del ex esposo o la ex esposa. La razón es la siguiente. Cuando nos quejamos, la noción implícita es que tenemos la razón mientras que la persona o la situación motivo de la queja o de la reacción está en el error.

No hay nada que fortalezca más al ego que tener la razón. Tener la razón es identificarse con una posición mental, un punto de vista, una opinión, un juicio o una historia. Claro está que para tener la razón es necesario que alguien más esté en el error, de tal manera que al ego le encanta fabricar errores para tener razón. En otras palabras, necesitamos que otros estén equivocados a fin de sentir fortalecido nuestro ser. Las quejas y la reactividad, para las cuales "esto no tendría por qué estar sucediendo", pueden dar lugar al error no solamente en otras personas sino también en las situaciones. Cuando tenemos la razón nos ubicamos en una posición imaginada de superioridad moral con respecto a la persona o la situación a la cual juzgamos y a la cual encontramos en falta. Esa sensación de superioridad es la que el ego ansía y la que le sirve para engrandecerse.

EN DEFENSA DE UNA ILUSIÓN

No hay duda de que los hechos existen. Cuando decimos que la luz viaja más rápido que el sonido y otra persona afirma lo contrario, es obvio que tenemos la razón y que la otra persona está en el error. La simple observación de que el rayo cae antes de oírse el trueno permitiría comprobar ese hecho. Entonces, no solamente tenemos la razón, sino que sabemos a ciencia cierta que es así. ¿Hay ego en esto? Es posible, pero no necesariamente. Si simplemente afirmamos lo que conocemos como cierto, el ego no participa porque no hay identificación. ¿Identificación con qué? Con la mente y con una posición mental. Sin embargo, esa identificación puede colarse fácilmente. Si nos oímos decir cosas como, "Créame, yo sé" o "¿Por qué nunca me creen?", es porque el ego ha entrado a participar. Se oculta detrás de la sílaba "me". Una frase tan sencilla como que la luz viaja más rápido que el sonido, aunque es cierta, termina al servicio de la ilusión, del ego. Se ha contaminado con el falso sentido del "yo"; se ha personalizado y se ha convertido en una posición mental. El "yo" se siente disminuido u ofendido porque alguien no cree en lo que dijo.

El ego se toma todo a pecho y hace que se desaten las emociones, se pone a la defensiva y hasta puede incurrir en agresiones. ¿Estamos defendiendo la verdad? No, porque la verdad no necesita defensa. Ni a la luz ni al sonido les interesa lo que nosotros u otras personas piensen. Nos defendemos a nosotros mismos o, más bien, defendemos la ilusión de lo que creemos ser, el sustituto fabricado por la mente. Sería más exacto decir que la ilusión se defiende a sí misma. Si hasta el ámbito simple y escueto de los hechos se presta a la distorsión egotista y a la ilusión, qué decir del ámbito menos tangible de las opiniones, los puntos de vista, y los juicios, los cuales son formas de pensamiento que pueden apropiarse fácilmente del sentido del "yo".

El ego siempre confunde las opiniones y los puntos de vista con los hechos. Además, no comprende la diferencia entre un suceso y su reacción frente a dicho suceso. El ego es un verdadero maestro de la percepción selectiva y la interpretación distorsionada. Es solamente a través de la conciencia, no del pensamiento, que se puede diferenciar entre los hechos y las opiniones. Es solamente a través de la conciencia que podemos llegar a ver: "esta es la situación y aquí está la ira que siento", para después darnos cuenta de que hay otras formas de ver la situación, otras formas de abordarla y de manejarla. Es solamente a través de la conciencia que podemos ver la totalidad de la situación o de la persona en lugar de adoptar un punto de vista estrecho.

LA VERDAD: ¿RELATIVA O ABSOLUTA?

Más allá del ámbito de los hechos simples y verificables, la certeza de que "yo tengo la razón y los demás están equivocados" es peligrosa en las relaciones personales y también en las relaciones entre las naciones, las tribus, las religiones y demás.

Pero si la idea de que "yo tengo la razón y los demás están equivocados" es uno de los medios de los que se vale el ego para fortalecerse, si considerar que tenemos la razón atribuyendo a otros el error es una disfunción mental que perpetúa la separación y el conflicto entre los seres humanos, ¿quiere decir entonces que no se puede hablar de creencias, comportamientos o actos buenos y malos? ¿Y no sería ése el relativismo moral al cual algunas enseñanzas cristianas consideran el gran mal de nuestro tiempo?

Claro está que la historia del cristianismo es un ejemplo de cómo la idea de ser los únicos poseedores de la verdad, es decir, los únicos en tener la razón, puede corromper los actos y el comportamiento hasta el punto de la locura. Durante siglos se pensó que estaba bien torturar y quemar vivas a las personas cuyas opiniones se apartaban aunque fuera ligeramente de la doctrina de la Iglesia o de las interpretaciones miopes de las Escrituras ("la Verdad") porque las víctimas estaban en "el error". Era tan grande su error que debían perecer. La Verdad adquiría preeminencia sobre la vida humana. ¿Y cuál era esa Verdad? Una historia en la cual había que creer, es decir, un paquete de pensamientos.

Entre el millón de personas a quienes el dictador orate de Cambodia Pol Pot ordenó asesinar estaban todas aquellas que utilizaban anteojos. ¿Por qué? Porque para él, la interpretación marxista de la historia era la verdad absoluta y, según su versión, los usuarios de anteojos pertenecían a la clase culta, a la burguesía, a los explotadores de los campesinos. Debían ser eliminados para dejar libre el camino hacia un nuevo orden social. Su verdad también era solamente un paquete de pensamientos.

La Iglesia católica y otras iglesias en realidad están en lo cierto cuando identifican el relativismo, la idea de que no hay una verdad para guiar la conducta humana, como uno de los males de nuestro tiempo. El problema es que no se puede encontrar la verdad absoluta donde no está: en las doctrinas, las ideologías, las normas o los relatos. ¿Qué tienen todos ellos en común? Están hechos de pensamientos. En el mejor de los casos, el pensamiento apenas puede señalar la verdad, pero nunca *es* la verdad. Es por eso que los budistas dicen que "El dedo que señala a la luna no es la luna". Todas las religiones son igualmente falsas e igualmente verdaderas, dependiendo de cómo se las utilice. Se las puede utilizar al servicio del ego o al servicio de la Verdad. Si creemos que solamente la nuestra es la religión verdadera, la estamos usando a favor del ego. Utilizada de esa manera, la religión se convierte en una ideología, crea un sentido ilusorio de superioridad y siembra la división y la discordia entre la gente. Cuando están al servicio de la Verdad, las enseñanzas religiosas representan señales o mapas del camino dejadas por los seres iluminados para ayudarnos en nuestro despertar espiritual, es decir, para liberarnos de la identificación con la forma.

Solamente hay una Verdad absoluta de la cual emanan todas las demás verdades. Cuando hallamos esa Verdad, nuestros actos ocurren en armonía con ella. Los actos humanos pueden reflejar la Verdad o la ilusión. ¿Puede la Verdad ponerse en palabras? Sí, pero las palabras no son la Verdad. Sólo apuntan a ella.

La verdad es inseparable de nosotros mismos. Sí, usted es la Verdad. Si la buscamos en otra parte, sólo encontrará desilusión.

Ese Ser que somos cada uno de nosotros es la Verdad. Jesús trató de comunicarla cuando dijo, "Soy el camino, la verdad y la vida".[2] Estas palabras de Jesús apuntan poderosa y directamente a la Verdad, cuando las interpretamos correctamente. Sin embargo, si las interpretamos equivocadamente, se convierten en un gran obstáculo. Jesús habla de ese "Yo Soy" más profundo, de la identidad esencial de cada hombre y de cada mujer, de todas las formas de vida en realidad. Se refiere a la vida que somos. Algunos místicos cristianos han hablado del Cristo interior; los budistas hablan de nuestra naturaleza de Buda; para los hindúes es *atman*, el Dios que mora en nosotros. Cuando estamos en contacto con esa dimensión interior (y estar en contacto es nuestro estado natural, no un logro milagroso) todos nuestros actos y relaciones reflejan la unicidad con toda la vida que intuimos en el fondo de nuestro ser. Ese es el amor. Las leyes, los mandamientos, las reglas y las normas son necesarias para quienes están separados de su esencia, de la Verdad que mora en ellos. Sirven para prevenir los peores excesos del ego y a veces ni siquiera eso logran. San Agustín dijo, "Ama y haz tu voluntad". No hay palabras que se acerquen más a la Verdad que esas.

EL EGO NO ES PERSONAL

A nivel colectivo, la idea de que "Tenemos la razón y los otros están equivocados" está arraigada profundamente en particular en aquellas zonas del mundo donde el conflicto entre las naciones, las razas, las tribus, las religiones o las ideologías viene desde tiempo atrás, es extremo y endémico. Las dos partes del conflicto están igualmente identificadas con su propio punto de vista, su propio "relato", es decir, identificadas con el pensamiento. Ambas son igualmente incapaces de ver que puede haber otro punto de vista, otra historia de igual validez. El autor israelita Y. Halevi, habla de la posibilidad de "acomodar una narrativa en competencia"[3], pero en muchas partes del mundo la gente todavía no puede ni quiere hacerlo. Ambas partes se creen poseedoras de la verdad. Las dos se consideran víctimas y ven en la "otra" la encarnación del mal. Y como han conceptualizado y deshumanizado a la otra parte al considerarla enemiga, pueden matar e infligir toda clase de violencia recíproca, hasta en contra de los niños, sin sentir su humanidad y su sufrimiento. Quedan atrapadas en una espiral demente de acción y reacción, castigo y retaliación.

Es obvio entonces que el ego, en su aspecto colectivo del "nosotros" contra "ellos" es todavía más demente que el "yo", el ego individual, si bien el mecanismo es el mismo. La mayor parte de la violencia que los seres humanos nos hemos infligido a nosotros mismos no ha sido producto de los delincuentes ni de los locos, sino de los ciudadanos normales y respetables que están al servicio del ego colectivo. Podemos llegar incluso a decir que, en este planeta, "normal" es sinónimo de demente. ¿Cuál es la raíz de esa locura? La identificación total con el pensamiento y la emoción, es decir, con el ego.

La codicia, el egoísmo, la explotación, la crueldad y la violencia continúan reinando en este planeta. Cuando no los reconocemos como manifestaciones individuales y colectivas de una disfunción de base o de una enfermedad mental, caemos en el error de personalizarlos. Construimos una identidad conceptual para un individuo o un grupo y decimos: "Así es como es. Así es como son". Cuando confundimos el ego que percibimos en otros con su identidad, es porque nuestro propio ego utiliza esta percepción errada para fortalecerse considerando que tiene la razón y, por ende, es superior, y reaccionando con indignación, condenación o hasta ira contra el supuesto enemigo. Todo esto es una fuente de satisfacción enorme para el ego. Refuerza la sensación de separación entre nosotros y los demás, cuya "diferencia" se amplifica hasta tal punto que ya no es posible sentir la humanidad común ni la fuente común de la que emana la Vida que compartimos con todos los seres, nuestra divinidad común.

Los patrones egotistas de los demás contra los cuales reaccionamos con mayor intensidad y los cuales confundimos con su identidad, tienden a ser los mismos patrones nuestros pero que somos incapaces de detectar o develar en nosotros. En ese sentido, es mucho lo que podemos aprender de nuestros enemigos. ¿Qué es lo que hay en ellos que más nos molesta y nos enoja? ¿Su egoísmo? ¿Su codicia? ¿Su necesidad de tener el poder y el control? ¿Su deshonestidad, su propensión a la violencia, o cualquier otra cosa? Todo aquello que resentimos y rechazamos en otra persona está también en nosotros. Pero no es más que una forma de ego y, como tal, es completamente impersonal. No tiene nada que ver con la otra persona ni tampoco con lo que somos. Es solamente si lo confundimos con lo que somos que su observación puede amenazar nuestro sentido del Ser.

LA GUERRA ES UNA FORMA DE PENSAR

En ciertos casos quizás sea necesario protegerse o proteger a alguien más contra el ataque de otro, pero es preciso tener cuidado de no asumir una especie de misión para "erradicar el mal", pues podría convertirse precisamente en aquello contra lo cual se desea luchar. La lucha contra la inconciencia puede llevar a la inconciencia misma. Jamás será posible vencer la inconciencia, el comportamiento egotista disfuncional, mediante el ataque. Aunque lográramos vencer a nuestro oponente, la inconciencia se habrá alojado en nosotros, o el oponente reaparecerá con otro disfraz. Todo aquello contra lo cual luchamos se fortalece y aquello contra lo cual nos resistimos persiste.

Por estos días oímos con frecuencia la expresión "guerra contra" esto o aquello, y cada vez que lo oigo, sé que se trata de una guerra condenada al fracaso. Hay una guerra contra las drogas, una guerra contra la delincuencia, una guerra contra el terrorismo, una guerra contra el cáncer, una guerra contra la pobreza, y así sucesivamente. Por ejemplo, a pesar de la guerra contra la delincuencia y las drogas, ha habido un aumento considerable de los delitos relacionados con las drogas y de la criminalidad en general en los últimos 25 años. La población carcelaria de los Estados Unidos ha pasado de menos de 300.000 en 1980 a la cifra aterradora de 2.1 millones en 2004.[4] La guerra contra las enfermedades nos ha dejado, entre otras cosas, los antibióticos. En un principio tuvieron un éxito espectacular y, al parecer, habían llegado para ayudarnos a vencer en la guerra contra las enfermedades infecciosas. Ahora muchos expertos coinciden en que el uso generalizado e indiscriminado de los antibióticos ha creado una bomba de tiempo y que las cepas bacterianas resistentes, las "superbacterias", provocarán sin lugar a duda un resurgimiento de esas enfermedades, posiblemente epidémico. Según la Revista de la Asociación Médica Americana, el tratamiento médico es la tercera causa de muerte después de la enfermedad cardiovascular y el cáncer en los Estados Unidos. La homeopatía y la medicina china son dos ejemplos de posibles alternativas de tratamiento que no ven a las enfermedades como el enemigo y, por consiguiente, no crean nuevas enfermedades.

La guerra es una forma de pensar, y todos los actos derivados de esa mentalidad tienden, o bien a fortalecer al enemigo, la supuesta maldad o, en caso de ganar la guerra, a crear enemigos nuevos, males nuevos, generalmente iguales o peores al que fue derrotado. Hay una conexión profunda entre el estado de la conciencia y la realidad externa. Cuando caemos en las garras de una forma de pensar como la de la "guerra", nuestras percepciones se tornan extremadamente selectivas y distorsionadas. En otras palabras, vemos solamente lo que deseamos ver y lo interpretamos equivocadamente. Es fácil imaginar la clase de actos emanados de un sistema tan demente. Claro que en lugar de imaginar, basta con ver las noticias de la noche.

Debemos reconocer al ego por lo que es: una disfunción colectiva, la demencia de la mente humana. Cuando logramos reconocerlo por lo que es, ya no lo vemos como la identidad de la otra persona. Una vez que reconocemos al ego por lo que es, es mucho más fácil no reaccionar contra él. Dejamos de tomar sus ataques como algo personal. Ya no nos quejamos, ni acusamos, ni buscamos la falta en los demás. Nadie está equivocado. Es sólo cuestión del ego que mora en los demás. Comenzamos a sentir compasión cuando reconocemos que todos sufrimos de la misma enfermedad de la mente, la cual es más grave en unas personas que en otras. Ya no avivamos el fuego del drama que caracteriza a todas las relaciones egotistas. ¿Cuál es el combustible? La reactividad. El ego se nutre de ella.

¿DESEAMOS LA PAZ O EL DRAMA?

Deseamos la paz. No hay nadie que no desee la paz. Pero hay una parte de nosotros que también desea el drama, el conflicto. Es probable que usted no lo sienta en este momento. Quizás deba esperar a que se produzca una situación o quizás sólo un pensamiento que desencadene una reacción: alguien que lo acuse de esto o aquello, que no reconozca lo que hace, que invada su territorio, que cuestione su forma de proceder, una discusión sobre dinero... ¿Siente la oleada intensa de fuerza que lo estremece, el miedo, disfrazado quizá de ira u hostilidad? ¿Puede oír el tono estridente, más fuerte o más bajo de su voz? ¿Puede tomar conciencia de cómo se acelera su mente para defender su posición, justificar, atacar y culpar? En otras palabras, ¿puede despertar en ese momento de inconciencia? ¿Puede sentir que hay algo dentro de usted que está en pie de guerra, algo que se siente amenazado y desea sobrevivir a toda costa, que precisa del drama para afirmar su identidad como el personaje victorioso de esa producción teatral? ¿Siente que hay algo dentro de usted que prefiere tener la razón en lugar de estar en paz?

MÁS ALLÁ DEL EGO: LA VERDADERA IDENTIDAD

Cuando el ego está en guerra, no es más que una ilusión que lucha por sobrevivir, la ilusión cree ser nosotros. Al principio no es fácil *estar* ahí en calidad de la Presencia que observa, especialmente cuando el ego está empeñado en sobrevivir o cuando se ha activado algún patrón emocional del pasado. Sin embargo, una vez que hemos experimentado el poder de la Presencia, éste aumentará y el ego perderá su control sobre nosotros. Es así como entra en nuestra vida un poder mucho más grande que el ego, más grande que la mente. Lo único que debemos hacer para liberarnos del ego es tomar conciencia de él, puesto que la conciencia y el ego son incompatibles. La conciencia es el poder oculto en el momento presente; es por eso que la llamamos también

Presencia. La finalidad última de la existencia humana, es decir, nuestro propósito, es traer ese poder al mundo. Esta también es la razón por la cual no podemos convertir la liberación del ego en un objetivo alcanzable en un futuro. Solamente la Presencia puede liberarnos del ego y solamente podemos estar presentes Ahora, no ayer ni mañana. Solamente la Presencia puede deshacer el pasado que llevamos sobre los hombros y transformar nuestro estado de conciencia.

¿Qué es la realización espiritual? ¿La creencia de que somos espíritu? No, ése es un pensamiento. Aunque se acerca un poco más a la verdad que el pensamiento según el cual creemos que somos esa persona que aparece en el registro de nacimiento, sigue siendo un pensamiento. La realización espiritual consiste en ver claramente que no somos lo que percibimos, experimentamos, pensamos o sentimos; que no podemos encontrarnos en todas esas cosas que vienen y se van continuamente. Buda fue quizás el primer ser humano en ver esto claramente, de tal manera que *anata* (la ausencia del yo) se convirtió en uno de los puntos centrales de su enseñanza. Y cuando Jesús dijo, "niégate a ti mismo", lo que quiso decir fue "niega (y, por tanto, deshace) la ilusión del yo". Si el yo, el ego, fuera verdaderamente lo que soy, sería absurdo "negarlo".

Lo que queda es la luz de la conciencia en la cual van y vienen las percepciones, las experiencias, los pensamientos y los sentimientos. Ese es el Ser, el verdadero Yo interior. Cuando me reconozco como tal, lo que sucede con mi vida deja de ser absoluto y pasa a ser relativo. Aunque le rindo tributo, pierde su seriedad absoluta, su peso. Lo único que finalmente importa es esto: ¿Puedo sentir mi Ser esencial, el Yo Soy, como telón de fondo en todo momento de mi vida? Para ser más exactos, ¿puedo sentir el Yo

Soy que Soy en este momento? ¿Puedo sentir mi identidad esencial como conciencia? ¿O me dejo arrastrar por los sucesos, perdiéndome en el laberinto de la mente y el mundo?

TODAS LAS ESTRUCTURAS SON INESTABLES

El impulso inconsciente del ego, independientemente de la forma que adquiera, busca fortalecer la imagen de quien yo pienso que soy, el ser fantasma que comenzó a existir cuando el pensamiento (una gran bendición pero también una gran maldición) comenzó a dominar y ensombreció la alegría sencilla pero profunda de estar conectados con el Ser, la Fuente, Dios. La fuerza que motiva el comportamiento del ego, cualquiera que éste sea, siempre es la misma: la necesidad de sobresalir, de ser especial, de tener el control; la necesidad de tener poder, de recibir atención, de poseer más. Y, por supuesto, la necesidad de sentir la separación, es decir, la necesidad de la oposición, de tener enemigos.

El ego siempre desea algo de los demás o de las situaciones. Siempre tiene sus pretensiones ocultas, el sentido de no tener suficiente, de una carencia que necesita satisfacerse. Utiliza a las personas y a las situaciones para obtener lo que desea y ni siquiera cuando lo logra siente satisfacción duradera. Muchas veces ve frustrados sus propósitos y, casi siempre la brecha entre lo que desea y lo que hay se convierte en una fuente constante de desasosiego y angustia. La canción famosa que se convirtió en un clásico de la música popular titulada *I Can't Get No Satisfaction* (*No consigo satisfacción alguna*), es la canción del ego. La emoción subyacente que gobierna toda la actividad del ego es el miedo. El miedo de ser nadie, el miedo de no existir, el miedo de la muerte. Todas sus actividades están encaminadas a eliminar este miedo, pero lo máximo que el ego puede lograr es ocultarlo temporalmente detrás de una relación íntima, un nuevo bien material, o un premio. La ilusión nunca nos podrá satisfacer. Lo único que nos podrá liberar es la verdad de los que somos, si logramos alcanzarla.

¿Por qué el miedo? Porque el ego surge a través de la identificación con la forma y en el fondo sabe que ninguna forma es permanente, que todas las formas son efímeras. Por consiguiente, siempre hay una sensación de inseguridad alrededor del ego, aunque en la superficie éste parezca seguro de sí mismo.

Mientras caminaba con un amigo por una reserva natural muy hermosa cerca de Malibú en California, tropezamos con las ruinas de la que fuera una casa de campo, destruida por el fuego hace muchos años. Al aproximarnos a la casa, sepultada debajo de los árboles y una vegetación imponente, vimos un aviso al lado del camino, puesto por las autoridades del parque. Decía: "Peligro. Todas las estructuras son inestables". Le dije a mi amigo, "Ese es un sutra (escritura sagrada) profundo". Permanecimos allí, extasiados. Una vez que aceptamos y reconocemos que todas las estructuras (las formas) son inestables, hasta las que parecen más sólidas, emerge la paz en nuestro interior. Esto se debe a que al reconocer la transitoriedad de todas las formas despierta en nosotros la dimensión de lo informe que llevamos dentro y que está más allá de la muerte. Eso que Jesús denominó "vida eterna".

EL EGO NECESITA SENTIRSE SUPERIOR

Hay muchas formas sutiles del ego que pueden pasarse por alto fácilmente, pero que podemos observar en otras personas y, más importante todavía, en nosotros mismos. Es preciso recordar aquí que tan pronto como tomamos conciencia de nuestro ego, esa conciencia es lo que somos más allá del ego, el "Yo" profundo. El reconocimiento de lo falso comienza a aflorar lo real.

Por ejemplo, cuando estamos a punto de darle a una persona una noticia y decimos, "adivina, ¿todavía no sabes? Déjame contarte", estamos lo suficientemente alertas y presentes para detectar una sensación momentánea de satisfacción antes de impartir la noticia, aunque sea mala. Eso se debe a que, por un instante hay a los ojos del ego un desequilibrio a favor nuestro y en contra de la otra persona. Por un instante, sabemos *más* que el otro. Esa satisfacción la siente el ego y se deriva de una sensación más fuerte del yo con respecto a la otra persona. Aunque esa otra persona sea el presidente o el Papa, nos sentimos superiores en ese momento porque sabemos *más*. Muchas personas son adictas a las murmuraciones en parte por esa razón. Además, las murmuraciones conllevan un elemento malicioso de crítica y de juzgar de los otros, de tal manera que refuerza al ego a través de la superioridad moral implícita pero imaginada que sentimos siempre que juzgamos negativamente a otra persona.

Si una persona tiene más, sabe más, o puede hacer más que yo, el ego se siente amenazado porque la sensación de ser "menos" menoscaba lo que imagina ser con respecto a esa otra persona. Entonces podría optar por restablecerse disminuyendo, criticando o menospreciando el valor de los bienes, el conocimiento o las habilidades de la otra persona. O podría cambiar de estrategia y, en lugar de competir con la otra persona, se engrandecerá asociándose con esa persona, si es que ella es importante a los ojos de los demás.

EL EGO Y LA FAMA

El bien conocido fenómeno de "dejar caer nombres", mencionar a personas conocidas como quien no quiere la cosa, es parte de la estrategia del ego para crear una identidad superior a los ojos de los demás y, por tanto, a sus propios ojos, por medio de la asociación con alguien "importante". La tristeza de ser famosos en este mundo es que nuestro verdadero ser queda sepultado por una imagen mental colectiva. Casi todas las personas a quienes conocemos querrán engrandecer su propia identidad, su imagen mental de lo que son, a través de su asociación con nosotros. Tampoco ellas saben que no sienten interés alguno por nosotros sino por engrandecer su sentido ficticio del ser. Creen que pueden ser más a través de nosotros. Tratan de completarse a través de nosotros, o mejor, a través de la imagen mental que tienen de un personaje famoso, una identidad conceptual colectiva grandiosa.

La absurda importancia que se le atribuye a la fama es una de las muchas manifestaciones de la locura egotista de nuestro mundo. Algunas personas famosas caen en el mismo error y se identifican con la ficción colectiva, la imagen que los medios y la gente han creado de ella, y comienzan a considerarse superiores a los mortales comunes y corrientes. La consecuencia es que cada vez se distancian más de ellas mismas y de los demás, son cada vez más infelices y dependen cada vez más de la permanencia de su popularidad. Al estar rodeadas solamente por quienes alimentan la imagen distorsionada que tienen de sí mismas, pierden toda capacidad para establecer relaciones genuinas.

Albert Einstein, admirado casi como un superhombre y cuyo destino fue convertirse en uno de los seres más famosos del planeta, jamás se identificó con la imagen que la mente colectiva había creado de él. Continúo siendo humilde y sin ego. En realidad, hablaba de "una contradicción grotesca entre lo que la gente piensa que son mis logros y habilidades, y la realidad de lo que soy y de mi verdadera capacidad".[5]

Es por eso que a los famosos les es difícil entablar relaciones genuinas con las demás personas. Una relación genuina es aquella en la cual no domina el ego con su búsqueda del yo y su creación de imágenes. En una relación genuina hay una corriente de atención sincera y alerta hacia la otra persona, en la cual no hay sensación alguna de deseo. Esta atención alerta es la Presencia. Es el requisito para toda relación auténtica. El ego siempre desea algo, o si cree que el otro no tiene nada que ofrecerle, permanece en un estado de total indiferencia: no se interesa por el otro. Así, los tres estados predominantes de las relaciones egotistas son: carencia, deseos frustrados (ira, resentimiento, acusación, quejas), e indiferencia.

CAPÍTULO CUATRO

LA REPRESENTACION DE PERSONAJES: LAS MIL CARAS DEL EGO

Un ego que desea algo de otra persona, y cuál ego no lo desea, generalmente representa algún tipo de papel a fin de satisfacer sus "necesidades", trátese de una ganancia material, una sensación de poder o de superioridad, una sensación de ser especial, o algún tipo de gratificación, ya sea física o psicológica. Por lo general, las personas no toman conciencia alguna de los personajes a los cuales representan. *Son* esos personajes. Algunos papeles son sutiles; otros son francamente manifiestos, salvo para la persona que los representa. Algunos papeles sólo tienen por objeto atraer la atención de los demás. El ego se alimenta de la atención de los demás, la cual es, después de todo, una forma de energía psíquica. El ego ignora que la fuente de toda energía está en el interior, de manera que la busca externamente. El ego no busca la atención informe de la Presencia, sino alguna *forma* de atención como el reconocimiento, la alabanza, la admiración, o sencillamente ser notado de alguna manera, lograr que se reconozca su existencia.

La persona tímida que teme despertar la atención de los demás no carece de ego. Tiene un ego ambivalente que teme y a la vez desea la atención de los demás. El temor es que la atención adopte la forma de desaprobación o crítica, es decir, algo que menoscabe su sentido de ser en lugar de engrandecerlo. Así, el temor de recibir atención es mayor que la necesidad de tenerla. La timidez suele ir de la mano con un concepto negativo de uno mismo, la idea de ser inadecuado. Toda noción conceptual del ser (verme a mi mismo de tal o cual manera) es ego, trátese de un concepto predominantemente positivo (soy el mejor) o negativo (no sirvo para nada). Detrás de todo concepto positivo de uno mismo está el temor de no ser lo suficientemente bueno. Detrás de todo concepto negativo de uno mismo se oculta el deseo de ser el mejor de todos, o mejor que los demás. Detrás de la sensación de superioridad del ego seguro de sí mismo y de la necesidad de conservar esa superioridad, está el temor inconsciente a la inferioridad. Y al revés, el ego tímido que se siente inferior, tiene un fuerte deseo oculto de ser superior. Muchas personas fluctúan entre la sensación de inferioridad y de superioridad, dependiendo de las situaciones o de las personas con quienes entran en contacto. Lo único que usted necesita saber y observar en usted mismo es lo siguiente: cada vez que se sienta superior o inferior a alguien, es problema de su ego.

MALVADO, VÍCTIMA, AMANTE

Algunos egos, cuando no logran despertar alabanzas y admiración, se contentan con otras formas de atención y representan los personajes necesarios para obtenerlas. Si no consiguen atención positiva, podrían buscar la atención negativa, provocando, por ejemplo, una reacción negativa en otra persona. Algunos niños lo hacen. Se comportan mal para atraer la atención. La representación de papeles negativos adquiere fuerza especialmente cuando el ego se amplifica a causa de un cuerpo de del dolor activo, es decir, por el sufrimiento emocional del pasado que desea renovarse sintiendo más dolor. Algunos egos cometen crímenes en aras de la fama. Buscan atención haciéndose notorios y provocando la condena de los demás. Su súplica parece ser la de "por favor díganme que existo, que no soy insignificante". Esas formas patológicas del ego son solamente versiones más extremas de los egos normales.

Uno de los personajes representados con mayor frecuencia es el de la víctima, la cual busca la simpatía, o la compasión, o el interés de los demás por *mis* problemas, "yo y mi historia". La víctima es uno de los componentes de muchos patrones egotistas, como renegar, sentirse ofendido, injuriado, etcétera. Claro está que una vez que nos identificamos con una historia en la cual nos hemos asignado el papel de víctimas, no deseamos que caiga el telón y, por tanto, como todos los terapeutas lo saben, el ego no desea poner fin a sus "problemas" porque son parte de su identidad. Si nadie desea escuchar nuestra triste historia, podemos repetírnosla mentalmente una y otra vez para sentir compasión por nosotros mismos y poseer la identidad de una persona maltratada por la vida, por las demás personas, por el destino o por Dios. Es una forma de dar definición a la imagen que tenemos de nosotros mismos, de ser alguien, lo cual es lo único que le interesa al ego.

En las primeras etapas de muchas supuestas relaciones románticas, es bastante común que las personas representen personajes con el fin de atraer y retener a quien quiera que el ego perciba ha de ser la persona que "me dará felicidad, me hará sentir especial y satisfará todas mis necesidades". "Representaré el papel de quien deseas que yo sea, y tú desempeñarás el papel de quien yo deseo que seas". Ese es el acuerdo tácito e inconsciente. Sin embargo, representar personajes implica un gran esfuerzo que no se puede mantener indefinidamente, en particular después de que se inicia la vida en común. ¿Qué queda cuando se abandonan los personajes? Infortunadamente, en la mayoría de los casos no queda todavía la verdadera esencia de ese ser sino lo que cubre la verdadera esencia: el ego desnudo privado de sus máscaras, con su cuerpo de dolor y sus frustraciones que ahora se convierten en ira dirigida principalmente contra el cónyuge o la pareja por no haber eliminado el miedo subyacente y la carencia, elementos intrínsecos del sentido egotista del ser.

En la mayoría de los casos, el llamado "enamoramiento" es una intensificación de los deseos y las necesidades. Nos volvemos adictos a otra persona, o mejor, a la imagen que hemos fabricado de ella. No tiene nada que ver con el verdadero amor, el cual no conoce la carencia. El español es el idioma más honesto con respecto a las nociones convencionales del amor: *te quiero* significa a la vez "te deseo" y "te amo", pero ésta última expresión, en la cual no hay esa ambigüedad, rara vez se utiliza, quizás porque el amor verdadero es igualmente escaso.

DESHACERSE DE LAS DEFINICIONES AUTOIMPUESTAS

Cuando las culturas tribales dieron paso a las civilizaciones antiguas se fueron creando determinadas funciones para ciertas personas: gobernante, sacerdote o sacerdotisa, guerrero, campesino, comerciante, artesano, trabajador, etcétera. Se desarrolló un sistema de clases. La función para la cual generalmente se nacía determinaba la identidad, determinaba lo que era la persona a los ojos de los demás, lo mismo que a sus propios ojos. La función se convertía en un personaje, pero no se la reconocía como tal: era la persona misma, o lo que ésta pensaba que era. Solo unos pocos seres de ese tiempo, como Buda o Jesús, reconocieron la absoluta irrelevancia de la casta o la clase social; la vieron como la identificación con la forma y reconocieron que esa identificación con lo condicionado y lo temporal impedía el paso de la luz de la esencia incondicionada y eterna de cada ser humano.

En el mundo contemporáneo, las estructuras sociales son menos rígidas, menos definidas de lo que eran antes. Claro está que aunque la mayoría de las personas todavía están condicionadas por su entorno, ya no son asignadas automáticamente a una función ni a una identidad. En efecto, en el mundo moderno cada vez es mayor el número de personas confundidas acerca de su posición, su propósito y hasta de lo que son.

Generalmente felicito a las personas que me dicen, "Ya no sé ni quién soy». Me miran perplejas y preguntan, «¿acaso está diciendo que es bueno estar confundido?" Entonces les pido que lo investiguen. ¿Qué significa estar confundido? "No saber" no es confusión. La confusión es: "no sé, pero debería saber" o "no sé, pero necesito saber". ¿Es posible deshacerse de la idea de que uno debe o necesita saber quién es? En otras palabras, ¿es posible dejar de buscar definiciones conceptuales para sentir que somos? ¿Es posible dejar de buscar una identidad en el *pensamiento?* ¿Qué le pasa a la confusión cuando nos deshacemos de la idea de que debemos o necesitamos saber quiénes somos? Desaparece súbitamente. Cuando aceptamos plenamente que no sabemos, entramos en un estado de paz y claridad más parecido a lo que somos realmente de lo que podría ser el pensamiento. Definirse a través del pensamiento es limitarse a sí mismo.

PERSONAJES PREDETERMINADOS

Claro está que en este mundo las personas inteligentes cumplen diferentes funciones. No podría ser de otra manera. En lo que respecta a las habilidades intelectuales o físicas como el conocimiento, las destrezas, los talentos y los niveles de energía, hay una gran variedad entre los seres humanos. Lo que realmente importa no es la función que cumplimos en este mundo, sino si nos identificamos hasta tal punto con esa función que ella se apodera de nosotros y se convierte en el personaje de un drama que representamos. Cuando representamos personajes estamos inconscientes. Cuando reconocemos que estamos representando un personaje, ese simple reconocimiento crea una separación entre nosotros y el personaje. Es el comienzo de la liberación. Cuando estamos completamente identificados con un personaje, confundimos un patrón de comportamiento con nuestra verdadera esencia y nos tomamos muy en serio. También asignamos inmediatamente otros papeles a los demás para que concuerden con nuestro personaje. Por ejemplo, cuando visitamos a un médico que está completamente identificado con su personaje, no somos para él un ser humano sino un paciente o un caso.

Aunque las estructuras sociales del mundo contemporáneo son menos rígidas que las de las culturas antiguas, todavía hay muchas funciones predeterminadas o papeles con los cuales la gente se identifica fácilmente y que, por consiguiente, pasan a formar parte del ego. Esto hace que las interacciones humanas pierdan autenticidad, se deshumanicen y sean alienantes. Estos papeles predeterminados pueden generar una cierta sensación cómoda de identidad pero, en últimas, nos perdemos en ellos. Las funciones que desempeñan las personas en las organizaciones jerárquicas como las fuerzas armadas, la iglesia, las entidades gubernamentales o las grandes corporaciones se prestan fácilmente a convertirse en identidades. Es imposible que haya interacciones humanas auténticas cuando las personas se diluyen en sus personajes.

Podríamos decir que algunos de los papeles predeterminados son los arquetipos sociales. Los siguientes serían apenas algunos de ellos: el ama de casa de clase media (no tan prevaleciente como antes, pero todavía generalizado); el macho valiente; la mujer seductora; el artista "inconforme"; una persona "culta" (un papel bastante común en Europa) que hace gala de su conocimiento de la literatura, las bellas artes y la música, de la misma manera que otros podrían alardear de un vestido costoso o un automóvil de lujo. Y está el papel universal del adulto. Cuando representamos ese papel nos tomamos muy en serio tanto a la vida como a nosotros mismos. La espontaneidad, la alegría y la despreocupación definitivamente no caracterizan a ese personaje.

El movimiento *hippie* originado en la costa occidental de los Estados Unidos en los años 60 y que más adelante se diseminara por todo el mundo occidental nació del rechazo de muchos jóvenes de los arquetipos sociales, los papeles, los patrones predeterminados de comportamiento y también de las estructuras sociales y económicas egotistas. Se rehusaron a representar los papeles que sus padres y la sociedad deseaban imponerles. Es importante señalar cómo el movimiento coincidió con los horrores de la guerra de Vietnam donde murieron más de 57 000 jóvenes estadounidenses y 3 millones de vietnamitas, y a través de la cual fue posible ver palpablemente la demencia del sistema y de la mentalidad subyacente. Mientras que en los años 50 la mayoría de los estadounidenses eran extremadamente conformistas tanto en pensamiento como en conducta, durante los años 60 millones de personas comenzaron a rechazar su identificación con una identidad colectiva conceptual, debido a que pudieron ver claramente la demencia colectiva. El movimiento *hippie* representó la flexibilización de las estructuras egotistas de la psique humana, las cuales habían sido tan rígidas hasta ese momento. El movimiento como tal se degeneró y desapareció, pero dejó una puerta abierta, y no solamente para quienes formaron parte de él. Eso permitió que la antigua sabiduría y espiritualidad de Oriente avanzaran hacia Occidente y desempeñaran un papel fundamental en el despertar de la conciencia global.

PERSONAJES TRANSITORIOS

Cuando estamos lo suficientemente despiertos y conscientes para observar nuestras interacciones con los demás, podemos detectar cambios sutiles en nuestra forma de hablar, nuestra actitud y nuestro comportamiento, dependiendo de la persona a quien tengamos al frente. Al principio puede ser más fácil observar estos cambios en otras personas, pero posteriormente podremos detectarlos en nosotros mismos. La forma como nos dirigimos al presidente de la compañía puede tener diferencias sutiles con la forma como hablamos con el portero. Podemos hablar de manera diferente con un adulto que con un niño. ¿Por qué? Porque representamos distintos personajes. No somos nosotros mismos ni cuando nos dirigimos al presidente, o al portero o al niño. Cuando entramos en un almacén para comprar algo, cuando salimos a un restaurante, al banco, a la oficina de correos, representamos unos papeles sociales predeterminados. Nos convertimos en clientes, y hablamos y actuamos como tales. Y recibimos tratamiento de clientes de parte del vendedor o del mesero, quien también estará representando su personaje. Hay una serie de patrones de comportamiento condicionado que entran en juego entre dos seres humanos y determinan la naturaleza de su interacción. En lugar de que la interacción ocurra entre dos personas, ocurre entre dos imágenes conceptuales. Mientras más identificadas estén las personas con sus personajes respectivos, más falsa es su relación.

Tenemos una imagen mental no solamente de la otra persona, sino de nosotros mismos, especialmente con respecto a la relación particular entre las dos. Por tanto, no soy *yo* quien me relaciono con la persona, sino que mi idea de lo que soy yo se relaciona con mi idea de lo que es la otra persona, y viceversa. La imagen conceptual que la mente fabrica de nosotros mismos se relaciona con su propia creación, es decir, la imagen conceptual fabricada acerca de la otra persona. Lo más probable es que la mente de la otra persona haya hecho lo mismo, de tal manera que todas las interacciones egotistas entre dos personas en realidad son interacciones entre cuatro identidades conceptuales fabricadas por la mente, las cuales, en últimas, son ficticias. Por consiguiente, no sorprende que las relaciones estén plagadas de conflicto. No *hay* una relación verdadera.

EL MONJE DE LAS MANOS SUDOROSAS

Kasan, monje y maestro Zen, debía oficiar durante el funeral de un noble famoso. Mientras esperaba a que llegara el gobernador de la provincia y otras personalidades notables, notó que le sudaban las palmas.

Al día siguiente reunió a sus discípulos y les confió que todavía no estaba listo para ser un verdadero maestro. Explicó que todavía no se consideraba igual a los demás seres humanos, fueran ellos mendigos o reyes. Todavía no podía pasar por alto los papeles sociales y las identidades conceptuales y ver la igualdad de todos los seres humanos. Entonces se fue para convertirse en pupilo de otro maestro. Ocho años después regresó donde sus antiguos alumnos ya iluminado.

LA FELICIDAD DEL PERSONAJE Y
LA FELICIDAD VERDADERA

"¿Cómo estás?" "Muy bien, no podría estar mejor". ¿Falso o verdadero?

En muchos casos, la felicidad es un papel que representamos mientras que detrás de la fachada feliz hay una gran cantidad de sufrimiento. La depresión, las crisis y las reacciones exageradas son comunes cuando la infelicidad se oculta detrás de un rostro sonriente y unos dientes blancos, cuando nos obstinamos en no reconocer esa enorme infelicidad.

"Estoy bien" es un papel que el ego suele representar más en los Estados Unidos que en otros países en donde ser y parecer desgraciado es casi la norma y, por consiguiente, más aceptable socialmente. Quizás exagere, pero me dicen que en la capital de uno de los países nórdicos puede uno correr el riesgo de ir a la cárcel acusado de ebriedad por el simple hecho de sonreírles a los desconocidos en la calle.

Si nos sentimos infelices, lo primero que debemos reconocer es esa infelicidad que llevamos dentro. Pero no es cuestión de decir, "Soy infeliz", porque la infelicidad no tiene nada que ver con nuestra esencia. Debemos decir, "Hay infelicidad en mí", y luego proceder a investigarla. Es probable que una situación determinada que estemos viviendo tenga relación con la infelicidad. Quizás sea necesario tomar medidas para modificar la situación o apartarse de ella. Si no hay nada qué hacer, es preciso enfrentar la situación y decir, "Bueno, así son las cosas en este momento. Puedo aceptarlas o sentirme desgraciado". Nunca es la situación la causa principal de la infelicidad, sino lo que pensamos de ella. Debemos tomar conciencia de nuestros pensamientos y separarlos de la situación, la cual siempre es normal y siempre es como es. Por un lado está la situación o el hecho, y por el otro está lo que pensamos sobre ellos. En lugar de inventar historias, debemos atenernos a los hechos. Un ejemplo de una historia es "Estoy arruinado", la cual limita y nos impide tomar medidas eficaces. "Me quedan cincuenta centavos en mi cuenta del banco" es un hecho. Adquirimos poder cuando enfrentamos los hechos. Debemos reconocer que las emociones que sentimos se derivan en gran medida de las cosas que pensamos. Debemos ver la conexión entre los pensamientos y las emociones. En lugar de ser pensamiento y emoción, debemos ser la conciencia que los observa.

No debemos buscar la felicidad puesto que no la encontraremos. La búsqueda es la antítesis de la felicidad. La felicidad es evasiva, mientras que podemos liberarnos ya mismo de nuestra infelicidad enfrentándola como es, en lugar de inventar historias sobre ella. La infelicidad opaca nuestro estado natural de bienestar y paz interior, fuentes reales de la verdadera felicidad.

¿SER PADRES: PAPEL O FUNCIÓN?

Muchos adultos representan personajes cuando hablan con los niños. Utilizan palabras y sonidos ridículos. Le hablan al niño como si fuera inferior y no lo tratan como su igual. El hecho de que sepamos más o seamos más grandes transitoriamente no significa que el niño no sea igual a nosotros. En algún momento de la vida, la mayoría de los adultos se convierten en padres, uno de los papeles más universales. La pregunta más importante es si podemos cumplir la función de ser padres y cumplirla bien, sin identificarnos con esa función, es decir, sin convertirla en un papel dentro del drama. Una parte necesaria de la función de ser padres es satisfacer las necesidades del niño, evitar que corra peligros y, en ocasiones, decirle lo que debe o no hacer. Sin embargo, cuando esa función se convierte en identidad, cuando nuestro sentido de ser se deriva totalmente o en gran medida de ella, la función toma precedencia, se engrandece y asume el control. Nos excedemos en satisfacer las necesidades del niño, las cuales se convierten en caprichos; exageramos con la protección e interferimos con la necesidad del niño de explorar el mundo y ensayar por sí mismo. De decirle lo que debe o no hacer pasamos a controlar y a imponer nuestra voluntad.

Es más, la identificación con la función prevalece mucho después de desaparecer las necesidades que dieron lugar a la función de ser padres. No podemos dejar de ejercerla cuando ya el niño se convierte en adulto. No podemos deshacernos de la necesidad de ser necesitados por el hijo. Aunque el hijo tenga 40 años, no podemos dejar atrás la noción de "Saber lo que es mejor para ti". El padre o la madre continúa representando compulsivamente su papel, de manera que no hay una relación auténtica. Los padres se definen con base en esa función y temen inconscientemente perder esa identidad si dejan de ser padres. Cuando se ve frustrado su deseo de controlar o influir sobre las actuaciones de su hijo adulto, como suele suceder, comienzan a criticar o a mostrar su desaprobación, o tratan de hacer que el hijo se sienta culpable, todo en un intento inconsciente por conservar su personaje, su identidad. A simple vista parece como si estuvieran preocupados por el hijo, y están convencidos de que así es, pero lo único que les preocupa realmente es conservar la identidad a través de su papel en el drama. Todas las motivaciones del ego están encaminadas a engrandecernos y favorecer nuestros intereses y algunas veces las disfrazamos muy bien para que ni siquiera la persona en quien opera el ego las pueda reconocer.

Un padre o una madre que se identifica con su personaje también puede tratar de realizarse a través de los hijos. La necesidad del ego de manipular a los otros para que llenen su constante sentido de carencia la dirigen hacia ellos. Si se llevaran a la conciencia y se expresaran los supuestos y las motivaciones inconscientes de los padres, seguramente se oirían así: "Deseo que tú logres lo que yo nunca pude lograr; deseo que seas alguien en el mundo, para que yo también pueda ser alguien a través de ti. No me desilusiones. Me he sacrificado por ti. Mi desaprobación tiene por objeto hacerte sentir culpable e incómodo para que finalmente te pliegues a mis deseos. Y sobra decir que yo sé qué es lo mejor para ti. Te amo y te seguiré amando si haces lo que yo sé que te conviene".

Cuando traemos a la conciencia esas motivaciones, nos damos cuenta de lo absurdas que son. El ego que está detrás de ellas sale a relucir, junto con su disfunción. Algunos padres con quienes he hablado han reaccionado inmediatamente diciendo, "¿Por Dios, es eso lo que he estado haciendo?" Una vez reconocemos lo que hacemos o lo que hemos venido haciendo, reconocemos también su inutilidad, y el patrón inconsciente se disuelve por sí solo. La conciencia es el factor de cambio más poderoso de todos.

Si sus padres están procediendo de esa manera, no les diga que viven en estado de inconciencia y bajo el control del ego porque seguramente con eso aumentara su inconciencia cuando el ego trate de defender su posición. Basta con que usted reconozca que el ego está detrás de todo eso y que ellos no son ego. Los patrones egotistas, hasta los más viejos, a veces se disuelven milagrosamente cuando desaparece nuestra oposición interior. La oposición solamente los refuerza. Pero aunque no sea así, usted podrá aceptar compasivamente el comportamiento de sus padres, sin necesidad de reaccionar al él, es decir, sin personalizarlo.

También se deben tener en cuenta nuestros propios supuestos o nuestras propias expectativas inconscientes detrás de las reacciones habituales hacia nuestros padres. "Mis padres deberían aprobar lo que hago. Deberían comprenderme y aceptarme como soy". ¿De veras? ¿Por qué deberían hacerlo? El hecho es que no lo hacen porque no pueden. Su conciencia todavía no ha dado el salto cuántico evolutivo hasta ese nivel de conciencia. Todavía no están en capacidad de dejar de identificarse con su papel. "Sí, pero no puedo sentirme a gusto y feliz con lo que soy a menos de que tenga la aprobación y la comprensión de mis padres". ¿De veras? ¿Cómo cambiaría su verdadero ser el hecho de que ellos aprueben o desaprueben? Todos esos supuestos sin examinar causan muchas emociones negativas, mucha infelicidad innecesaria.

Manténgase alerta. ¿Cree que algunos de los pensamientos que pasan por su mente son la voz interiorizada de su padre o de su madre que quizás le dice, "No eres lo suficientemente bueno. Nunca llegarás a ser alguien", o algún otro juicio o postura mental? Si hay conciencia en usted, podrá identificar esa voz mental por lo que es: un pensamiento rancio, condicionado por el pasado. Si hay conciencia en usted, ya no tendrá que creer en todos su pensamientos. Es solamente un pensamiento viejo. Conciencia significa Presencia y solamente la Presencia puede disolver el pasado inconsciente.

Ram Dass decía, "Si te crees muy iluminado, ve y pasa una semana con tus padres". Es un buen consejo. La relación con los padres no solamente es la relación primordial que establece el tono para todas las demás relaciones subsiguientes, sino que también es una buena prueba para nuestro grado de presencia. Mientras más pasado compartido haya en una relación, más debemos estar presentes; de lo contrario nos veremos obligados a revivir el pasado una y otra vez.

EL SUFRIMIENTO CONSCIENTE

Cuando se tienen hijos pequeños, se les debe dar ayuda, orientación y protección en la medida de lo posible, pero lo más importante es darles espacio para ser. Los hijos llegan al mundo a través de nosotros, pero no son "nuestros". La noción de "Sé lo que es mejor para ti" puede ser cierta cuando son muy pequeños, pero mientras más crecen, más pierde validez. Mientras mayores sean nuestras expectativas sobre la forma como se desenvolverán sus vidas, más viviremos desde la mente en lugar de estar presentes para ellos. Con el tiempo cometerán errores y tendrán sus aflicciones, como todos los seres humanos. En realidad, podrán ser errores solamente desde nuestro punto de vista. Lo que vemos como error podría ser exactamente lo que necesitan hacer o experimentar. Debemos darles tanta ayuda y orientación como podamos, pero también en ocasiones debemos permitirles cometer errores, en especial cuando comienzan a entrar en la edad adulta. En ocasiones también debemos dejarlos sufrir. El sufrimiento puede salir de la nada o puede ser consecuencia de sus propios errores.

¿No sería maravilloso si pudiéramos ahorrarles todo ese sufrimiento? Claro que no. No evolucionarían como seres humanos y permanecerían en la superficie, identificados con la forma externa de las cosas. El sufrimientos nos ayuda a adentrarnos en nosotros mismos. La paradoja es que el sufrimiento se debe a la identificación con la forma pero a la vez erosiona la identificación con la forma. El sufrimiento es, en gran medida, producto del ego, aunque con el tiempo lo destruye, pero solamente hasta tanto se trae el sufrimiento a la conciencia.

La humanidad está destinada a trascender el sufrimiento, pero no de la manera como piensa el ego. Uno de los muchos supuestos erróneos del ego, uno de sus muchos pensamientos ilusorios es "No tendría por qué sufrir". Algunas veces ese pensamiento se transfiere a un ser cercano: "Mi hijo no tendría por qué sufrir". Ese es el pensamiento que se encuentra en la raíz del sufrimiento. El propósito del sufrimiento es noble: promover la evolución de la conciencia y consumir al ego. El hombre crucificado es un arquetipo. Representa a todos los hombres y a todas las mujeres. El proceso se hace más lento en la medida en que nos resistimos al sufrimiento porque la resistencia produce más ego al cual consumir. Sin embargo, cuando aceptamos el sufrimiento se acelera el proceso gracias al hecho de sufrir conscientemente. Podemos aceptar el sufrimiento para nosotros mismos o para alguien más, como un hijo o un progenitor. La transmutación ocurre simultáneamente con el sufrimiento consciente. El fuego del sufrimiento se convierte en la luz de la conciencia.

El ego dice, "no tengo por qué sufrir", y ése pensamiento acrecienta el sufrimiento. Es una distorsión de la verdad, la cual siempre ha sido paradójica. La verdad es que debemos acoger el sufrimiento para poder trascenderlo.

LA PATERNIDAD Y LA MATERNIDAD CONSCIENTES

Muchos hijos abrigan ira y resentimiento hacia sus padres y, muchas veces, la causa es la falta de autenticidad en su relación. El hijo anhela un progenitor que sea un ser humano, no un personaje, independientemente de la meticulosidad con la cual se esté representando al personaje. Es probable que como padres hagamos todo lo correcto y lo mejor que podemos por nuestros hijos, pero hacer lo mejor puede no ser suficiente. *En efecto, hacer nunca será suficiente si descuidamos el Ser.* El ego no sabe nada acerca del Ser sino que cree que la salvación final está en el hacer. Cuando somos presa del ego creemos que haciendo más y más finalmente acumularemos suficientes "acciones" para sentirnos completos en algún momento futuro. No es así. Solamente nos perderemos en medio de la actividad. Toda la civilización se está perdiendo en medio de una actividad que no está anclada en el Ser y, por tanto, es inútil.

¿Cómo traer el Ser a la vida de una familia ocupada, a la relación con los hijos? La clave está en prestarles atención a los hijos. Hay dos clases de atención. Una es la basada en la forma. Y la otra es la atención informe. La atención basada en la forma siempre está conectada de alguna manera con la acción o la evaluación. "¿Hiciste tus tareas? Come. Arregla tu habitación. Cepíllate los dientes. Haz esto. Deja de hacer eso. Apúrate, alístate".

¿Qué más debemos hacer ahora? Esta pregunta básicamente resume la vida familiar de muchos hogares. Claro está que la atención basada en la forma es necesaria y tiene su lugar, pero si es el único elemento de la relación con el hijo, entonces falta la dimensión vital y el Ser se pierde completamente entre "los apu-

ros del mundo", como dice Jesús. La atención informe es inseparable de la dimensión del Ser. ¿Cómo opera?

Al mirar, oír, tocar o ayudar al hijo a hacer esto o aquello,
nos mantenemos alertas, quietos, completamente presentes, no
deseando otra cosa que no sea ese momento, tal y como es. Es así
como abrimos espacio para el Ser. En ese momento, estando presentes, dejamos de ser padre o madre. Somos la conciencia, la
quietud, la Presencia que oye, mira, toca y habla. Somos el Ser
detrás de la acción.

RECONOCER AL HIJO

Somos seres humanos. ¿Qué significa eso? Dominar la vida no es
cuestión de control sino de encontrar el equilibrio entre nuestra
humanidad y nuestro Ser. Nuestros personajes y las funciones
que cumplimos como ser madre, padre, esposo, esposa, joven o
viejo, al igual que todo lo que hacemos, pertenece a la dimensión
humana. Son cosas que tienen su lugar y a las cuales debemos
honrar, pero que no son suficientes para llevar una vida o una
relación verdaderamente plena y significativa. Lo humano por sí
solo nunca es suficiente, independientemente de cuánto nos es-
forcemos o de todo lo que logremos. Por otro lado está el Ser.
Esta dimensión se encuentra en la presencia quieta y alerta de la
Conciencia misma, la Conciencia que somos. Lo humano es la
forma. El Ser no tiene forma. Lo humano y el Ser no están separados sino entretejidos.

En la dimensión humana, somos incuestionablemente superiores a nuestros hijos. Somos más grandes, más fuertes, sabemos
más, podemos hacer más. Si ésa es la única dimensión que conocemos, nos sentimos superiores a nuestros hijos, aunque sea in-

conscientemente. Y hacemos sentir inferiores a nuestros hijos, aunque sea inconscientemente. No hay igualdad entre nosotros y nuestros hijos porque solamente hay forma en la relación y, en la forma es obvio que no podemos ser iguales. Podemos amar a nuestros hijos, pero ese amor será solamente humano, es decir, condicional, posesivo, intermitente. Somos iguales solamente más allá de la forma, en el Ser; y es solamente cuando encontramos la dimensión sin forma en nuestro interior que puede haber verdadero amor en esa relación. La Presencia, nuestro Yo Soy eterno se reconocen en el otro, y ese otro, en este caso el hijo, se siente amado, es decir, reconocido.

Amar es reconocer en el otro. Entonces el carácter "ajeno" del otro se nos revela como una ilusión perteneciente únicamente al ámbito humano, al ámbito de la forma. El ansia de amor de todos los hijos radica en el ansia de ser reconocidos, no en el plano de la forma, sino en el plano del Ser. Si los padres honran solamente la dimensión humana del hijo pero descuidan su Ser, el hijo sentirá que la relación no es plena, que algo verdaderamente vital les hace falta, y acumularán sufrimiento y a veces resentimiento inconsciente contra sus padres. "¿Por qué no me reconoces?" Ese parecería ser el clamor del sufrimiento o del resentimiento.

Cuando el otro nos reconoce, el reconocimiento trae la dimensión del Ser al mundo de una manera más intensa a través de los dos. Ese es el amor que redime al mundo. Me he referido a esto concretamente a través de la relación concreta con los hijos, pero es algo que se aplica, como es obvio, a todas las relaciones.

Se ha dicho que "Dios es amor", pero eso no es absolutamente correcto. Dios es la Única Vida más allá de las incontables formas de vida. El amor implica dualidad: amante y amado, sujeto y objeto. Así, el amor es el reconocimiento de la unicidad en el mundo de la dualidad. Ese es el nacimiento de Dios al mundo de la forma. El amor hace que el mundo sea menos mundano, menos denso, más transparente a la dimensión divina, la luz de la conciencia misma.

RENUNCIAR A REPRESENTAR PERSONAJES

Una lección esencial sobre el arte de vivir que todos debemos aprender es a hacer lo que las situaciones nos exigen sin que por ello nos convirtamos en un personaje con el cual identificarnos. El poder de lo que hacemos se intensifica si actuamos por la acción misma en lugar de hacerlo como medio para proteger, engrandecer o satisfacer nuestra identidad. Cada personaje es una noción ficticia del ser y sirve para personalizarlo, corromperlo y distorsionarlo todo a causa del "pequeño yo" fabricado por la mente y del personaje en cuestión. La mayoría de las personas que ocupan posiciones de poder en este mundo como los políticos, las celebridades de la televisión, los líderes de empresa y también los líderes religiosos, se identifican totalmente con su papel, salvo por algunas excepciones notables. Podrán ser personajes VIP pero nos son más que actores inconscientes en el drama del ego, un drama que parece supremamente importante pero que, en últimas, carece de todo propósito. Según las palabras de Shakespeare, es una "historia contada por un tonto, llena de sonido y furia, pero carente de significado".[1] Es sorprendente saber que Shakespeare llegó a esa conclusión sin tener el beneficio de la televisión. Si el drama del ego tiene algún propósito, éste es indirecto: crear cada vez más sufrimiento en el planeta, el cual finalmente destruye el ego, pese a ser creado por él. Es el fuego en el cual se consume a sí mismo el ego.

En un mundo lleno de personajes que representan un drama, las pocas personas que no proyectan una imagen fabricada por la mente (y las hay incluso en la televisión, los medios y el mundo de los negocios) sino que funcionan desde la esencia profunda de su Ser, que no aparentan ser más de lo que son sino que son ellas mismas, se destacan como personas notables y son las únicas que logran dejar una verdadera huella en este mundo. Son las portadoras de la nueva conciencia. Imprimen gran poder a todo lo que hacen porque están en armonía con el propósito del todo. Sin embargo, su influencia va mucho más allá de lo que hacen, mucho más allá de su función. Su simple presencia sencilla, natural, discreta, ejerce un efecto de transformación sobre todas las personas con quienes entran en contacto.

Cuando no representamos papeles, no hay ego en lo que hacemos. No hay un propósito oculto: protegernos o fortalecernos. El resultado es que nuestros actos ejercen un poder mucho mayor. Nos concentramos totalmente en la situación. Somos uno con ella. No tratamos de ser alguien en particular. Cuando somos totalmente nosotros mismos, nuestros actos son más poderosos y eficaces. Pero no debemos esforzarnos por ser nosotros mismos. Ese es otro papel. Se llama "mi yo natural y espontáneo". Tan pronto como nos esforzamos por ser esto o aquello, asumimos un personaje. El consejo de "Sé tu mismo" es bueno, pero también puede ser engañoso. La mente intervendrá para decir, "Veamos, ¿cómo puedo ser yo mismo?" Entonces la mente desarrolla algún tipo de estrategia: "De cómo ser yo mismo". Otro personaje. En realidad, la pregunta de "¿Cómo puedo ser yo mismo?" es incorrecta. Implica que debemos hacer algo para ser nosotros mismos. Pero el cómo no es válido porque ya somos nosotros mismos. Debemos dejar de añadir carga a lo que ya somos. "Pero no sé quién soy. No sé lo que significa ser yo mismo". Cuando logramos sentirnos totalmente a gusto con el hecho de no saber quiénes somos, entonces lo que queda es lo que somos: el Ser detrás del humano, un campo de potencialidad pura en lugar de algo ya definido.

Decídase a renunciar a definirse, ante usted mismo y ante los demás. No perecerá. Vivirá. Y no se preocupe por la manera como los demás lo definen. Cuando lo definen, ellos se limitan, de manera que ése es problema de ellos. Cuando se relacione con la gente, no asuma principalmente un papel o un personaje. Sea solamente un campo de Presencia consciente.

¿Por qué el ego representa personajes? A causa de un supuesto sin examinar, de un error fundamental, de un pensamiento inconsciente. Ese pensamiento es: no soy suficiente. De allí se desprenden otros pensamientos inconscientes: debo representar un papel a fin de obtener lo que necesito para estar completo; debo conseguir más a fin de poder ser más. Pero es imposible ser más de lo que somos porque detrás de nuestra forma física y psicológica somos uno con la Vida misma, uno con el Ser. En la forma siempre hay seres inferiores y superiores a alguien. En esencia, no somos ni inferiores ni superiores a nadie. El verdadero amor propio y la verdadera humildad son producto de ese reconocimiento. A los ojos del ego, el amor propio y la humildad son contradictorios. Pero en verdad son la misma cosa.

EL EGO PATOLÓGICO

En el sentido más amplio de la palabra, el ego es patológico, independientemente de la forma que adopte. Cuando analizamos el origen de la palabra "patológico" derivada del griego antiguo, descubrimos cuán apropiada es cuando se la utiliza para calificar al ego. Aunque normalmente se use para describir una condición de enfermedad, viene de *pathos* que significa sufrimiento. Esa fue exactamente la característica de la condición humana que descubrió el Buda hace 2.600 años.

Sin embargo, la persona que está aprisionada por el ego no reconoce el sufrimiento como tal, sino que lo ve como la única respuesta apropiada para una determinada situación. En su ceguera, el ego es incapaz de ver el sufrimiento que se inflige a sí mismo y que inflige a otros. La infelicidad es una enfermedad mental y emocional creada por el ego, la cual ha alcanzado proporciones epidémicas. Es el equivalente interior de la contaminación ambiental de nuestro planeta. Los estados negativos como la ira, la ansiedad, el odio, el resentimiento, el descontento, la envidia, los celos y demás, no se ven como negativos sino que se consideran totalmente justificados y además no se perciben como nacidos de nosotros mismos sino de alguien más o de algún factor externo. "Te hago responsable de mi sufrimiento". Esto es implícitamente lo que dice el ego.

El ego no puede distinguir entra una situación y la interpretación o la reacción frente a ella. Podríamos decir, "Qué día más espantoso" sin darnos cuenta de que lo espantoso no está en el frío, ni en el viento, ni en la lluvia, ni en cualquiera que sea la situación. Ellos son lo que son. La espantosa es nuestra reacción, nuestra resistencia interior y la emoción creada por esa resistencia. Shakespeare dijo, "Nada es bueno ni malo, solamente lo que pensamos confiere esa calidad".[2] Además, el ego suele equivocarse al considerar que el sufrimiento o la negatividad le producen placer porque se fortalece a través de ellos hasta cierto punto.

Por ejemplo, la ira o el resentimiento fortalecen enormemente al ego porque intensifican la sensación de separación, enfatiza lo ajeno de los demás y crea una fortaleza aparentemente inexpugnable de "virtud" aparente. Si pudiéramos observar los cambios fisiológicos que se producen en el cuerpo cuando estamos poseídos por esos estados negativos, los efectos adversos que tienen sobre el funcionamiento del corazón y los sistemas digestivo e inmune y un sinnúmero de funciones corporales, veríamos con toda claridad que esos estados son ciertamente patológicos y que son formas de sufrimiento y no de placer.

Cuando vivimos en un estado negativo, hay algo en nosotros que ansía la negatividad, que siente placer en ella o cree que puede ayudarnos a conseguir lo que necesitamos. De otra manera, ¿quién querría aferrarse a la negatividad, hacer desgraciados a los demás junto consigo mismo, y provocar enfermedades físicas? Por consiguiente, cada vez que hay negatividad en nosotros y logramos detectar en ese momento que hay algo que goza con esa negatividad o cree que tiene un propósito útil, tomamos conciencia del ego directamente. Tan pronto como eso sucede, la identidad pasa del ego a la conciencia y eso significa que el ego se empequeñece mientras que la conciencia se agranda.

Si en medio de la negatividad podemos reconocer que estamos creando sufrimiento para nosotros mismos, será suficiente para elevarnos por encima de las limitaciones de los estados egotistas y las reacciones condicionadas. Abriremos una infinidad de posibilidades, otras formas mucho más inteligentes de manejar cualquier situación. Quedaremos en libertad para deshacernos de la infelicidad con el sólo hecho de reconocer esa falta de inteligencia. La negatividad no es inteligente. Siempre le pertenece al ego, éste puede ser astuto, pero no inteligente. La astucia persigue sus propios fines mezquinos. La inteligencia ve el todo más grande en el cual todas las cosas están conectadas. El motor de la astucia es el interés egoísta y su punto de vista es muy estrecho. La mayoría de los políticos y los hombres de negocios son astutos pero muy pocos son inteligentes. Todo lo que se logra a través de la astucia es perecedero y con el tiempo se destruye a sí mismo. La astucia divide; la inteligencia incluye.

LA INFELICIDAD LATENTE

El ego crea separación y la separación crea sufrimiento. Por consiguiente, es obvio que el ego es patológico. Aparte de las formas más claras de negatividad como la ira, el odio y demás, hay otras más sutiles, las cuales son tan comunes que por lo general no se las reconoce por lo que son. Entre ellas se cuentan la impaciencia, la irritación, el nerviosismo, el hastío, etcétera. Esas formas de negatividad son la infelicidad latente, estado interior en el cual suelen permanecer muchas personas. Es necesario estar supremamente conscientes y absolutamente presentes a fin de detectarlas. Siempre que lo hacemos así, tenemos un momento de despertar y se suspende la identificación con la mente.

El siguiente es uno de los estados negativos más comunes, el cual puede pasar desapercibido precisamente por ser tan común y normal. Seguramente usted estará familiarizado con él. ¿Suele usted experimentar una sensación de descontento que podría describir como un resentimiento latente? Puede ser específico o inespecífico. Muchas personas pasan gran parte de sus vidas en ese estado. Se identifican hasta tal punto con él que no pueden tomar distancia para reconocerlo. Detrás de esa sensación hay ciertas creencias inconscientes, es decir, unos pensamientos. Sentimos esos pensamientos de la misma manera en que soñamos al dormir. En otras palabras, no sabemos que tenemos esos pensamientos, como tampoco el soñador sabe que sueña.

Los siguientes son algunos de los pensamientos inconscientes más comunes de los cuales se alimenta la sensación de descontento o de resentimiento latente. He eliminado el contenido de esos pensamientos para dejar solamente su estructura. De esa manera se aprecian más claramente. Siempre que haya infelicidad latente (o manifiesta) en su vida, vea cuáles de estos pensamientos son aplicables y proporcióneles contenido de acuerdo con su situación personal:

"Algo debe suceder en mi vida para que yo pueda alcanzar la paz (la felicidad, la realización, etcétera). Y resiento que no haya sucedido todavía. Quizás con mi resentimiento logre que suceda finalmente".

"Algo sucedió en el pasado que no debió suceder y lo resiento. Si eso no hubiera sucedido, tendría paz ahora".

"Me está sucediendo algo que no debería sucederme y me está impidiendo tener paz".

Muchas veces, las creencias inconscientes apuntan a una persona, de manera que la palabra "suceder" se reemplaza por "hacer".

"Deberías hacer esto o aquello para que yo pueda tener paz. Y resiento que no lo hayas hecho. Quizás con mi resentimiento logre que lo hagas".

"Algo que tú (o yo) hicimos, dijimos o dejamos de hacer en el pasado me está impidiendo tener paz".

"Lo que haces o no haces ahora me está impidiendo tener paz".

EL SECRETO DE LA FELICIDAD

Todas las citas anteriores son supuestos que no se han examinado y que confundimos con la realidad. Son historias creadas por el ego para convencernos de que no podemos estar en paz en el presente y tampoco ser nosotros mismos. Estar en paz y ser quienes somos es lo mismo. El ego dice: quizás en un futuro podré tener paz si tal o cual cosa sucede o si obtengo aquello o me convierto en lo de más allá. También dice: no podré estar en paz jamás a causa de algo que sucedió en el pasado. En general, todo el mundo cuenta la misma historia, "por qué no puedo tener paz ahora". El ego no sabe que nuestra única oportunidad para estar en paz *es* ahora. O quizás sí lo sabe pero teme que lo averigüemos. Después de todo, la paz representa la aniquilación del ego.

¿Cómo podemos alcanzar la paz ahora? Haciendo la paz con el momento presente. El momento presente es el campo en el cual transcurre el juego de la vida. No puede jugarse en ningún otro lugar. Una vez hecha la paz con el momento presente, podemos ver lo que sucede, lo que podemos hacer o lo que optamos por hacer, o más bien, lo que la vida hace a través de nosotros. Hay cuatro palabras en las cuales se encierra el secreto del arte de vivir, el secreto del éxito y la felicidad: uno con la vida. Ser uno con la vida significa ser Uno con el Ahora. Entonces nos damos cuenta de que no vivimos la vida, sino que ésta nos vive. La vida es la bailarina y nosotros somos la danza.

Al ego le encanta estar resentido con la realidad. ¿Qué es la realidad? Cualquier cosa que es. Buda la denominó *tatata*, el tal o cual de la vida, es decir, nada más que el tal o cual de este momento. Oponerse a ese tal o cual es una de las principales características del ego. Esa oposición crea la negatividad de la cual se alimenta el ego, la infelicidad que tanto le gusta. De esta manera sufrimos y hacemos sufrir a los demás sin siquiera saberlo, sin darnos cuenta de que estamos creando el infierno en la tierra. Crear sufrimiento sin reconocerlo es la esencia de la vida inconsciente y es estar completamente bajo el control del ego. La incapacidad del ego para reconocerse y ver lo que hace es verdaderamente aterradora e increíble. El ego hace exactamente lo que condena en los demás y ni siquiera se da cuenta. Cuando se lo señala, recurre a la negación, la ira, los argumentos y las justificaciones que distorsionan los hechos. Y todo el mundo lo hace, las personas, las empresas y los gobiernos. Cuando todo lo demás falla, el ego recurre a los gritos y hasta a la violencia física. ¡Que manden al ejército! Es entonces cuando reconocemos la sabiduría de las palabras de Jesús en la cruz: "Perdónalos porque no saben lo que hacen".

Para poner fin a la desgracia que se ha cernido sobre la condición humana durante miles de años, debemos comenzar con nosotros mismos y asumir la responsabilidad por nuestro estado interior en todo momento. Eso significa que debe ser ahora mismo. Pregúntese si hay negatividad en su interior en este mismo momento. Entonces preste atención a sus pensamientos y también a sus emociones. Esté alerta a esa infelicidad latente a la cual me referí anteriormente, en cualquiera de sus formas: descontento, nerviosismo, hastío, etcétera. Esté alerta a los pensamientos que aparentemente justifican o explican esa infelicidad pero que en realidad son los causantes de la misma. Tan pronto como tome conciencia de un estado negativo en su interior no piense que ha fallado. Significa que ha tenido éxito. Mientras no hay esa conciencia, prevalece la identificación con los estados interiores, y esa identificación es el ego. Con la conciencia se suspende la identificación con los pensamientos, las emociones y las reacciones. Este estado no debe confundirse con la negación. Al reconocerse los pensamientos, las emociones y las reacciones, se suspende automáticamente esa identificación. Entonces cambia nuestro sentido de lo que somos, nuestra sensación de ser: antes éramos pensamientos, emociones y reacciones; ahora somos conciencia, la Presencia consciente que observa esos estados.

"Un día me liberaré del ego". ¿Quién habla? El ego. Liberarse del ego realmente no representa un gran esfuerzo. Lo único que se necesita es tomar conciencia de los pensamientos y las emociones en el mismo momento en el que suceden. No se trata realmente de "hacer", sino de "ver". En ese sentido, es cierto que no hay nada que podamos hacer para liberarnos del ego. Cuando se produce el cambio de pasar de pensar a observar, entra a operar en nuestras vidas una inteligencia muy superior a la astucia del ego. Las emociones y hasta los pensamientos se despersonalizan a través de la conciencia. Reconocemos su naturaleza impersonal. Dejan de estar cargados del "yo". Son solamente emociones y pensamientos humanos. Toda la historia personal, la cual no es más que un cuento, un paquete de pensamientos y emociones, pasa a ocupar un lugar secundario y deja de ocupar el primer lugar en la conciencia. Deja de ser la base de nuestro sentido de identidad. Pasamos a ser la luz de la Presencia, la conciencia profunda que antecede a los pensamientos y las emociones.

LAS FORMAS PATOLÓGICAS DEL EGO

Como ya vimos, en su naturaleza esencial, el ego es patológico en el sentido más amplio de la palabra, la cual significa disfunción y sufrimiento. Muchos trastornos mentales se manifiestan con los mismos rasgos egotistas que operan en las personas normales, salvo por el hecho de que se han agudizado hasta el punto de poner en evidencia su naturaleza patológica a los ojos de todos, salvo de la persona que los sufre.

Por ejemplo, muchas personas normales dicen ciertas mentiras ocasionalmente para aparentar ser importantes, especiales y engrandecer su imagen a los ojos de los demás: mentiras sobre sus conocidos, sus logros, sus habilidades, sus posesiones y todo lo demás con lo cual se identifica el ego. Sin embargo, algunas personas, motivadas por el sentimiento de insuficiencia y la necesidad del ego de tener o ser "más", mienten constantemente y de manera compulsiva. Su historia, la mayoría de las cosas que dicen sobre sí mismos, son una completa fantasía, una edificación ficticia que el ego construye para sí mismo a fin de sentirse más grande y especial. Con esa imagen engrandecida y magnificada, algunas veces engañan a los demás, pero generalmente no por mucho tiempo. La mayoría de las personas no tardan en reconocer la falsedad de la historia.

La enfermedad conocida como esquizofrenia paranoica o paranoia, es una enfermedad mental consistente principalmente en una forma exagerada del ego. Consta de una historia ficticia inventada por la mente para darle sentido a una sensación persistente de miedo. El elemento principal de la historia es la idea de que ciertas personas (a veces muchas o casi todo el mundo) conspiran contra la persona para controlarla o matarla. Por lo general, la historia es coherente y lógica, de tal manera que muchas personas terminan creyéndola. Hay a veces organizaciones o naciones enteras apoyadas sobre un sistema paranoico de creencias. El ego exagera su miedo y su suspicacia, su tendencia a hacer énfasis en lo "ajeno" de los demás fijándose en las faltas que asocia con la identidad de esas otras personas, para convertir a los demás en monstruos humanos. El ego necesita de los demás, pero su dilema está en que en el fondo odia y teme a las demás personas. La voz del ego se ve reflejada en la frase de Jean Paul Sartre, "Los demás son el infierno". Ese infierno se manifiesta más agudamente en las personas paranoicas, pero quienes todavía tienen patrones egotistas también lo experimentan hasta cierto punto. Mientras más fuerte es el ego, mayor es la probabilidad de que la persona piense que la fuente principal de sus problemas son los demás. También es más probable que les dificulte la vida a los demás. Pero, como es natural, la persona no podrá reconocer lo que sucede. Solamente percibe que son los demás los que actúan en su contra.

La enfermedad mental llamada paranoia también se manifiesta a través de otro síntoma constitutivo del ego, si bien adquiere una forma extrema en la enfermedad. Mientras más siente la persona afectada que todos la persiguen, la espían o la amenazan, más se agudiza su sensación de ser el centro del universo alrededor del cual gira todo lo demás, y más especial e importante se siente siendo el supuesto centro de atención de tantas personas. Su noción de ser la víctima y el objeto de las vejaciones de los demás la hace sentir muy especial. En la historia sobre la cual se apoya este sistema delirante por lo general representa el personaje de la víctima y del posible héroe que ha de salvar al mundo o derrotar a las fuerzas del mal.

El ego colectivo de las tribus, las naciones y las organizaciones religiosas suele contener también un elemento de paranoia: nosotros contra los malos. En eso radica buena parte del sufrimiento humano. La Inquisición española, la persecución de las "brujas" y de los herejes llevados a la hoguera, las relaciones entre las naciones que llevaron a las dos guerras mundiales, el comunismo durante toda su historia, la Guerra Fría, el macartismo en los Estados Unidos de los años 50, el conflicto violento prolongado del Medio Oriente, son todos ejemplos de episodios dolorosos de la historia humana dominados por una paranoia colectiva llevada al extremo.

Mientras mayor es la inconciencia de las personas, los grupos o las naciones, mayor es la probabilidad de que la patología del ego asuma la forma de violencia física. La violencia es un mecanismo primitivo pero todavía prevaleciente mediante el cual el ego trata de imponerse, demostrar que tiene la razón y que otros están equivocados. Con las personas muy inconscientes, las discusiones pueden terminar fácilmente en violencia física. ¿Qué es una discusión? Es cuando dos o más personas expresan opiniones divergentes. Cada persona está tan identificada con los pensamientos constitutivos de su opinión que dichos pensamientos se endurecen para formar posiciones mentales dotadas de un sentido del "yo". En otras palabras, la identidad y el pensamiento se fusionan. Cuando eso sucede, cuando defendemos nuestras opiniones (pensamientos), sentimos y actuamos como si estuviéramos defendiendo nuestro propio ser. Sentimos y actuamos inconscientemente como si lucháramos por nuestra supervivencia, de manera que esa noción inconsciente se refleja en nuestras emociones, las cuales se tornan turbulentas. Comienza a construirse dentro de nosotros un sentimiento de ira, defensividad o agresividad y sentimos la necesidad de vencer a toda costa para no ser aniquilados. Esa es la ilusión. El ego no sabe que la mente y las posiciones mentales no tienen nada que ver con lo que somos, porque el ego es la mente no observada.

El Zen dice, "No busques la verdad. Sencillamente abandona tus opiniones". ¿Qué significa esa frase? Dejar de identificarnos con la mente. Lo que somos aflora espontáneamente cuando eso sucede.

EL TRABAJO, CON O SIN EGO

La mayoría de las personas experimentamos momentos de ausencia del ego. Quienes sobresalen verdaderamente en lo que hacen pueden trabajar casi completamente liberados del ego. Quizás no lo sepan, pero el trabajo se convierte para ellos en una práctica espiritual. La mayoría de ellos están presentes mientras realizan su trabajo y vuelven a un estado de inconciencia relativa en su vida privada. Eso significa que su Presencia se limita transitoriamente a un aspecto de sus vidas. He conocido maestros, artistas, enfermeros, médicos, científicos, trabajadores sociales, meseros, dueños de empresa y vendedores que realizan su trabajo admirablemente sin buscar retribuciones egoístas y respondiendo plenamente a cualquier cosa que el momento les exija. Son uno con lo que hacen, uno con el Ahora, uno con las personas a quienes sirven o con las actividades que realizan. La influencia que esas personas ejercen sobre los demás va mucho más allá de su función. Hacen que se empequeñezca el ego de todas las personas que entran en contacto con ella. Hasta quienes poseen egos pesados a veces aflojan, bajan la guardia y dejan de representar sus personajes cuando se relacionan con esas personas. No sorprende que quienes abandonan su ego mientras trabajan tienen un éxito extraordinario en lo que hacen. Todas las personas que trabajan en la unicidad contribuyen a construir la nueva tierra.

También he conocido a muchas personas que son técnicamente buenas en lo que hacen pero cuyo ego interfiere permanentemente en su trabajo. Solamente ponen una parte de su atención en lo que hacen, mientras que la otra parte está fija en sí mismas. Su ego les exige reconocimiento personal y desperdician energía en resentimientos cuando no reciben suficiente (y nunca nada les basta). "¿Esa otra persona ha recibido más reconocimiento que yo?" O tienen su atención puesta en el dinero o el poder, y su trabajo no es más que un medio para esa finalidad. El trabajo que se convierte solamente en un medio para alcanzar una finalidad, no puede ser de alta calidad. Cuando surgen obstáculos o dificultades, cuando las cosas no marchan según lo previsto, cuando otras personas o circunstancia no ayudan o cooperan, en lugar de estar en unidad con la nueva situación y responder a las exigencias del momento presente, reaccionan contra la situación y, por tanto, se separan de ella. Hay un "yo" que se siente personalmente ofendido o resentido, y es enorme la cantidad de energía que se quema en protestas o enojos, la cual podría utilizarse para resolver la situación si el ego no la estuviera desperdiciando. Lo que es más, esta "antienergía" crea obstáculos nuevos y más oposición. Muchas personas son realmente su propio peor enemigo.

Muchas personas, sin saberlo, sabotean su propio trabajo cuando retienen información o ayuda, o tratan de obstaculizar a las demás personas para impedir que tengan más éxito o reciban más crédito que "yo". La cooperación es ajena al ego, salvo cuando hay una motivación oculta. El ego no sabe que mientras más incluye a los demás, mejor fluyen las cosas y más fácilmente recibe todo lo que anhela. Cuando damos poca o ninguna ayuda a los demás o levantamos obstáculos en su camino, el universo, a través de las personas y de las circunstancias, nos priva de ayuda al habernos desconectado del todo. El sentimiento de carencia que se anida en las profundidades del ego le hace reaccionar frente al éxito de los demás como si ese éxito "me lo hubieran arrebatado a *mi*". No sabe que resentir el éxito de los demás limita sus propias posibilidades. A fin de atraer el éxito es necesario acogerlo donde quiera que ocurra.

EL EGO EN LA ENFERMEDAD

Una enfermedad puede, o bien fortalecer el ego, o debilitarlo. Si nos lamentamos, nos sentimos víctimas o resentimos la enfermedad, el ego se fortalece. También se fortalece cuando convertimos a la enfermedad en parte de nuestra identidad conceptual. "Soy víctima de cierta enfermedad". Así, los demás saben quién soy. Por otra parte, hay algunas personas que tienen un ego grande en la vida normal pero que, al enfermar, se tornan dóciles, amables y mucho más agradables. Pueden comprender cosas que quizás nunca vieron en su vida normal. Pueden lograr acceso a su conocimiento interior y a su estado de contento y hablar con sabiduría. Después, cuando mejoran, recuperan su energía y, con ella, su ego.

Cuando enfermamos, nuestro nivel de energía se reduce considerablemente y la inteligencia del organismo asume el control y utiliza la poca energía disponible para sanar el cuerpo, de tal manera que no queda mucha para la mente, es decir, para los pensamientos y las emociones egotistas. El ego consume grandes cantidades de energía. Sin embargo, en algunos casos, el ego retiene la poca energía restante y la utiliza para sus propios fines. Sobra decir que las personas cuyo ego se fortalece durante la enfermedad tardan mucho más tiempo en recuperarse. Algunas nunca lo hacen, de tal manera que la enfermedad se vuelve crónica y se convierte en parte permanente de su falso sentido de identidad.

EL EGO COLECTIVO

¡Cuán difícil es vivir con uno mismo! Una de las salidas que busca el ego para escapar de su insatisfacción es agrandando y fortaleciendo su sentido del ser mediante la identificación con un grupo: una nación, un partido político, una empresa, una institución, una secta, un club, una pandilla, un equipo de fútbol, etcétera.

En algunos casos, el ego personal parece disolverse por completo cuando la persona dedica toda su vida a trabajar desinteresadamente por el bien colectivo sin exigir retribuciones, reconocimiento o engrandecimiento personal. Qué alivio deshacerse de la horrible carga del yo personal. Los miembros de la colectividad se sienten felices y plenos, por arduo que sea su trabajo o por grandes que sean sus sacrificios. Al parecer, logran trascender el ego. La pregunta es si realmente se han liberado o si el ego ha dejado de ser personal para ser colectivo.

El ego colectivo manifiesta las mismas características del ego personal, como la necesidad de tener conflictos y enemigos, la necesidad de tener más, la necesidad de tener la razón para que otros estén equivocados, y así sucesivamente. Tarde o temprano, la colectividad entra en conflicto con otras colectividades porque es algo que anhela inconscientemente y porque necesita la oposición para definir sus límites y, por ende, su identidad. Sus miembros experimentarán entonces el sufrimiento que se desprende inevitablemente como consecuencia de toda acción motivada por el ego. En ese momento, es probable que despierten y se den cuenta del fuerte elemento de demencia presente en su colectividad.

En un principio puede ser duro despertar súbitamente y reconocer que la colectividad con la cual nos habíamos identificado y para la cual trabajábamos en realidad estaba demente. En ese momento, algunas personas se tornan indiferentes o amargadas y, de ahí en adelante, niegan todos los valores, toda la valía. Esto significa que adoptaron rápidamente otro sistema de creencias tan pronto como reconocieron que el anterior era una falacia y que por esa razón se desplomó. No enfrentaron la muerte de su ego sino que huyeron para reencarnar en uno nuevo.

El ego colectivo generalmente es más inconsciente que los individuos que lo componen. Por ejemplo, las multitudes (entidades egotistas transitorias) son capaces de cometer unos actos atroces que el individuo, separado de la turba, no cometería. No es raro ver cómo las naciones asumen comportamientos que podrían reconocerse inmediatamente como una psicopatía a nivel individual.

A medida que vaya aflorando la nueva conciencia, algunas personas sentirán la necesidad de formar grupos para reflejar la conciencia iluminada. Esos grupos no serán egos colectivos porque sus integrantes no sentirán la necesidad de definir su identidad a través de ellos. Ya no buscarán la forma para definir lo que son. Aunque los integrantes de esos grupos no se hayan liberado completamente del ego, habrá suficiente conciencia en ellos para reconocer el ego en sí mismos y en los demás, tan pronto como éste trate de aflorar. Sin embargo, es preciso mantener un estado de alerta porque el ego *intentará* asumir el control y entronizarse a como dé lugar. Uno de los principales propósitos de estos grupos, trátese de empresas iluminadas, organizaciones de caridad, escuelas o comunidades, será disolver el ego humano exponiéndolo a la luz de la conciencia. Las colectividades iluminadas desempeñarán una función importante en el surgimiento de la nueva conciencia. Así como las colectividades egotistas nos empujan hacia la inconciencia y el sufrimiento, la colectividad iluminada podrá ser un manantial de conciencia destinado a acelerar el cambio planetario.

LA PRUEBA INCONTROVERTIBLE
DE LA INMORTALIDAD

El ego nace a través de la brecha presente en la psique humana en la cual la identidad se separa en dos partes a las cuales podríamos llamar "yo" y "mí mismo". Por consiguiente, todos los egos son esquizofrénicos, para usar la palabra en su acepción popular de la doble personalidad. Vivimos con una imagen mental de nosotros mismos, un ser conceptual con el cual tenemos una relación. La vida misma termina siendo un concepto separado de nuestra esencia en el instante mismo en que hablamos de ella como "mi vida". Tan pronto como decimos o pensamos en términos de "mi vida" y creemos en lo que decimos (en lugar de ver la expresión como una convención lingüística), habremos entrado en el ámbito de lo ilusorio. De existir "mi vida", inmediatamente se desprende que Yo y mi vida somos dos cosas distintas, de tal manera que también puedo perder mi vida, mi tesoro imaginario más preciado. La muerte se convierte en una realidad aparente y en una amenaza. Las palabras y los conceptos dividen la vida en segmentos separados carentes de realidad en sí mismos. Podríamos incluso decir que la noción de "mi vida" es el delirio original de la separación, la fuente del ego. Si yo y la vida somos dos, si estoy separado de la vida, entonces estoy separado de todas las cosas, de todos los seres, de todas las personas. ¿Pero cómo podría estar separado de la vida? ¿Cuál "Yo" podría existir separado de la vida, separado del Ser? Es completamente imposible. Por consiguiente, "mi vida" no puede existir y no *tengo* una vida. *Soy* la vida. Yo y la vida somos uno. No puede ser de otra manera. ¿Entonces cómo podría perder mi vida? ¿Cómo podría perder algo que no poseo? ¿Cómo podría perder algo que Yo Soy? Es imposible.

CAPÍTULO CINCO

EL CUERPO DEL DOLOR

En su mayor parte, nuestro proceso de pensamiento es involuntario, automático y repetitivo. No es más que una especie de estática mental que no cumple ningún propósito real. Estrictamente hablando, no pensamos: el pensamiento es algo que nos sucede. Cuando decimos "yo pienso" está implícita la voluntad. Implica que tenemos voz en el asunto, que podemos escoger. Sin embargo, en la mayoría de los casos no sucede así. La afirmación "yo pienso" es tan falsa como la de "yo digiero" o "yo circulo mi sangre". La digestión sucede, la circulación sucede, el pensamiento sucede.

La voz de la mente tiene vida propia. La mayoría de las personas están a merced de esa voz, lo cual quiere decir que están poseídas por el pensamiento, por la mente. Y puesto que la mente está condicionada por el pasado, empuja a la persona a revivir el pasado una y otra vez. En Oriente utilizan la palabra *karma* para describir ese fenómeno. Claro está que no podemos saber eso cuando estamos identificados con esa voz. Si lo supiéramos, dejaríamos de estar poseídos porque la posesión ocurre cuando confundimos a la entidad poseedora con nosotros mismos, es decir, cuando nos convertimos en ella.

Durante miles de años, la humanidad se ha dejado poseer cada vez más de la mente, sin poder reconocer que esa entidad poseedora no es nuestro Ser. Fue a través de la identificación completa con la mente que surgió un falso sentido del ser: el ego. La densidad del ego depende de nuestro grado (el de nuestra conciencia) de identificación con la mente y el pensamiento. El pensamiento es apenas un aspecto minúsculo de la totalidad de la conciencia, la totalidad de lo que somos.

El grado de identificación con la mente varía de persona a persona. Algunas personas disfrutan de períodos de libertad, por cortos que sean, y la paz, la alegría y el gusto por la vida que experimentan en esos momentos hacen que valga la pena vivir. Son también los momentos en los cuales afloran la creatividad, el amor y la compasión. Otras personas permanecen atrapadas en el estado egotista. Viven separadas de sí mismas, de los demás, y del mundo que las rodea. Reflejan la tensión en su rostro, en su ceño fruncido, o en la expresión ausente o fija de su mirada. El pensamiento absorbe la mayor parte de su atención, de tal manera que no ven ni oyen realmente a los demás. No están presentes en ninguna situación porque su atención está en el pasado o en el futuro, los cuales obviamente existen sólo en la mente como formas de pensamiento. O se relacionan con los demás a través de algún tipo de personaje al cual representan, de manera que no son ellas mismas. La mayoría de las personas viven ajenas a su esencia, algunas hasta tal punto que casi todo el mundo reconoce la "falsedad" de sus comportamientos y sus interacciones, salvo quienes son igualmente falsos y los que están alienados de lo que realmente son.

Estar alienado significa no estar a gusto en ninguna situación o con ninguna persona, ni siquiera con uno mismo. Buscamos constantemente llegar a "casa" pero nunca nos sentimos en casa.

Algunos de los más grandes escritores del siglo veinte como Franz Kafka, Albert Camus, T.S. Eliot, y James Joyce, reconocieron en la enajenación el dilema universal de la existencia humana, el cual probablemente sintieron profundamente, de tal manera que pudieron expresarlo magistralmente a través de sus obras. No ofrecen una solución, pero nos muestran un reflejo del predicamento del ser humano para que podamos verlo más claramente. Reconocer ese predicamento es el primer paso para trascender.

EL NACIMIENTO DE LA EMOCIÓN

Además del movimiento del pensamiento, y no tan separada de él, está otra dimensión del ego: la emoción. Claro está que no todo pensamiento ni toda emoción le pertenecen al ego. Se convierten en ego solamente cuando nos identificamos con ellos al punto de permitir que nos suplanten por completo; es decir cuando se convierten en el "Yo".

El organismo físico, nuestro cuerpo, tiene su propia inteligencia, y lo mismo sucede con todas las demás formas de vida. Esa inteligencia reacciona a lo que dice la mente, a nuestros pensamientos. Claro está que la inteligencia del cuerpo es una parte inseparable de la inteligencia universal, una de sus incontables manifestaciones. Proporciona cohesión temporal a los átomos y las moléculas que componen el organismo. Es el principio organizador de todo el funcionamiento de los órganos del cuerpo, de la conversión del oxígeno y los alimentos en energía, de los latidos del corazón y la circulación de la sangre, del funcionamiento del sistema inmune encargado de proteger al cuerpo de los invasores, de la traducción de la información sensorial en impulsos nerviosos que llegan hasta el cerebro donde son descodificados y ensamblados nuevamente para crear un panorama coherente de la realidad externa. Esta inteligencia coordina perfectamente todas esas funciones, además de otras miles que ocurren simultáneamente. No somos nosotros quienes manejamos nuestro cuerpo. Lo hace la inteligencia, la cual está también a cargo de las reacciones de nuestro organismo frente a su entorno.

Eso es así para todas las formas de vida. Es la misma inteligencia que dio su forma física a la planta y que se manifiesta en la flor que abre sus pétalos para recibir los rayos del sol de la mañana y luego los cierra durante la noche. Es la misma inteligencia que se manifiesta como Gaia, ese ser viviente complejo que es nuestro planeta Tierra.

Esta inteligencia da lugar a reacciones instintivas cuando el organismo se ve amenazado o desafiado. En los animales produce reacciones semejantes a las emociones humanas: ira, temor, placer. Podría decirse que estas reacciones instintivas son emociones primordiales. En algunas situaciones, los seres humanos experimentan las reacciones instintivas de la misma manera que los animales. Ante el peligro, cuando está amenazada la supervivencia del organismo, los latidos del corazón se aceleran, los músculos se contraen y la respiración se hace más rápida, en preparación para luchar o huir. Es el miedo primordial. Cuando el cuerpo se siente acorralado, se produce una intensificación súbita de la energía que le da una fuerza que antes no tenía. Es la ira primordial. Aunque estas reacciones instintivas parecen semejantes a las emociones, no lo son en el sentido verdadero de la palabra. La diferencia fundamental entre una reacción instintiva y una emoción está en que la primera es una reacción directa del cuerpo frente a una situación externa, mientras que la emoción es la respuesta del cuerpo a un pensamiento.

Indirectamente, una emoción también puede ser una reacción a una situación o a un hecho real, pero vista a través del filtro de la interpretación mental, el filtro del pensamiento, es decir, a través de los conceptos mentales de bueno y malo, gusto y disgusto, yo y lo mío. Por ejemplo, es probable que no sintamos emoción alguna cuando nos enteramos de que le han robado el automóvil a alguien, mientras que si es *nuestro* automóvil, nos sentiremos muy alterados. Es sorprendente cuánta emoción puede generar un concepto mental tan nimio como es el de "mío".

Si bien el cuerpo es muy inteligente, no está en capacidad de distinguir entre una situación real y un pensamiento. Reacciona a todos los pensamiento como si fueran la realidad. No sabe que es apenas un pensamiento. Para el cuerpo, un pensamiento preocupante o amenazador significa, "Estoy en peligro", llevándolo a reaccionar de conformidad, aunque la persona esté descansando en su cama en la noche. El corazón se acelera, los músculos se contraen, la respiración se hace más rápida y se acumula la energía. Pero como el peligro es solamente una ficción de la mente, esa energía no tiene por dónde desfogar. Parte de ella retorna a la mente y genera más pensamientos angustiosos. El resto de la energía se vuelve tóxica e interfiere con el funcionamiento armonioso del cuerpo.

LAS EMOCIONES Y EL EGO

El ego no es solamente la mente no observada, la voz mental que finge ser nosotros, sino también las emociones no observadas que representan la reacción del cuerpo a lo que dice la voz de la mente.

Ya hemos visto la clase de pensamientos a los cuales se dedica la voz egotista la mayoría de las veces y cuál es la disfunción inherente a la estructura de esos procesos de pensamiento, independientemente de su contenido. Es a este pensamiento disfuncional al cual reacciona el cuerpo mediante emociones negativas.

La voz de la mente relata una historia a la cual reacciona el cuerpo porque cree en ella. Esas reacciones son las emociones, las cuales alimentan nuevamente el pensamiento que las creó en primer lugar. Este es el círculo vicioso entre los pensamiento no examinados y las emociones, el cual da lugar al pensamiento emocional y a la fabricación de historias emocionales.

El componente emocional del ego es diferente en cada persona. En algunos egos es más grande que en otros. Los pensamientos que desencadenan reacciones emocionales del cuerpo pueden surgir a veces con tanta rapidez que, antes de que la mente tenga tiempo de expresarlos, el cuerpo ya ha reaccionado con una emoción. Esos pensamiento existen en una etapa preverbal y podrían considerarse como supuestos tácitos e inconscientes. Se originan en el condicionamiento pasado de la persona, generalmente en la primera infancia. "No se puede confiar en nadie" es un ejemplo de un supuesto inconsciente en una persona cuyas relaciones primordiales con sus padres o sus hermanos no le inspiraron confianza por no haber encontrado apoyo en ellas. Los siguientes son otros supuestos inconscientes comunes: "nadie me respeta ni me aprecia. Debo luchar para sobrevivir. Nunca hay suficiente dinero. La vida es una permanente desilusión. No merezco la abundancia. No merezco amor". Los supuestos inconscientes crean emociones físicas, las cuales a su vez generan actividad mental o reacciones instantáneas. Es así como creamos nuestra realidad personal.

La voz del ego perturba constantemente el estado natural de bienestar del cuerpo. Casi todos los cuerpos humanos viven sometidos a una gran cantidad de esfuerzo y tensión, no porque se vean amenazados por algún factor interno, sino a causa de la mente. El cuerpo lleva pegado un ego y no puede hacer otra cosa que reaccionar a todos los patrones disfuncionales de pensamiento que conforman el ego. Así, un torrente de emociones negativas acompaña al torrente de pensamientos compulsivos incesantes.

¿Qué es una emoción negativa? Es una emoción tóxica para el cuerpo que interfiere con su equilibrio y su funcionamiento armonioso. Las emociones como el miedo, la ansiedad, la ira, el rencor, la tristeza, el odio, los celos y la envidia perturban el flujo de energía del cuerpo y afectan el corazón, el sistema inmune, la digestión, la producción de hormonas, etcétera. Hasta la medicina convencional, la cual sabe muy poco sobre la manera de operar del ego, comienza a reconocer la conexión entre los estados emocionales negativos y las enfermedades físicas. La emoción dañina para el cuerpo también se contagia a las personas que entran en contacto con nosotros e, indirectamente, a un sinnúmero de personas a quienes ni siquiera conocemos, a través de una reacción en cadena. El término genérico para describir todas las emociones negativas es la infelicidad.

¿Entonces las emociones positivas tienen el efecto contrario sobre el cuerpo físico? ¿Fortalecen el sistema inmune, revitalizan y sanan el cuerpo?

Por supuesto que sí, pero debemos diferenciar las emociones positivas generadas por el ego de las emociones positivas emanadas del estado profundo de conexión con el Ser.

Las emociones positivas generadas por el ego traen consigo un opuesto en el cual se pueden convertir. He aquí algunos ejemplos: lo que el ego llama amor es deseo de poseer y un apego que puede convertirse en odio en un segundo. La expectativa ante un evento, es decir, el exceso de importancia que el ego le da al futuro, se convierte fácilmente en desilusión y frustración cuando el evento no satisface las expectativas del ego. Los elogios y el reconocimiento nos hacen sentir alegres y optimistas un día, pero la crítica y la indiferencia nos dejan tristes e infelices al otro. El placer de una fiesta se convierte en fatiga y resaca al día siguiente. No hay bien sin mal, alegría sin tristeza.

Las emociones generadas por el ego son producto de la identificación de la mente con los factores externos, los cuales son inestables y están sujetos a cambiar en cualquier momento, como es natural. Las emociones profundas no son realmente emociones sino estados del Ser. Las emociones existen en el ámbito de los opuestos. Los estados del Ser, aunque pueden permanecer a la sombra, no tienen opuesto; como aspectos de nuestra verdadera naturaleza, emanan desde nuestro interior en forma de amor, felicidad y paz.

EL PATO CON MENTE HUMANA

En *El poder del ahora,* mencioné que había observado que cuando dos patos se pelean, al separarse nadan en direcciones opuestas. Después, los dos baten las alas con fuerza varias veces para descargar el exceso de energía acumulada durante la pelea. Una vez que han sacudido las alas se van nadando pacíficamente como si no hubiera pasado nada.

Si el pato tuviera una mente humana, mantendría viva la pelea en sus pensamientos, tejiendo historias. Esta podría ser la historia del pato: "no puedo creer lo que acaba de hacer, se me acercó a menos de unos cuantos centímetros, seguramente se cree dueño del estanque, no tiene consideración alguna por mi espacio privado. Nunca más confiaré en él; la próxima vez con seguridad tramará otra cosa para molestarme, estoy seguro de que ya está tramando algo pero no lo toleraré; le daré una buena lección que nunca olvidará". Y así continúa la mente tejiendo sus historias, pensando y hablando sobre el asunto durante días, meses y hasta años. En cuanto al cuerpo, la lucha no ha cesado y la energía que genera en respuesta a todos esos pensamientos es emoción, la cual da lugar a más pensamientos todavía. Es lo que se convierte en el pensamiento emocional del ego. Es fácil ver lo problemática que sería la vida del pato si tuviera una mente humana. Pero es así como viven la mayoría de los seres humanos. Nunca ponen punto final a ninguna situación o acontecimiento. La mente y "mi historia" fabricada continúan con su ciclo interminable.

Somos una especie que perdió su camino. En toda la naturaleza, en cada flor o árbol, en cada animal, hay una lección importante para nosotros, si tan solo nos detuviéramos a observar y oír. La lección del pato es la siguiente: sacudamos las alas, es decir, dejemos atrás la historia y volvamos al único lugar donde reside el poder: el presente.

LA CARGA DEL PASADO

La historia de Tanzan y Ekido, dos monjes Zen que caminaban por un sendero rural anegado a causa de la lluvia ilustra maravillosamente la incapacidad o la falta de voluntad de la mente humana para dejar atrás el pasado. Cuando se acercaban a una aldea, tropezaron con una joven que trataba de cruzar el camino pero no quería enlodar su kimono de seda. Sin pensarlo dos veces, Tanzan la alzó y la pasó hasta el otro lado.

Los monjes continuaron caminando en silencio. Cinco horas después, estando ya muy cerca del templo donde se alojarían,

Ekido no resistió más. "¿Por qué alzaste a esa muchacha para pasarla al otro lado del camino?" preguntó. "Los monjes no debemos hacer esas cosas".

"Hace horas que descargué a la muchacha", replicó Tazan. "¿Todavía llevas su peso encima?"

Imaginemos cómo sería la vida para alguien que viviera como Ekido todo el tiempo, incapaz de dejar atrás las situaciones del pasado, acumulando más y más cosas. Pues así es la vida para la mayoría de las personas de nuestro planeta. ¡Qué pesada es la carga del pasado que llevan en su mente!

El pasado vive en nosotros en forma de recuerdos, pero estos por sí mismos no representan un problema. De hecho, es gracias a la memoria que aprendemos del pasado y de nuestros errores. Los recuerdos, es decir, los pensamientos del pasado, son problemáticos y se convierten en una carga únicamente cuando se apoderan por completo de nosotros y entran a formar parte de lo que somos. Nuestra personalidad, condicionada por el pasado, se convierte entonces en una cárcel. Los recuerdos están dotados de un sentido de ser, y nuestra historia se convierte en el ser que creemos ser. Ese "pequeño yo" es una ilusión que no nos permite ver nuestra verdadera identidad como Presencia sin forma y atemporal.

Sin embargo, nuestra historia está compuesta de recuerdos no solamente mentales sino también emocionales: emociones viejas que se reviven constantemente. Como en el caso del monje que cargó con el peso de su resentimiento durante cinco horas, alimentándolo con sus pensamientos, la mayoría de las personas cargan durante toda su vida una gran cantidad de equipaje innecesario, tanto mental como emocional. Se imponen limitaciones a través de sus agravios, sus lamentos, su hostilidad y su sentimiento de culpa. El pensamiento emocional pasa a ser la esencia de lo que son, de manera que se aferran a la vieja emoción porque fortalece su identidad.

Debido a esta tendencia a perpetuar las emociones viejas, casi todos los seres humanos llevan en su campo de energía un cúmulo de dolor emocional, el cual he denominado "el cuerpo del dolor".

Sin embargo, tenemos el poder para no agrandar más nuestro cuerpo del dolor. Podemos aprender a romper la costumbre de acumular y perpetuar las emociones viejas "batiendo las alas" y absteniéndonos de vivir en el pasado, independientemente de si los sucesos ocurrieron el día anterior o hace treinta años. Podemos aprender a no mantener vivos en la mente los sucesos o las situaciones y a traer nuestra atención continuamente al momento puro y atemporal del presente, en lugar de obstinarnos en fabricar películas mentales. Así, nuestra presencia pasa a ser nuestra identidad, desplazando a nuestros pensamientos y emociones.

No hay nada que haya sucedido en el pasado que nos impida estar en el presente; y si el pasado no puede impedirnos estar en el presente, ¿qué poder puede tener?

EL CUERPO DEL DOLOR: INDIVIDUAL Y COLECTIVO

Ninguna emoción negativa que no enfrentemos y reconozcamos por lo que es puede realmente disolverse por completo. Deja tras de sí un rastro de dolor.

Para los niños en particular, las emociones negativas fuertes son demasiado abrumadoras, razón por la cual tienden a tratar de no sentirlas. A falta de un adulto completamente consciente que los guíe con amor y compasión para que puedan enfrentar la emoción directamente, la única alternativa que le queda al niño es no sentirla. Desafortunadamente, ese mecanismo de defensa de la infancia suele permanecer hasta la edad adulta. La emoción sigue viva y, al no ser reconocida, se manifiesta indirectamente en forma de ansiedad, ira, reacciones violentas, tristeza y hasta en forma de enfermedad física. En algunos casos, interfiere con todas las relaciones íntimas y las sabotea. La mayoría de los psicoterapeutas han tenido pacientes que comienzan afirmando que su infancia fue completamente feliz y más adelante terminan diciendo todo lo contrario. Si bien esos son los casos más extremos, nadie pasa por la infancia sin sufrir dolor emocional. Aunque los dos progenitores hayan sido personas iluminadas, el niño crece en medio de un mundo principalmente inconsciente.

Todos los vestigios de dolor que dejan las emociones negativas fuertes y que no se enfrentan y aceptan para luego dejarse atrás, terminan uniéndose para formar un campo de energía residente en las células mismas del cuerpo. Está constituido no solamente por el sufrimiento de la infancia, sino también por las emociones dolorosas que se añaden durante la adolescencia y durante la vida adulta, la mayoría de ellas creadas por la voz del ego. El dolor emocional es nuestro compañero inevitable cuando la base de nuestra vida es un sentido falso del ser.

Este campo de energía hecho de emociones viejas pero que continúan muy vivas en la mayoría de las personas, es el cuerpo del dolor.

Sin embargo, el cuerpo del dolor no es solamente individual. También participa del sufrimiento experimentado por un sinnúmero de seres humanos a lo largo de una historia de guerras tribales, esclavitud, rapacería, violaciones, torturas y otras formas de violencia. Ese sufrimiento permanece vivo en la psique colectiva de la humanidad y se acrecienta día tras día como podemos comprobarlo viendo los noticiarios u observando el drama de las relaciones humanas. En el cuerpo colectivo del dolor seguramente está codificado el ADN de todos los seres humanos, aunque todavía no se haya podido demostrar.

Todos los seres que llegan al mundo traen consigo un cuerpo de dolor emocional. En algunos es más pesado y denso que en otros. Algunos bebés son bastante felices la mayoría de las veces. Otros parecen albergar una gran cantidad de tristeza. Es cierto que algunos bebés lloran mucho porque no reciben suficiente atención y cariño, pero hay otros que lloran sin razón aparente, como si quisieran que todas las personas a su alrededor fueran tan infelices como ellos, lográndolo a veces. Han llegado al mundo con una carga pesada de sufrimiento humano. Otros bebés lloran con frecuencia porque detectan las emanaciones de las emociones negativas de sus padres, lo cual agranda su cuerpo del dolor al absorber la energía de los cuerpos del dolor de sus padres. Independientemente de la razón, a medida que crece el cuerpo físico, crece también el cuerpo del dolor.

El bebé que nace con un cuerpo del dolor liviano no será necesariamente un adulto más "avanzado espiritualmente" que el que nace con un cuerpo más denso. De hecho, muchas veces sucede lo contrario. Las personas cuyo cuerpo del dolor es más pesado generalmente tienen mayores oportunidades de despertar espiritualmente que quienes llegan con un cuerpo relativamente liviano. Mientras algunas permanecen atrapadas en sus cuerpos densos, muchas otras llegan a un punto en que ya no toleran su infelicidad, de manera que se acentúa su motivación para despertar.

¿Por qué es tan significativa en la conciencia colectiva de la humanidad la imagen del Cristo agonizando con su rostro distorsionado por el sufrimiento y su cuerpo manchado con la sangre de sus heridas? Los millones de personas, especialmente durante la Edad Media, no se habrían identificado tan profundamente con esa imagen si ésta no hubiera encontrado eco con algo dentro de ellas o si no la hubieran reconocido inconscientemente como una representación de su propia realidad interna, de su cuerpo del dolor. Todavía no estaban lo suficientemente conscientes para reconocerla directamente en su interior, pero fue el primer paso para hacerlo. Cristo puede considerarse como el arquetipo humano en quien se albergan tanto el dolor como la posibilidad de trascendencia.

DE CÓMO SE RENUEVA EL CUERPO DEL DOLOR

El cuerpo del dolor es una forma semiautónoma de energía, hecha de emociones, que vive en el interior de la mayoría de los seres humanos. Tiene su propia inteligencia primitiva, muy parecida a la de un animal astuto, y el principal objetivo de esa inteligencia es la supervivencia. Al igual que todas las formas de vida, necesita alimentarse periódicamente (absorber nueva energía) y su alimento es la energía compatible con la suya propia, es decir, la energía que vibra en una frecuencia semejante. Toda energía emocionalmente dolorosa puede convertirse en alimento para el cuerpo del dolor. Es por eso que tanto le agradan al cuerpo del dolor los pensamientos negativos y el drama de las relaciones humanas. El cuerpo del dolor es una adicción a la infelicidad.

Es probable que usted se sienta sorprendido al saber por primera vez que hay algo en su interior que busca periódicamente la negatividad emocional y la infelicidad. Es preciso estar más conscientes para verlo en nosotros mismos que para verlo en los demás. Una vez que la infelicidad se apodera de nosotros, no solamente no deseamos ponerle fin sino que tratamos de que los otros se sientan tan infelices como nosotros a fin de alimentarnos de sus reacciones emocionales negativas.

En la mayoría de los casos, el cuerpo del dolor tiene una fase activa y otra latente. Cuando está latente olvidamos fácilmente que llevamos una nube negra o un volcán dormido en nuestro interior, dependiendo del campo de energía de nuestro cuerpo del dolor en particular. El período que permanece latente varía de una persona a otra: unas cuantas semanas es lo más común, pero puede también ser unos cuantos días o unos meses. En algunos casos infrecuentes, el cuerpo del dolor puede permanecer en estado de hibernación durante años hasta que algún suceso lo despierta.

DE CÓMO SE ALIMENTA DE LOS PENSAMIENTOS EL CUERPO DEL DOLOR

El cuerpo del dolor despierta cuando siente hambre y es hora de reponer la energía perdida. Pero también un suceso puede activarlo en cualquier momento. El cuerpo del dolor que se dispone a alimentarse puede valerse del suceso más trivial para desencadenar su apetito, desde algo que alguien dice o hace, o incluso un pensamiento. Si la persona vive sola o no hay nadie cerca en el momento, el cuerpo del dolor se alimenta de los pensamientos. De un momento a otro, los pensamientos se tornan profundamente negativos. La persona estaba seguramente ajena al hecho de que justo antes del torrente de pensamientos negativos una oleada de emoción invadió su mente en la forma de un estado de ánimo negro y pesado, de ansiedad o de ira. Todos los pensamientos son energía y el cuerpo del dolor procede a alimentarse de esa energía. Pero no cualquier pensamiento le sirve de alimento. No es necesario ser particularmente sensibles para notar que un pensamiento positivo genera una sensación distinta a la que genera uno negativo. Aunque es la misma energía, vibra en una frecuencia diferente. Un pensamiento alegre y positivo es indigestible para el cuerpo del dolor, el cual solamente puede alimentarse de los pensamientos compatibles con su propio campo de energía.

Todas las cosas son campos de energía vibratorios en constante movimiento. La silla en la cual nos sentamos, el libro que sostenemos en las manos parecen sólidos e inertes solamente porque ésa es la manera como nuestros sentidos perciben la frecuencia de sus vibraciones, es decir, el movimiento incesante de las moléculas, los átomos, los electrones y las partículas subatómicas que, en su conjunto, conforman eso que vemos en forma de silla, libro, árbol o cuerpo. Lo que percibimos como materia física es energía que vibra (se mueve) en una determinada gama de frecuencias. Los pensamientos están hechos de la misma energía pero vibran a una frecuencia más alta que la de la materia, razón por la cual no podemos verlos o tocarlos. Los pensamientos tienen su propia gama de frecuencias: los negativos están en la parte inferior del espectro, mientras que los positivos están en la parte superior de la escala. La frecuencia vibratoria del cuerpo del dolor resuena con la de los pensamientos negativos, razón por la cual solamente puede alimentarse de ellos.

El patrón usual por el cual el pensamiento crea las emociones se invierte en el caso del cuerpo del dolor, por lo menos inicialmente. La emoción del cuerpo del dolor no tarda en apoderarse del pensamiento y, una vez que eso sucede, la mente comienza a producir pensamientos negativos. La voz de la mente comienza a contar historias de tristeza, angustia o ira acerca de la vida, de nosotros mismos, de las otras personas, de los sucesos pasados, presentes, futuros o imaginarios. La voz culpa, acusa, reniega, se imagina. Y nosotros nos identificamos totalmente con lo que dice la voz y creemos todos sus pensamientos distorsionados. Es el momento en que se apodera de nosotros la adicción a la infelicidad.

No es tanto que no podamos frenar el tren de pensamientos negativos, sino que no deseamos hacerlo. Esto se debe a que, en ese momento, el cuerpo del dolor está viviendo a través de nosotros y suplantando a nuestro verdadero ser. Y al cuerpo del dolor le es placentero el sufrimiento. Devora ansiosamente todos los pensamientos negativos. En efecto, la voz que habla usualmente en la mente se ha convertido en la voz del cuerpo del dolor y ha asumido el control del diálogo interior. Se establece entonces un círculo vicioso entre el cuerpo del dolor y el pensamiento. Cada pensamiento alimenta el cuerpo del dolor y éste, a su vez, genera más pensamientos. En algún momento, después de unas cuantas horas o hasta días, una vez que está satisfecho, el cuerpo del dolor vuelve a dormir, dejando tras de sí un organismo agotado y un cuerpo mucho más susceptible a la enfermedad. Se parece mucho a un parásito psíquico, y eso es en realidad.

DE CÓMO SE ALIMENTA DEL DRAMA EL CUERPO DEL DOLOR

Cuando tenemos personas a nuestro alrededor, especialmente el cónyuge o un familiar cercano, el cuerpo del dolor busca provocarlas para poder alimentarse del drama que seguramente sobrevendrá. A los cuerpos del dolor les encantan las relaciones íntimas y las familias porque es a través de ellas que obtienen mayor alimento. Es difícil resistirse cuando otro cuerpo del dolor está decidido a provocar una reacción en nosotros. Conoce instintivamente nuestros puntos más vulnerables. Si su primer intento no prospera, ensayará una y otra vez. Es emoción pura a la caza de más emociones. El cuerpo del dolor de la otra persona desea despertar el nuestro para que los dos puedan alimentarse mutuamente.

Muchas relaciones pasan por episodios violentos y destructivos montados por el cuerpo del dolor a intervalos periódicos. Un niño experimenta un sufrimiento casi insoportable cuando se ve obligado a presenciar la violencia emocional de los cuerpos del dolor de sus padres. Sin embargo, ese es el destino de millones de niños del mundo entero, la pesadilla de su diario vivir. También es una de las formas de transmitir el cuerpo del dolor de generación en generación. Después de cada episodio, los padres se reconcilian y hay un intervalo de paz relativa, en la medida en que el ego lo permite.

El consumo excesivo de alcohol suele activar el cuerpo del dolor, especialmente en los hombres, pero también en las mujeres. En estado de ebriedad, la persona sufre un cambio completo de personalidad cuando el cuerpo del dolor asume el control. Una persona profundamente inconsciente cuyo cuerpo del dolor se reabastece periódicamente a través de la violencia física suele dirigir esa violencia contra su cónyuge o sus hijos. Cuando recupera la sobriedad, su arrepentimiento es grande y auténtico y promete seriamente no volver a cometer esos actos de violencia. Sin embargo, la persona que habla y promete no es la entidad agresora, de tal manera que es seguro que vuelva a caer en ese comportamiento una y otra vez, a menos que reconozca el cuerpo del dolor que vive en su interior, opte por estar presente y logre dejar de identificarse con ese cuerpo del dolor. En algunos casos es posible hacerlo con la ayuda de asesoría profesional.

La mayoría de los cuerpos del dolor buscan infligir sufrimiento y ser a la vez víctimas de él, pero algunos son principalmente victimarios o víctimas. En cualquiera de los dos casos, se alimentan de la violencia, sea ésta física o emocional. Algunas parejas que creen estar enamoradas en realidad se sienten atraídas porque sus respectivos cuerpos del dolor se complementan. Algunas veces, los papeles de víctima y victimario quedan claramente asignados desde su primer encuentro. Algunos matrimonios, en lugar de hacerse en el cielo se hacen en el infierno.

Quien haya tenido un gato sabe que, incluso mientras duerme, el gato parece saber lo que sucede a su alrededor porque al más mínimo ruido dirige las orejas hacia el lugar de donde vino y abre ligeramente los ojos. Los cuerpos del dolor son iguales. En un determinado nivel continúan despiertos, listos a entrar en acción cuando se les presente el motivo apropiado.

En las relaciones íntimas, los cuerpos del dolor son lo suficientemente sagaces para mantener un bajo perfil mientras se inicia la vida en pareja y ojalá después de firmado el contrato en virtud del cual se crea el compromiso de vivir juntos durante el resto de la vida. No nos casamos con un esposo o una esposa sino también con los dos cuerpos del dolor. Puede ser verdaderamente desconcertante reconocer, al cabo de poco tiempo de vivir juntos o después de la luna de miel, que un buen día nuestra pareja experimenta un cambio radical de personalidad. Usa un tono de voz duro o estridente para acusarnos o culparnos, o nos grita probablemente a causa de un asunto relativamente trivial o se retrae por completo. "¿Qué te pasa?" preguntamos. "Nada", responde. Pero la energía intensamente hostil que emana de ella parece decir, "Todo anda mal". Cuando la miramos a los ojos, estos ya no brillan. Es como si un velo espeso hubiera descendido y que ese ser a quien conocemos y amamos y que solía brillar a través de su ego, estuviera completamente oculto. Es como si estuviéramos frente a un perfecto extraño en cuyos ojos vemos odio, hostilidad, amargura o ira. Cuando nos hablan, no es la voz de nuestro cónyuge o nuestra pareja, sino el cuerpo del dolor que habla a través de ellos. Lo que dicen no es más que la versión distorsionada de la realidad que nos ofrece el cuerpo del dolor, una realidad completamente distorsionada por el miedo, la hostilidad, la ira y el deseo de infligir y recibir más dolor.

En esos momentos nos preguntamos si ése es el verdadero rostro de nuestra pareja, el cual no habíamos visto antes, y si cometimos un grave error al elegir a esa persona. Claro está que no es su verdadero rostro, sino el cuerpo del dolor que ha tomado posesión de ella transitoriamente. Sería difícil encontrar una pareja que no cargue con un cuerpo del dolor, pero quizás sería prudente elegir a alguien cuyo cuerpo del dolor no sea tan denso.

EL CUERPO DENSO DEL DOLOR

Algunas personas cargan cuerpos del dolor densos, que nunca están completamente latentes. Pueden sonreír y conversar educadamente, pero no hace falta tener poderes psíquicos para sentir el nudo de infelicidad que bulle bajo la superficie, esperando el siguiente suceso que les permita reaccionar, la siguiente persona a quien culpar o confrontar, la siguiente razón para ser infelices. Sus cuerpos del dolor nunca se satisfacen, siempre están hambrientos. Intensifican la necesidad del ego de tener enemigos.

Su reactividad hace que las cosas más nimias se salgan de toda proporción porque tratan de arrastrar a otros hacia su drama haciéndolos reaccionar. Algunas de estas personas viven en batallas prolongadas y finalmente inútiles o en litigios contra empresas y personas. Otras se consumen de odio obsesivo contra su antiguo cónyuge o pareja. Sin reconocer el dolor que llevan adentro, proyectan su dolor sobre las situaciones y los sucesos a través de su reacción. Puesto que no tienen conciencia alguna de lo que son, no distinguen entre un suceso y su reacción frente al mismo. Para ellos, la infelicidad, y hasta el sufrimiento mismo, es parte integral del suceso o de la situación. Al no tener conciencia de su estado interior, ni siquiera saben que son profundamente infelices y que están sufriendo.

Algunas veces, las personas que poseen esos cuerpos tan densos se convierten en activistas en favor de alguna causa. La causa puede ser loable y es probable que al comienzo logren sus objetivos. Sin embargo la energía negativa que rodea lo que dicen y hacen, junto con su necesidad inconsciente de tener enemigos y conflictos, tiende a generar oposición creciente contra su causa. Por lo general también terminan haciendo enemigos dentro de su propia organización, porque a donde quiera que van encuentran razones para sentirse mal, de tal manera que su cuerpo del dolor continúa encontrando lo que busca.

EL ENTRETENIMIENTO, LOS MEDIOS DE COMUNICACIÓN Y EL CUERPO DEL DOLOR

Si usted no está familiarizado con la civilización contemporánea, si hubiera llegado desde otra época o de otro planeta, una de las cosas que lo sorprenderían es que millones de personas pagan por la fascinación de ver cómo los seres humanos se matan entre sí y provocan sufrimiento, diciendo que es por "entretenimiento".

¿Por qué las películas violentas atraen a un público tan grande? Hay una industria enorme, parte de la cual se sostiene gracias a la adicción de los seres humanos por la infelicidad. Es obvio que las personas ven esas películas porque desean sentirse mal. ¿Qué es lo que motiva al ser humano a querer sentirse mal y decir que eso es bueno? El cuerpo del dolor, por supuesto. Buena parte de la industria del entretenimiento está dirigida a él. Entonces, además de la reactividad, los pensamientos negativos y el drama personal, el cuerpo del dolor también se renueva indirectamente a través del cine y la televisión. Son cuerpos del dolor los que escriben y producen esas películas para que otros cuerpos del dolor paguen por verlas.

¿Acaso siempre es "malo" mostrar y ver violencia en la televisión y en las pantallas de cine? ¿Alimenta toda esa violencia al cuerpo del dolor? En la actual etapa evolutiva de la humanidad, la violencia no solamente es generalizada sino que va en aumento, a medida que la vieja conciencia egotista, amplificada por el cuerpo colectivo del dolor, se intensifica antes de su muerte inevitable. Si las películas muestran la violencia dentro de su contexto más amplio, si muestran el origen y las consecuencia de esa violencia, si muestra lo que le hace a la víctima y también al victimario, si muestran la inconsciencia que está detrás de ella y que se pasa de generación en generación (la ira y el odio que viven en forma de cuerpo del dolor en cada ser humano), entonces las películas pueden desempeñar un papel fundamental en el despertar de la humanidad. Pueden ser el espejo en el cual la humanidad vea reflejada su locura. Aquello que reconoce la locura como tal (aunque sea la propia) es cordura, es el despertar de la conciencia, es el fin de la demencia.

Esa clase de películas existen y no alimentan el cuerpo del dolor. Algunas de las mejores películas contra la guerra son aquellas que muestran su realidad en lugar de una versión idealizada de la misma. El cuerpo del dolor solamente se puede alimentar de las películas en las cuales la violencia se presenta como un comportamiento normal y hasta deseable, o que glorifican la violencia con el único propósito de generar emociones negativas en el observador y convertirse así en una "cura" para el cuerpo adicto al dolor.

Los tabloides no venden principalmente noticias sino emociones negativas: alimento para el cuerpo del dolor. "Indignación general", grita el titular a tres pulgadas, o "Desgraciados". Los tabloides británicos son verdaderos maestros en esto. Saben que la emoción negativa vende muchos más periódicos que las noticias.

Los medios noticiosos en general, incluida la televisión, tienden a prosperar a base de noticias negativas. Mientras más empeoran las cosas, más se emocionan los presentadores y, muchas veces, esa emoción negativa es generada por los medios mismos. A los cuerpos del dolor sencillamente les encanta.

EL CUERPO FEMENINO DEL DOLOR COLECTIVO

La dimensión colectiva del cuerpo del dolor tiene distintas ramificaciones. Las tribus, las naciones y las razas tienen sus propios cuerpos colectivos, algunos más pesados que otros, y la mayoría de los miembros de la tribu, la nación o la raza participan de ellos en mayor o menor medida.

Casi todas las mujeres participan del cuerpo femenino del dolor colectivo, el cual tiende a activarse especialmente antes de la menstruación. En ese momento, muchas mujeres se sienten invadidas de emociones negativas.

La supresión del principio femenino, especialmente durante los últimos 2.000 años, le ha dejado el espacio al ego para imponer su supremacía en la psique colectiva de la humanidad. Aunque es obvio que también las mujeres tienen ego, éste encuentra terreno más fértil para echar raíces en la forma masculina en lugar de la femenina. Esto se debe a que las mujeres se identifican menos con la mente que los hombres. Permanecen en mayor contacto con el cuerpo interior y la inteligencia del organismo donde se originan las facultades de la intuición. La forma femenina está menos rígidamente encapsulada que la masculina, es más abierta y más sensible a otras formas de vida, y está en mayor sintonía con el mundo natural.

Si no se hubiera destruido el equilibrio entre la energía masculina y femenina en nuestro planeta, el crecimiento del ego se habría visto obstaculizado en gran medida. No le habríamos declarado la guerra a la naturaleza y no estaríamos tan completamente alejados de nuestro Ser.

Nadie conoce las cifras exactas porque no hay registros de la época, pero parece que durante un período de 300 años, el Tribunal de la Santa Inquisición torturó y asesinó entre 3 y 5 millones de mujeres. Esa institución fue fundada por la Iglesia Católica para suprimir la herejía. No hay duda de que, junto con el Holocausto, ese período se nos presenta como uno de los capítulos más sombríos de la historia de la humanidad. Bastaba que una mujer mostrara amor por los animales, caminara sola en los campos o los bosques, o recogiera hierbas medicinales, para que se la tildara de bruja y después se la torturara y quemara en la hoguera. La feminidad sagrada fue declarada demoníaca y prácticamente desapareció de la experiencia humana toda una dimensión. Otras culturas y religiones como el judaísmo, el islamismo y hasta el budismo, también suprimieron la dimensión femenina, aunque de manera menos violenta. La situación de la mujer se redujo a ser el vehículo para traer hijos al mundo y a ser propiedad del hombre. Los hombres que negaron nuestro aspecto femenino, incluso en su interior, pasaron a dirigir el mundo, un mundo totalmente desequilibrado. El resto es historia o más bien una historia de casos de locura.

¿Quién tuvo la culpa de este miedo por lo femenino, que puede describirse solamente como una paranoia colectiva aguda? Podríamos decir que los culpables fueron los hombres, naturalmente. Pero entonces, ¿por qué en tantas civilizaciones precristianas como la sumeria, la egipcia y la celta las mujeres eran respetadas y no se le temía al principio femenino sino que se le veneraba? ¿Qué fue lo que hizo que los hombres se sintieran amenazados por las mujeres? El ego que evolucionaba en su interior. Sabía que solamente a través de la forma masculina podría controlar totalmente nuestro planeta y que, para hacerlo, debía inutilizar a la forma femenina.

Con el tiempo, el ego se apoderó también de la mayoría de las mujeres, aunque nunca pudo afianzarse tan profundamente en ellas como en los hombres.

Ahora vivimos una situación en la cual se ha interiorizado la supresión de nuestro aspecto femenino, incluso en la mayoría de las mujeres. Muchas de ellas, puesto que lo sagrado de lo femenino está suprimido, lo sienten en forma de dolor emocional. En efecto, se ha convertido en parte de su cuerpo del dolor, junto con el sufrimiento infligido a las mujeres durante miles de años a través del parto, las violaciones, la esclavitud, la tortura y la muerte violenta.

Pero las cosas están cambiando rápidamente. Muchas personas comienzan a tomar conciencia y el ego comienza a perder su dominio sobre la mente humana. Puesto que el ego nunca se arraigó profundamente en las mujeres, está perdiendo su ascendiente sobre ellas con mayor rapidez que sobre los hombres.

EL CUERPO DEL DOLOR DE LAS NACIONES
Y LAS RAZAS

El cuerpo del dolor es más denso en algunos países en los cuales se han producido o cometido muchos actos de violencia colectiva. Esta es la razón por la que las naciones más antiguas tienden a tener cuerpos del dolor más fuertes. También es la razón por la que países más jóvenes como Canadá o Australia, o los que han permanecido al abrigo de la locura generalizada como es el caso de Suiza, tienden a tener cuerpos colectivos más livianos. Claro está que los habitantes de esos países tienen sus propios cuerpos del dolor individuales. Cuando se tiene sensibilidad suficiente, es posible sentir el peso del campo de energía de ciertos países tan pronto como uno baja del avión. En otros países se puede percibir un campo de energía de violencia latente bajo la superficie de la vida cotidiana. En algunas naciones, por ejemplo en el Medio Oriente, el cuerpo colectivo del dolor es tan agudo que una parte importante de la población se ve obligada a manifestarlo a través de un ciclo de locura interminable de crímenes y venganzas a partir del cual se renueva constantemente el cuerpo del dolor.

En los países en los cuales el cuerpo del dolor es pesado pero ya ha dejado atrás su fase aguda, las personas han mostrado la tendencia de tratar de desensibilizarse frente al dolor emocional colectivo: a través del trabajo en Alemania y Japón, a través del consumo generalizado de alcohol en otros países (aunque ese consumo puede tener el efecto opuesto de estimular el cuerpo del dolor, en particular si se consume en exceso). El pesado cuerpo del dolor de China se ha mitigado hasta cierto punto con la práctica generalizada del T'ai Chi, la cual, por alguna razón asombrosa, no fue declarada ilegal por el gobierno comunista, que se siente amenazado por todo aquello que está fuera de su control. Todos los días, en las calles y en los parques, millones de personas practican esta forma de meditación en movimiento que tranquiliza la mente. Esto tiene un efecto profundo sobre el campo de energía colectivo y contribuye a disminuir hasta cierto punto el cuerpo del dolor al reducir la actividad de la mente y generar Presencia.

El mundo occidental ha comenzado a acoger cada vez más las prácticas espirituales en las que participa el cuerpo físico como el T'ai Chi, el Qigong, y el Yoga. Estas prácticas no crean una separación entre el cuerpo y el espíritu y ayudan a debilitar el cuerpo del dolor. Su papel en el despertar del planeta será de gran importancia.

El cuerpo colectivo racial es pronunciado entre los judíos, quienes han sufrido persecuciones durante muchos siglos. No sorprende que sea también fuerte entre los pueblos nativos de Norteamérica, los cuales fueron diezmados y cuyas culturas prácticamente fueron aniquiladas con la llegada de los colonos europeos. También los afroamericanos tienen un cuerpo colectivo del dolor pronunciado. Sus ancestros fueron arrancados violentamente de su tierra natal, sometidos a golpes y vendidos como esclavos. Las bases de la prosperidad económica de los Estados Unidos se construyeron sobre el trabajo forzado de 4 o 5 millones de esclavos. En efecto, el sufrimiento causado a los pueblos nativos y a los afroamericanos no ha permanecido confinado a esas dos razas, sino que se ha convertido en parte del cuerpo colectivo del dolor de los estadounidenses. Siempre sucede que tanto la víctima como el victimario sufren las consecuencias de todo acto de violencia, opresión o crueldad. Porque nos hacemos a nosotros mismos lo que les hacemos a los demás.

Realmente no importa cuál proporción de nuestro cuerpo del dolor pertenezca a nuestra nación o nuestra raza y cuál proporción sea personal. Cualquiera que sea el caso, la única manera de trascenderlo es asumiendo la responsabilidad por nuestro estado interior en este momento. Aunque la culpa parezca justificada, mientras culpemos a otros continuaremos alimentando el cuerpo del dolor con nuestros pensamientos y permaneceremos atrapados en el ego. Solamente hay una fuente de maldad en nuestro planeta: la inconsciencia humana. En el simple hecho de reconocer esa realidad se alberga el verdadero perdón. Con el perdón se disuelve nuestra identidad de víctimas y aflora nuestro poder verdadero: el poder de la Presencia. En lugar de culpar a las tinieblas, traemos la luz.

CAPÍTULO SEIS

LA LIBERACIÓN

El comienzo de la libertad implica que para liberarnos del cuerpo del dolor debemos, ante todo, reconocer que lo *tenemos*. Después, y más importante todavía, es preciso mantenernos lo suficientemente presentes y alertas para notar el cuerpo del dolor cuando se activa en nosotros, como un flujo pesado de emoción negativa. Cuando lo reconocemos, ya no puede fingir que es nosotros, ya no puede hacerse pasar por nosotros, ni vivir ni renovarse a través de nosotros.

La identificación con el cuerpo del dolor se rompe con la Presencia consciente. Cuando dejamos de identificarnos con él, el cuerpo del dolor pierde todo control sobre nuestra forma de pensar y, por tanto, no puede alimentarse de nuestros pensamientos para renovarse. En la mayoría de los casos, el cuerpo del dolor no se disuelve inmediatamente. Sin embargo, una vez roto su vínculo con nuestros pensamientos, comienza a perder energía. La emoción ya no nubla nuestro pensamiento; el pasado ya no distorsiona nuestras percepciones del presente. Entonces, la frecuencia en la cual vibra la energía atrapada anteriormente cambia y se transmuta en Presencia. Es así como el cuerpo del dolor se convierte en combustible para la conciencia, y esta es la razón por la cual los hombres más sabios e iluminados de nuestro planeta tuvieron también alguna vez un cuerpo del dolor denso y pesado.

Independientemente de lo que digamos o hagamos, o del rostro que le presentemos al mundo, no podemos ocultar nuestro estado mental y emocional. De todos los seres humanos emana un campo de energía correspondiente a su estado interior, y la mayoría de las personas lo pueden percibir, aunque su emanación se perciba únicamente a nivel subliminal. Esto quiere decir que los demás no saben por qué la perciben y, no obstante, esa energía determina en gran medida la forma como reaccionan frente a la persona. Algunas personas, cuando conocen a otra, perciben claramente su energía, incluso antes de cruzar palabra con ella. Sin embargo, con el tiempo las palabras pasan a dominar la relación, y con las palabras vienen los personajes y el drama. La atención pasa entonces al ámbito de la mente y se disminuye considerablemente la capacidad para percibir el campo de energía de la otra persona. Aun así, se continúa percibiendo a nivel del inconsciente.

Cuando reconocemos que los cuerpos del dolor buscan inconscientemente más dolor, es decir que desean que suceda algo malo, comprendemos que muchos accidentes de tránsito son causados por los conductores cuyos cuerpos del dolor están activos en ese momento. Cuando dos conductores cuyos cuerpos del dolor están activos al mismo tiempo llegan a una intersección, la probabilidad de que ocurra un accidente es mucho mayor que en circunstancias normales. Los dos desean inconscientemente que se produzca el accidente. El papel de los cuerpos del dolor en los accidentes de tránsito se aprecia más claramente en el fenómeno de los conductores iracundos que se tornan físicamente violentos por nimiedades como por ejemplo la lentitud del vehículo que va adelante.

Muchos actos de violencia son cometidos por personas "normales" que pierden la cabeza transitoriamente. En los procesos judiciales del mundo entero se oye a los abogados de la defensa decir, "esto no corresponde para nada con el carácter de esta persona", y a los acusados decir, "no sé qué me pasó". Hasta donde yo sé, ningún abogado, con el propósito de argumentar un atenuante, ha dicho nunca que "el cuerpo del dolor de mi cliente estaba activado y no sabía lo que hacía. De hecho no fue él quien cometió el acto sino su cuerpo del dolor".

¿Significa esto que las personas no son responsables de sus actos cuando están bajo el control de su cuerpo del dolor? Yo respondo, ¿Cómo podrían serlo?¿Cómo podemos ser responsables cuando estamos inconscientes, cuando no sabemos lo que hacemos? Sin embargo, en el gran esquema de las cosas, los seres humanos están destinados a evolucionar hasta convertirse en seres conscientes, y quienes no lo hagan sufrirán las consecuencias de su inconciencia. Estarán en disonancia con el ímpetu evolutivo del universo.

Pero incluso ésta es una verdad relativa. Desde un punto de vista superior, no es posible estar en disonancia con la evolución del universo, y hasta la inconciencia humana y el sufrimiento que de ella emana son parte de esa evolución. Cuando ya no podemos soportar el ciclo permanente de sufrimiento, comenzamos a despertar. Así, también el cuerpo del dolor ocupa un lugar necesario en el esquema general de las cosas.

PRESENCIA

Un día vino a verme una mujer de unos treinta años. Cuando me saludó, pude sentir el sufrimiento a pesar de su sonrisa amable y superficial. A los pocos segundos de comenzar a contarme su historia, su sonrisa se convirtió en una mueca de dolor. Entonces rompió a llorar inconsolablemente. Me dijo que se sentía sola y fracasada. Estaba llena de ira y tristeza. Siendo niña había sufrido los abusos de un padre físicamente violento. Vi claramente que su sufrimiento no se debía a las circunstancias de su vida en ese momento sino a que cargaba el peso de un cuerpo del dolor muy denso. Su cuerpo del dolor se había convertido en el filtro a través del cual veía la situación de su vida. Todavía no estaba en capacidad de ver la conexión entre el dolor emocional y sus pensamientos, puesto que estaba completamente identificada con ambos. No podía reconocer que estaba alimentando su cuerpo del dolor con sus pensamientos. En otras palabras, vivía con la carga de un yo muy infeliz. Sin embargo, en algún nivel debió reconocer que la fuente del sufrimiento estaba en su interior, que ella misma era su carga. Estaba lista para despertar y por eso había acudido a mi.

Le pedí que llevara su atención a lo que sentía en el interior de su cuerpo y que sintiera la emoción directamente, no a través del filtro de sus pensamientos de infelicidad, de su historia de tristeza. Dijo que había venido con la esperanza de que yo le mostrara el camino para salir de su infelicidad, no para entrar en ella. Sin embargo, hizo lo que le pedí, aunque con algo de renuencia. Lloraba y temblaba. "Eso es lo que siente en este momento", le dije, "no hay nada que pueda hacer ahora porque eso es lo que siente *en este momento*. Entonces, en lugar de cambiar la forma como se siente en este momento, lo cual generará más sufrimiento, ¿cree posible aceptar por completo lo que siente ahora?"

Guardó silencio unos instantes. Súbitamente se mostró impaciente como si quisiera levantarse y dijo enojada, "no, no deseo aceptar esto". "¿Quién está hablando?", le pregunté, "¿usted o su infelicidad? ¿Se da cuenta de que su infelicidad por estar infeliz es otra capa más de infelicidad?" Calló nuevamente. "No le estoy pidiendo que *haga* algo. Lo único que le pido es que trate de descubrir si le es posible permitir que esos sentimientos residan ahí. En otras palabras, y esto puede parecerle extraño, ¿qué sucede con la infelicidad? ¿No desea averiguarlo?"

Me miró intrigada durante unos momentos, y al cabo de un minuto de silencio, noté un cambio importante en su campo de energía. Dijo, "es raro, todavía me siento infeliz, pero ahora hay un espacio alrededor, parece que me pesara menos". Fue la primera vez que alguien utilizó esa descripción: hay espacio alrededor de mi infelicidad. Ese espacio se produce cuando aceptamos interiormente lo que estamos experimentando en el presente.

No dije mucho más para dejarla vivir su experiencia. Más adelante comprendió que en el mismo momento en que dejó de identificarse con el sentimiento, con esa emoción dolorosa que vivía en su interior, tan pronto como centró su atención sin tratar de resistirse, ese sentimiento ya no podría controlarla ni controlar su pensamiento, ni mezclarse con una historia inventada por su mente y titulada "Mi pobre yo infeliz". Encontró otra dimensión en su vida, la cual trascendía ese pasado personal: la dimensión de la Presencia. Puesto que es imposible ser infeliz sin una historia triste, hasta ahí llegó su infelicidad. También fue el comienzo del fin de su cuerpo del dolor. La infelicidad no es más que la combinación de la emoción con una historia triste.

Cuando terminó nuestra sesión, fue muy satisfactorio para mí ver que venía de ser testigo del surgimiento de la Presencia en otro ser humano. La razón misma de nuestra existencia en forma humana es traer a este mundo esa dimensión de la conciencia.

También había visto cómo se había disminuido el cuerpo del dolor, no como consecuencia de una lucha, sino al proyectar sobre él la luz de la conciencia.

A los pocos minutos de irse mi visitante, se presentó una amiga a dejarme algo. Tan pronto como entró en la habitación dijo, "¿qué pasó aquí?" Se siente una energía pesada y lóbrega. Casi podría decir que me siento mal. Debes abrir las ventanas y quemar incienso". Le expliqué que venía de presenciar una gran liberación en una persona con un cuerpo del dolor muy denso y que lo que estaba sintiendo seguramente era parte de la energía liberada durante esa sesión. Sin embargo, mi amiga no quiso quedarse para escuchar toda la historia. No veía la hora de salir.

Abrí las ventanas y salí a cenar en un restaurante indio cercano. Lo que sucedió allí fue otra confirmación más de lo que ya sabía: que en un plano, todos los cuerpos del dolor, aparentemente individuales, están conectados. Sin embargo, la forma como obtuve la confirmación fue bastante estremecedora.

EL REGRESO DEL CUERPO DEL DOLOR

Me senté en el restaurante y pedí la comida. Había otros pocos comensales. En una mesa cercana estaba terminando de comer un señor de edad madura, sentado en una silla de ruedas. Me dirigió una mirada breve pero intensa. Al cabo de unos pocos minutos, se mostró alterado, agitado y comenzó a sacudirse. Cuando el mesero se acercó a retirarle el plato, el señor comenzó a discutir con él. "La comida estuvo pésima". "¿Entonces por qué la comió?" preguntó el mesero. Esas palabras bastaron para que se deshiciera en improperios. Comenzó a gritar y de su boca salían toda clase de insultos. El comedor se llenó de un odio intenso y violento. Podíamos sentir cómo esa energía penetraba en el cuerpo en busca de algo a lo cual aferrarse. El hombre pasó a gritarles a los demás comensales, pero por alguna razón me ignoró por completo mientras yo permanecía en intensa Presencia. Sospeché que el cuerpo del dolor universal había regresado para decirme, "pensaste que me habías derrotado, pero mírame, aquí estoy". También contemplé la posibilidad de que el campo de energía que se había liberado durante la sesión me había seguido al restaurante y se había pegado a la única persona en quien encontró una frecuencia vibratoria compatible, es decir, un cuerpo del dolor pesado.

El administrador abrió la puerta, "sólo váyase, váyase". El hombre salió a toda velocidad en su silla, dejando a todo el mundo aturdido. Un minuto después regresó. Su cuerpo del dolor no había terminado todavía. Necesitaba más. Empujó la puerta con la silla de ruedas, gritando vulgaridades. Una mesera trató de impedirle entrar y él se impulsó hacia adelante clavando a la muchacha contra la pared. Algunos de los comensales se levantaron para tratar de retirarlo. Hubo gritos, chillidos y se armó el desorden. Un poco más tarde se presentó un agente de policía, el hombre se tranquilizó y se le pidió que se fuera y no regresara. Por fortuna, la mesera no estaba lastimada, salvo por unos cuantos moretones en las piernas. Cuando retornó la calma, el administrador se me acercó y me preguntó, "¿Usted provocó todo esto?", un poco en broma pero quizás sintiendo que había una conexión.

EL CUERPO DEL DOLOR DE LOS NIÑOS

En los niños, el cuerpo del dolor a veces se manifiesta a través del mal humor o el retraimiento. El niño se torna hosco, se niega a relacionarse y puede sentarse en un rincón a chuparse el dedo o abrazado a un muñeco. También se puede manifestar a través de accesos de llanto o de pataletas. El niño grita, se tira al piso o incurre en comportamientos destructivos. El hecho de no conseguir lo que desea puede desencadenar al cuerpo del dolor, y en un cuerpo del dolor apenas en desarrollo, la fuerza del deseo puede ser intensa. Los padres podrán sentirse perplejos sin saber qué hacer y sin poder creer que su pequeño ángel se ha convertido en un monstruo en tan sólo unos segundos. "¿De dónde sale tanta desesperación?" se preguntan. Es, en mayor o menor medida, la participación del niño en el cuerpo colectivo de la humanidad, el cual se remonta al origen mismo del ego humano.

Pero el niño quizás recibió sufrimiento de los cuerpos del dolor de sus padres, de tal manera que estos podrán ver en su hijo el reflejo de lo que hay en ellos. El cuerpo del dolor de los padres puede afectar profundamente a los niños altamente sensibles. El hecho de tener que presenciar la demencia del drama de sus padres les provoca un dolor emocional insoportable, de tal manera que son estos niños quienes llegan a tener cuerpos del dolor muy densos en la edad adulta. Los padres que tratan de ocultar sus cuerpos del dolor no engañan a sus hijos. "No debemos pelear delante de los niños", dicen, pero eso sólo significa que mientras conversan educadamente, el hogar está cargado de energía negativa. Suprimir el cuerpo del dolor es extremadamente tóxico, mucho más que dejarlo manifestar abiertamente, y los niños absorben esa toxicidad psíquica, la cual contribuye a acrecentar sus propios cuerpos del dolor.

Algunos niños aprenden acerca del ego y del cuerpo del dolor por la vía subliminal, por el solo hecho de vivir con padres altamente inconscientes. Una mujer cuyos dos progenitores tenían un ego y un cuerpo del dolor muy fuertes me dijo que cuando sus padres se gritaban y se ofendían, a pesar de amarlos, ella se decía, "estas dos personas están locas. ¿Cómo terminé yo aquí?" Ya tenía la conciencia de la demencia de esa clase de vida. Esa conciencia le ayudó a amortiguar la cantidad de dolor absorbida de sus padres.

Los padres suelen preguntarse cómo manejar el cuerpo del dolor de sus hijos. La primera pregunta, por su puesto, es si están manejando el propio. ¿Lo reconocen dentro de sí mismos? ¿Pueden mantenerse lo suficientemente presentes cuando se activa para poder tomar conciencia de la emoción a nivel de las sensaciones antes de que pueda convertirse en pensamiento y, por tanto, en una "persona infeliz"?

Mientras un niño sufre un ataque del cuerpo del dolor no es mucho lo que podamos hacer salvo estar presentes a fin de no dejarnos arrastrar hacia una reacción emocional y evitar así que el cuerpo del dolor del niño se alimente de ella. Los cuerpos del dolor pueden ser enormemente histriónicos y no hay que dejarse engañar por ellos. No hay que tomarlos muy en serio. Si el cuerpo del dolor se activó por que no se le dio gusto al niño, es preciso no ceder ante sus exigencias. De lo contrario, el niño aprenderá que "mientras más desgraciado soy, mayor es la probabilidad de obtener lo que deseo". Esta es la fórmula para la disfunción posteriormente en la vida. El cuerpo del dolor se frustrará al ver que los padres no reaccionan y seguramente exagerará su ataque un poco más, antes de tranquilizarse. Por suerte, los episodios del cuerpo del dolor suelen ser más breves en la infancia que en la edad adulta.

Conviene hablar con el niño sobre lo sucedido cuando se serene, o al día siguiente. Pero no se trata de hablarle al niño sobre el cuerpo del dolor. Lo mejor es hacerle preguntas como, "¿qué te pasó ayer cuando no podías dejar de gritar? ¿Recuerdas? ¿Cómo te sentiste? ¿Te gustó esa sensación? ¿Tiene nombre eso que te sucedió? ¿No? ¿Si pudieras darle un nombre, cómo lo llamarías? ¿Querrías hacer un dibujo para explicar cómo fue? ¿Se durmió? ¿Crees que pueda volver?"

Estas son apenas algunas sugerencias. El propósito de este tipo de preguntas es despertar en el niño su facultad para observar, es decir, su Presencia. De esa manera, el niño aprenderá a no identificarse con el cuerpo del dolor. También conviene que el padre hable con el niño acerca de su propio cuerpo del dolor, en unas palabras que el niño pueda comprender. La próxima vez que el cuerpo del dolor asuma el control del niño, se le puede decir, "ha regresado, ¿verdad?" Se deben utilizar las mismas palabras que el niño utilizó cuando habló al respecto y dirigir su atención hacia sus *sensaciones*. La actitud del adulto debe ser de interés o curiosidad, en lugar de crítica o condena.

No es muy probable que con eso se pueda frenar al cuerpo del dolor y hasta podrá parecer que el niño ni siquiera escucha. Sin embargo, en el fondo quedará algo de conciencia, incluso durante los momentos en que esté activo del cuerpo del dolor. Con el tiempo, la conciencia se irá fortaleciendo mientras el cuerpo del dolor se debilita. El niño estará desarrollando más Presencia. Un día quizá suceda que sea el niño quien nos señale que nuestro cuerpo del dolor ha asumido el control sobre nosotros.

INFELICIDAD

No toda la infelicidad es del cuerpo del dolor. Una parte es nueva infelicidad, creada cada vez que no estamos en armonía con el momento presente, cuando negamos el ahora de una forma u otra. Cuando reconocemos que el momento presente es lo que ya está sucediendo y, por ende, es inevitable, podemos aportarle una actitud positiva de aceptación imparcial y no solamente no crear más infelicidad sino apropiarnos del poder de la Vida misma al eliminar toda resistencia.

La infelicidad del cuerpo del dolor siempre es completamente desproporcionada en relación con su causa aparente. En otras palabras, es una reacción exagerada. Es así como se la reconoce, aunque generalmente no es la persona poseída quien la reconoce. Una persona con un cuerpo del dolor pesado encuentra fácilmente las razones para sentirse alterada, molesta, afligida, triste o temerosa. Las cosas relativamente insignificantes que en otra persona provocarían solamente un encogimiento de hombros y una sonrisa indiferente, se convierten en la causa aparente de un sufrimiento intenso. Y claro está que no son la causa verdadera, sino el factor desencadenante, el cual revive las viejas emociones acumuladas. La emoción se aposenta luego en la cabeza, donde amplifica e imprime energía a las estructuras egotistas de la mente.

El cuerpo del dolor y el ego son parientes cercanos. Se necesitan mutuamente. El suceso o la situación desencadenante se interpreta y se pone en escena a través de la pantalla de un ego altamente emocional. Esto quiere decir que su significado se distorsiona completamente. Vemos el presente a través de los ojos del pasado emocional que llevamos dentro. En otras palabras, lo que vemos o experimentamos no está en el suceso ni en la situación, sino en nosotros. O, en algunos casos, aunque sea parte del suceso o de la situación terminamos amplificándolo con nuestra reacción. Esta reacción, esta amplificación, es el alimento que el cuerpo del dolor desea y necesita.

La persona poseedora de un cuerpo del dolor pesado encuentra a veces imposible distanciarse de su interpretación distorsionada, de su "historia" cargada de emoción. Mientras más emoción negativa haya en una historia, más pesada e impenetrable es ésta. Así, la historia no se reconoce como tal sino que se la confunde con la realidad. Cuando estamos completamente atrapados en el devenir del pensamiento y las emociones que lo acompañan, es imposible desprendernos porque ni siquiera sabemos que podemos hacerlo. Estamos atrapados en nuestra propia película o ilusión. Y hasta donde sabemos, nuestra reacción es la única reacción posible.

ROMPER LA IDENTIFICACIÓN CON
EL CUERPO DEL DOLOR

La emanación de energía de una persona con un cuerpo del dolor activo es muy particular y les resulta muy desagradable a los demás. Cuando se cruzan con esa persona, hay quienes sienten la necesidad de apartarse inmediatamente o de reducir al mínimo su interacción con ella. Se sienten repelidas por su campo de energía. Otras personas sienten una ola de agresión dirigida contra ellas y reaccionan con grosería atacándola verbalmente o hasta físicamente también. Eso significa que hay algo en su interior que resuena con el cuerpo del dolor del otro. Aquello contra lo cual reaccionaron con tanta fuerza vive en su interior también. Es su propio cuerpo del dolor.

No sorprende entonces que las personas cuyos cuerpos del dolor son pesados y activos vivan con frecuencia en situaciones de conflicto. Algunas veces, como es natural, ellas mismas las provocan. Pero otras veces quizás ni siquiera hagan nada. La negatividad que emanan es suficiente para atraer la hostilidad y generar el conflicto. Se necesita un alto grado de Presencia para evitar reaccionar cuando se está frente a una persona con un cuerpo del dolor tan activo. Cuando logramos estar presentes, a veces sucede que nuestra Presencia lleva a la otra persona a dejar de identificarse con su cuerpo del dolor y a experimentar el milagro de un despertar súbito. Aunque ese despertar sea de corta duración, será la iniciación de todo el proceso.

Uno de esos primeros despertares que pude observar ocurrió hace muchos años. Eran casi las once de la noche cuando sonó el timbre de mi casa. Por el intercomunicador oí la voz angustiada de mi vecina Ethel. "Necesito hablar contigo, es muy importante, por favor déjame entrar". Ethel era una mujer madura, inteligente y muy culta. También tenía un ego fuerte y un cuerpo del dolor pesado. Había escapado de la Alemania nazi siendo adolescente y muchos de los miembros de su familia habían muerto en los campos de concentración.

Ethel se sentó en mi sofá y, con manos temblorosas, sacó de una carpeta unas cartas y documentos que esparció por el sofá y por el piso. Tuve inmediatamente una extraña sensación, como si algún interruptor hubiera subido al máximo la intensidad de la luz dentro de mi cuerpo. No tuve más alternativa que permanecer abierto, alerta, intensamente presente, presente con cada célula de mi cuerpo. La miré sin pensar ni juzgar y la escuché atentamente, sin hacer comentarios mentales. De su boca brotaron las palabras a borbotones. "Hoy recibí otra carta perturbadora. Están fraguando una venganza en mi contra, debes ayudarme, debemos luchar juntos contra ellos. Esos abogados corruptos no se detendrán ante nada, perderé mi casa, me amenazan con expropiarme".

Logré entender que se negaba a pagar la cuenta de los servicios porque los administradores del inmueble no habían realizado unas reparaciones. Ellos, por su parte, amenazaban con demandar.

Habló durante cerca de diez minutos. Yo me limité a oírla en silencio. Súbitamente dejó de hablar, miró los papeles esparcidos por todas partes como si acabara de despertar de un sueño. Se calmó y dulcificó. Todo su campo de energía cambió. Después me miró y dijo, "¿esto realmente no tiene importancia alguna, verdad?" "No, no la tiene", respondí. Permaneció en silencio un par de minutos y después recogió sus papeles y se fue. A la mañana siguiente me detuvo en la calle y me dirigió una mirada de suspicacia. "¿Qué me hiciste? Anoche, por primera vez en muchos años, pude dormir bien. En realidad dormí como un bebé".

Pensaba que yo le "había hecho algo", pero no era así. En lugar de hacerme esa pregunta, quizás ha debido preguntar sobre lo que yo no había hecho. No había reaccionado, no había confirmado la realidad de su historia, no había alimentado su mente con más pensamientos ni su cuerpo del dolor con más emoción. Le había permitido experimentar su experiencia de ese momento, y para permitir tal cosa es preciso no interferir y no hacer. Estar presente siempre es una vía mucho más poderosa que hacer o decir, si bien algunas veces el hecho de estar presente puede dar lugar a palabras o actuaciones.

Aunque no se produjo en ella una transformación permanente, pudo vislumbrar lo posible, aquello que ya vivía en ella. En el Zen, ese destello se denomina *satori*. *Satori* es un momento de Presencia, es un instante en el cual dejamos de lado la voz mental, los procesos de pensamiento y su manifestación física en forma de emoción. Es el afloramiento de un espacio interior donde antes residían el tumulto y la perturbación causados por los pensamientos y las emociones.

Como la mente pensante es incapaz de comprender la Presencia, suele interpretarla erróneamente. Nos acusará de indiferentes, distantes, crueles y de no establecer relaciones. La verdad es que sí nos relacionamos pero a un nivel más profundo que el del pensamiento y la emoción. En realidad es que a ese nivel hay una verdadera comunión, una unión que va mucho más allá de la relación. En la quietud de la Presencia podemos sentir la esencia informe de nuestro ser y de los demás también. Reconocer la unicidad en nosotros mismos y en el otro es el verdadero amor, el verdadero interés y la verdadera compasión.

"FACTORES DESENCADENANTES"

Algunos cuerpos del dolor reaccionan solamente ante una determinada situación o ante un cierto factor desencadenante, el cual por lo general resuena con un determinado tipo de dolor emocional experimentado en el pasado. Por ejemplo, si un niño crece con padres para quienes el dinero es motivo de dramas y conflictos frecuentes, podría absorber el temor de sus padres con respecto al dinero y desarrollar un cuerpo del dolor que se activa cuando hay de por medio problemas económicos. Estas son personas que se molestan o se enojan por cantidades insignificantes de dinero. Detrás de su rabia o su molestia hay problemas de supervivencia y de temor intenso. He conocido personas espirituales, relativamente conscientes, que comienzan a gritar, culpar y acusar tan pronto como alzan el teléfono para hablar con sus corredores de bolsa o de finca raíz. Así como hay una advertencia del riesgo del tabaquismo en las cajetillas de cigarrillos, quizás debería haber unas etiquetas semejantes en todos los billetes y los extractos bancarios: "el dinero puede activar el cuerpo del dolor y provocar un estado de inconciencia total".

Un niño abandonado o descuidado por sus padres en la infancia seguramente desarrollará un cuerpo del dolor que tenderá a activarse en todas las situaciones que resuenen aunque sea remotamente con su sufrimiento primordial de abandono. El amigo que llega tarde a recogerlo en el aeropuerto o el cónyuge que llega tarde a la casa puede desencadenar un gran ataque del cuerpo del dolor. Si su compañero o cónyuge los abandona o se muere, el dolor emocional que sienten es mucho más intenso que el que sería natural en una situación como ésa. Podría manifestarse en forma de angustia intensa, depresión debilitante o ira obsesiva.

La niña víctima del abuso de su padre podrá descubrir que su cuerpo del dolor se activa fácilmente en cualquier relación cercana con un hombre. O la emoción constitutiva de su cuerpo del dolor puede empujarla hacia un hombre cuyo cuerpo del dolor es semejante al de su padre. Su cuerpo del dolor puede sentir una atracción magnética hacia alguien que pueda alimentarlo con el mismo dolor. A veces, ese dolor puede interpretarse equivocadamente como enamoramiento.

Un hombre que vino al mundo sin ser deseado y no recibió amor sino apenas un mínimo de cariño y atención de su madre desarrolló un cuerpo del dolor pesado y ambivalente constituido por un intenso anhelo insatisfecho por el amor y la atención de su madre, y al mismo tiempo un odio profundo hacia ella por negarle lo que necesitaba desesperadamente. Al llegar a la edad adulta, casi todas las mujeres desencadenaban la carencia de su cuerpo del dolor (una forma de dolor emocional) la cual se manifestaba como una compulsión adictiva por "conquistar y seducir" prácticamente a todas las mujeres a quienes conocía a fin de obtener el amor y la atención femenina de los cuales estaba sediento su cuerpo del dolor. Llegó a ser muy experto en seducción, pero tan pronto como la relación llegaba a la intimidad o alguna mujer lo rechazaba, la ira contra su madre se apoderaba de él y acababa con la relación.

Cuando aprendemos a reconocer el afloramiento de nuestro cuerpo del dolor, aprendemos rápidamente cuáles son los factores que lo activan, trátese de situaciones o de ciertas cosas que los demás dicen o hacen. Tan pronto como se presentan esos factores, los reconocemos inmediatamente por lo que son y entramos en un estado de alerta. Al cabo de uno o dos segundos también notamos la reacción emocional que cobra forma en el cuerpo del dolor, pero en el estado de Presencia alerta no nos identificamos con él, lo cual significa que el cuerpo del dolor no puede apoderarse de nosotros y convertirse en la voz de la mente. Si nos encontramos en ese momento con nuestra pareja, podemos decirle: "lo que acabas de decir (o de hacer) activó mi cuerpo del dolor". Así, podemos establecer un acuerdo según el cual cada vez que alguno de los dos diga o haga algo que active el cuerpo del dolor del otro, lo mencionamos inmediatamente. De esta manera, el cuerpo del dolor no puede renovarse a través del drama en la relación y, en lugar de sepultarnos en la inconciencia, nos ayudará a estar completamente presentes.

Cada vez que estamos presentes cuando el cuerpo del dolor se manifiesta, parte de la energía emocional negativa se quema, por así decirlo, y se transmuta en Presencia. El resto del cuerpo del dolor se retirará rápidamente a la espera de una oportunidad más propicia para aflorar nuevamente, es decir, cuando estemos menos conscientes. El cuerpo del dolor tendrá una mejor oportunidad cuando perdamos Presencia, quizás después de beber unos tragos o mientras vemos una película violenta. La emoción negativa más insignificante como estar irritados o ansiosos también puede servir de puerta para el regreso del cuerpo del dolor. El cuerpo del dolor necesita de la inconciencia. No tolera la luz de la Presencia.

EL CUERPO DEL DOLOR
COMO MEDIO PARA DESPERTAR

A primera vista, parecería que el cuerpo del dolor es el mayor obstáculo para el despertar de la nueva conciencia de la humanidad. Ocupa nuestra mente, controla y distorsiona nuestro pensamiento, perturba nuestras relaciones y se siente como una especie de nube negra que invade todo nuestro campo de energía. Tiende a llevarnos a la inconciencia, hablando en términos espirituales, a la identificación total con la mente y la emoción. Nos pone a la defensiva, nos lleva a decir y hacer cosas destinadas a acrecentar la infelicidad interior y la del mundo.

Sin embargo, a medida que crece la infelicidad, más se altera la vida. Podrá llegar el momento en que el cuerpo no soporte más la tensión y desarrolle una enfermedad o alguna disfunción. Podríamos sufrir un accidente o caer en una situación de intenso conflicto o drama como consecuencia del deseo del cuerpo del dolor de que suceda algo malo. Podríamos incluso llegar a cometer actos de violencia física. O podríamos llegar hasta el punto de no soportar un día más nuestro ser infeliz. Y claro está que el cuerpo del dolor es parte de ese falso ser.

Cada vez que el cuerpo del dolor se apodera de nosotros, cada vez que no lo reconocemos por lo que es, pasa a ser parte del ego. Todo aquello con lo cual nos identificamos se convierte en ego. El cuerpo del dolor es una de las cosas más poderosas con las cuales se identifica el ego, y necesita de él para renovarse. Sin embargo, esa alianza malévola con el tiempo se deshace cuando el cuerpo del dolor es tan pesado que en lugar de fortalecer las estructuras egotistas de la mente, las debilita a través del ataque constante de su carga energética, de la misma manera que la corriente activa un aparato electrónico pero puede fundirlo si el voltaje es demasiado alto.

La gente cuyo cuerpo del dolor es muy fuerte, llega a veces a un punto en el que la vida se torna intolerable, donde ya no puede soportar más dolor ni más drama. Una persona lo expresó diciendo sencillamente que estaba "hastiada de ser infeliz". Algunas personas pueden sentir, como me sucedió a mi, que ya no pueden vivir consigo mismas. Por tanto, la paz interior pasa a ser la primera prioridad. La fuerza intensa del dolor emocional las lleva a dejar de identificarse con el contenido de su mente y las estructuras mentales y emocionales que han dado origen a su "ser infeliz" y que lo perpetúan. Entonces reconocen no ser ni su historia de infelicidad ni la emoción que están sintiendo. En lugar de empujarlas hacia la inconciencia, el cuerpo del dolor se convierte en el vehículo para despertar, en el factor decisivo que las obliga a asumir el estado de Presencia.

Sin embargo, debido al influjo sin precedentes de conciencia que estamos experimentando actualmente en el planeta, muchas personas ya no necesitan caer en el abismo profundo del sufrimiento agudo para dejar de identificarse con su cuerpo del dolor. Cada vez que notan que han caído en un estado disfuncional, pueden *optar* por salir de esa identificación con el pensamiento y la emoción y entrar en estado de Presencia. Renuncian a resistirse, entran en un estado de alerta, quietud y unión con aquello que *es*, tanto interna como externamente.

El paso siguiente de la evolución humana no es inevitable pero, por primera vez en la historia de nuestro planeta, podrá ser producto de una decisión consciente. ¿Quién toma la decisión? Usted. ¿Y quién es usted? La conciencia que ha tomado conciencia de sí misma.

LA LIBERACIÓN DEL CUERPO DEL DOLOR

Una pregunta frecuente es: "¿cuánto tiempo se necesita para liberarse del cuerpo del dolor?" Eso depende, por supuesto, de la densidad del cuerpo del dolor y del grado o intensidad del estado de Presencia de la persona. Pero la causa del sufrimiento que nos infligimos e infligimos a los demás no es el cuerpo del dolor sino la identificación con él. No es el cuerpo del dolor sino la identificación con él la que nos empuja a revivir el pasado una y otra vez y la que nos mantiene en un estado de inconsciencia. Por consiguiente, sería más importante preguntar lo siguiente: "¿Cuánto tiempo se necesita para dejar de identificarse con el cuerpo del dolor?"

Y la respuesta a esa pregunta es que no se necesita tiempo. Cuando se activa el cuerpo del dolor debemos reconocer que lo que sentimos es el cuerpo del dolor interno. Ese reconocimiento es todo lo que se necesita para romper la identificación con el cuerpo del dolor. Y cuando la identificación cesa, comienza la transmutación. El hecho de saber impide que la vieja emoción se suba a la cabeza y se apodere no solamente del diálogo interno sino también de nuestros actos y de nuestras interacciones con los demás. Esto significa que el cuerpo del dolor queda imposibilitado para renovarse a través de nosotros. Entonces la emoción permanece en nosotros durante un tiempo y emerge periódicamente.

Ocasionalmente puede también engañarnos para que nos identifiquemos con ella y no podamos ver la identificación, pero no por mucho tiempo. El hecho de no proyectar las viejas emociones sobre las situaciones implica tener que enfrentarlas directamente en nuestro interior. Si bien puede no ser agradable, no nos matará. Nuestra Presencia es más que capaz de repelerla. La emoción no es nuestra esencia.

Cuando sienta su cuerpo del dolor, no caiga en el error de pensar que hay algo malo en usted. Al ego le encanta cuando nos convertimos en problema. El reconocimiento debe ir acompañado de aceptación. Cualquier otra cosa lo debilitará. Aceptar implica permitirnos sentir lo que sea que estemos sintiendo en el momento. Es parte de la existencia del Ahora. No podemos discutir con aquello que *es*. Bueno, sí se puede, pero a costa del sufrimiento. Aceptando nos convertimos en lo que somos: vastos y espaciosos. Nos convertimos en el todo que somos, dejamos de ser un fragmento como lo cree el ego y damos paso a nuestra verdadera naturaleza. Y entonces somos uno con la naturaleza de Dios.

Jesús lo enseñó cuando dijo, "por tanto, sean Uno como el Padre que está en el Cielo es Uno".[1] La frase del Nuevo Testamento que dice, "Sean perfectos" es una traducción errada de la frase original en griego que significa "íntegro". Eso quiere decir que no necesitamos convertirnos en uno sino que ya lo somos, con o sin el cuerpo del dolor.

CAPÍTULO SIETE

CÓMO DESCUBRIR NUESTRA VERDADERA ESENCIA

Gnothi Seauton – Conócete a ti mismo. Estas eran las palabras que aparecían inscritas en la entrada del templo de Apolo en Delfos, sede del oráculo sagrado. Los habitantes de la Antigua Grecia visitaban al oráculo con la esperanza de descubrir lo que les deparaba el destino o lo que debían hacer en una determinada situación. Es probable que la mayoría de los visitantes leyeran esas palabras al ingresar al tempo sin darse cuenta que apuntaban a una verdad más profunda que cualquiera otra que el oráculo les pudiera indicar. Quizás también hubiera pasado desapercibido para ellos el hecho de que, independientemente de la magnitud de la revelación o de la exactitud de la información recibida, en últimas, de nada les serviría ni los salvaría de la infelicidad y del sufrimiento provocado por ellos mismos si no encontraban la verdad oculta en ese imperativo de "Conócete a ti mismo". Lo que esas palabras implican es lo siguiente: antes de hacer ninguna otra pregunta, primero debemos hacer la pregunta más fundamental en la vida: ¿Quién soy?

Las personas que viven en la inconsciencia (y muchas permanecen en esa inconsciencia, atrapadas en el ego durante toda la vida), se apresuran a responder esa pregunta: hablan de su nombre, ocupación, historia personal, la forma o el estado de su cuerpo, y de cualquier otra cosa con la cual se identifican. Otras parecerían más evolucionadas al decir que son espíritu o almas inmortales. ¿Pero realmente se conocen a sí mismas, o apenas han adoptado algunos conceptos de visos espirituales como parte del contenido de su mente? Conocernos a nosotros mismos no es limitarnos a adoptar una serie de ideas o creencias. En el mejor de los casos, las ideas y las creencias espirituales son pautas importantes, pero rara vez encierran el poder para desalojar los conceptos medulares arraigados de lo que creemos ser, los cuales son parte del condicionamiento de la mente humana. El conocimiento profundo de nuestro ser no tiene nada que ver con las ideas que flotan en nuestra mente. Conocernos a nosotros mismos implica estar anclados en el Ser, en lugar de estar perdidos en la mente.

LO QUE CREEMOS SER

Nuestro sentido de lo que somos determina cuáles han de ser nuestras necesidades y las cosas a las cuales les atribuiremos importancia en la vida; y todo aquello que nos parezca importante tendrá el poder de perturbarnos e irritarnos. Esto se puede utilizar como criterio para descubrir hasta qué punto nos conocemos a nosotros mismos. Lo que nos importa no es necesariamente lo que expresamos ni aquello en lo cual creemos, sino aquello que se manifiesta como serio e importante a través de nuestros actos y de nuestras reacciones. Entonces conviene preguntarnos: "¿Cuáles son las cosas que me irritan y me alteran?" Si las nimiedades tienen el poder para molestarnos, entonces eso es exactamente lo que creemos ser: un ser insignificante. Esa será nuestra noción inconsciente. ¿Cuáles son las cosas insignificantes? En últimas, todas las cosas son insignificantes, porque todas las cosas son transitorias.

Podemos decir, "sé que soy un espíritu inmortal", o "estoy cansado de este mundo de locos y lo único que deseo es paz", hasta cuando suena el teléfono. Malas noticias: hubo un colapso de la bolsa de valores; se dañó el negocio; se robaron el automóvil; llegó la suegra; se canceló el viaje; se canceló el contrato; el compañero se ha ido; piden más dinero; dicen que es culpa nuestra. Entonces se levanta en nuestro interior una oleada de ira o ansiedad. La voz se torna dura: "no soporto más esto". Acusamos, culpamos, atacamos, nos defendemos o nos justificamos, y todo eso sucede en piloto automático. Obviamente hay algo más importante para nosotros que la paz interior que pedíamos hace un momento, y tampoco somos ya un espíritu inmortal. El negocio, el dinero, el contrato, la pérdida o la amenaza de pérdida son más importantes. ¿Para quién? ¿Para el espíritu inmortal que dijimos ser? No, para mí. Para ese pequeño yo que busca la seguridad o la realización en cosas transitorias y que se enoja o se pone nervioso cuando no las encuentra. Bueno, por lo menos ahora sabemos quiénes creemos ser realmente.

Si la paz es realmente lo que deseamos, debemos elegir la paz. Si la paz fuera más importante para nosotros que todo lo demás y si supiéramos de verdad que somos espíritu en lugar de un pequeño yo, no reaccionaríamos sino que nos mantendríamos totalmente alertas frente a situaciones o personas difíciles. Aceptaríamos inmediatamente la situación y nos haríamos uno con ella en lugar de separarnos de ella. Entonces, a partir del estado de alerta, vendría la reacción. Sería una reacción proveniente de lo que somos (conciencia) y no de lo que creemos ser (el pequeño yo). Sería entonces una respuesta poderosa y eficaz que no convertiría a la persona o a la situación en enemiga.

El mundo siempre se encarga de que no nos engañemos durante mucho tiempo acerca de lo que pensamos ser, mostrándonos las cosas que realmente nos importan. La forma como reaccionamos ante las personas y las situaciones, especialmente en los momentos difíciles, es el mejor indicador del conocimiento real que tenemos de nosotros mismos.

Mientras más limitada y más egotista sea nuestra idea de nosotros mismos, más atención prestaremos y más reaccionaremos ante las limitaciones del ego, ante la inconsciencia de los demás. Los "defectos" que vemos en los otros se convierten, para nosotros, en su identidad. Eso significa que veremos solamente el ego en los demás, reforzando así el nuestro. En lugar de mirar "más allá" del ego de los demás, fijamos nuestra atención en él. ¿Quién ve el ego? Nuestro ego.

Las personas que viven en estado profundo de inconsciencia experimentan el ego viendo su reflejo en los demás. Cuando reconocemos que aquellas cosas de los demás que nos producen una reacción son también nuestras (y a veces sólo nuestras), comenzamos a tomar conciencia de nuestro propio ego. En esa etapa es probable que también nos demos cuenta que les hacíamos a los demás lo que pensábamos que ellos nos hacían a nosotros. Dejamos de considerarnos víctimas.

Puesto que no somos el ego, el hecho de tomar conciencia de él no significa que sepamos lo que somos: sólo reconocemos lo que *no* somos. Pero es gracias a ese conocimiento de lo que no somos que logramos eliminar el mayor obstáculo para llegar a conocernos realmente.

Nadie puede decirnos lo que somos. Sería apenas otro concepto más, incapaz de cambiarnos. No hace falta una creencia para saber lo que somos. En efecto, todas las creencias son obstáculos. Ni siquiera necesitamos alcanzar la realización, porque ya somos lo que somos. Pero sin la realización nuestro ser no puede proyectar su luminosidad sobre el mundo. Permanece en el ámbito de lo inmanifiesto, es decir, en nuestro verdadero hogar. Entonces somos como la persona que finge ser pobre mientras tiene cien millones de dólares en su cuenta, con lo cual el potencial de su fortuna jamás se manifiesta.

LA ABUNDANCIA

La noción de lo que creemos ser también está íntimamente relacionada con la forma como percibimos el tratamiento que recibimos de los demás. Muchas personas se quejan de que los demás no los tratan como se merecen. "No me prestan atención, no me respetan, no reconocen lo que hago", dicen. "Es como si no existiera". Cuando las tratan con amabilidad, sospechan algún motivo oculto. "Los otros tratan de manipularme y aprovecharse de mí. Nadie me quiere".

Esto creen ser: "soy un pobre ser necesitado cuyas necesidades están insatisfechas". Este error fundamental de interpretación crea disfución en todas sus relaciones. Creen no tener nada que dar y que el mundo o las demás personas les niegan lo que necesitan. Su realidad se basa en una noción ilusoria de lo que son, la cual sabotea todas las situaciones y empaña todas las relaciones. Si la noción de carencia, trátese de dinero, reconocimiento o amor, se convierte en parte de lo que creemos ser, siempre experimentaremos esa carencia. En lugar de reconocer todo lo bueno de la vida, lo único que vemos es carencia. Reconocer lo bueno que ya tenemos es la base de la abundancia. El hecho es que cada vez que creemos que el mundo nos niega algo, le estamos negando algo al mundo. Y eso es así porque en el fondo de nuestro ser pensamos que somos pequeños y no tenemos nada que dar.

Ensaye lo siguiente durante un par de semanas para ver cómo cambia su realidad: dé a los demás todo lo que sienta que le están negando. ¿Le falta algo? Actúe como si lo tuviera, y le llegará. Así, al poco tiempo de comenzar a dar, comenzará a recibir. No es posible recibir lo que no se da. El flujo crea reflujo. Ya posee aquello que cree que el mundo le niega, pero a menos que permita que ese algo fluya, jamás se enterará de que ya lo tiene. Y eso incluye la abundancia. Jesús nos enseñó la ley del flujo y el reflujo con una imagen poderosa. "Den y se les dará. Recibirán una medida bien apretada y colmada".[1]

La fuente de toda abundancia no reside afuera de nosotros, es parte de lo que somos. Sin embargo, es preciso comenzar por reconocer y aceptar la abundancia externa. Reconozca la plenitud de la vida que lo rodea: el calor del sol sobre su piel, la magnificencia de las flores en una floristería, el jugo delicioso de una fruta o la sensación de empaparse hasta los huesos bajo la lluvia. Encontramos la plenitud de la vida a cada paso. Reconocer la abundancia que nos rodea despierta la abundancia que yace latente dentro de nosotros y entonces es sólo cuestión de dejarla fluir. Cuando le sonreímos a un extraño, proyectamos brevemente la energía hacia afuera. Nos convertimos en dadores. Pregúntese con frecuencia, "¿qué puedo dar en esta situación; cómo puedo servirle a esta persona, cómo puedo ser útil en esta situación?" No necesitamos ser dueños de nada para sentir la abundancia, pero si sentimos la abundancia interior constantemente, es casi seguro que nos llegarán las cosas. La abundancia les llega solamente a quienes ya la tienen. Suena casi injusto, pero no lo es. Es una ley universal. Tanto la abundancia como la escasez son estados interiores que se manifiestan en nuestra realidad. Jesús lo dijo así: "Porque al que tenga se le dará más, y al que no tenga, aun lo que tiene se le quitará".[2]

CONOCERNOS O *SABER SOBRE* NOSOTROS

A veces quizás no querramos saber lo que somos por miedo a descubrirlo. Muchas personas abrigan el temor secreto de ser malas. Pero no seremos nada de lo que averigüemos sobre nosotros. Nada que podamos saber *sobre* nosotros es nuestra esencia.

Mientras algunas personas no desean saber quiénes son por temor, otras tienen una curiosidad insaciable acerca de sí mismas y desean saber más y más. Podemos sentir tal fascinación por lo que somos, que pasamos años acudiendo al psicoanalista para esculcar todos los aspectos de nuestra infancia, descubrir los temores y deseos secretos y levantar capa tras capa de complejidad en la constitución de nuestra personalidad y de nuestro carácter. Después de 10 años, el terapeuta podría cansarse de nosotros y de nuestra historia y dictaminar que nuestro análisis está completo. Quizás nos despache con una historia clínica de 5.000 páginas. "Esto es todo sobre usted. Esto es lo que usted es". Pero camino a casa con los papeles bajo el brazo, la satisfacción inicial de saber finalmente lo que somos da paso rápidamente a una sensación de vacío y a la sospecha de que debe haber algo más. Y por supuesto qué hay, quizás no en los términos cuantitativos de los hechos, sino en la dimensión cualitativa de la profundidad.

No hay nada de malo con el psicoanálisis ni con tratar de develar el pasado, siempre y cuando no confundamos el hecho de saber *sobre* nosotros con el hecho de conocernos a nosotros mismos.

La historia clínica de 5.000 páginas es *sobre* nosotros: el contenido de la mente condicionada por el pasado. Todo aquello que averigüemos con el psicoanálisis o la observación propia es *acerca* de nosotros. No es lo que somos. Es contenido, no esencia. Ir más allá del ego implica salirnos del contenido. Conocernos a nosotros mismos es ser nosotros mismos y, para ello debemos dejar de identificarnos con el contenido.

La mayoría de las personas se definen a sí mismas a través del contenido de su vida. Todo lo que percibimos, experimentamos, pensamos o sentimos es contenido. El contenido es lo que absorbe por completo la atención de la mayoría de la gente y es aquello con lo cual se identifican. Cuando pensamos o decimos, "mi vida", no nos referimos a la vida que *somos* sino a la vida que *tenemos*, o parecemos tener. Nos referimos al contenido: la edad, la salud, las relaciones, las finanzas, la situación laboral y de vida, y también el estado mental y emocional. Las circunstancias internas y externas de la vida, el pasado y el futuro, pertenecen al plano del contenido al igual que los sucesos, es decir, todo aquello que acontece.

¿Pero qué más hay aparte del contenido? Aquello que nos permite ser, el espacio interior de la conciencia.

EL CAOS Y EL ORDEN SUPERIOR

Cuando nos conocemos únicamente a través del contenido, creemos saber también qué es bueno o malo para nosotros. Diferenciamos entre las cosas que "son buenas para mi" y las que son malas. Hay una percepción fragmentada de la integralidad de la vida en la cual todo está interconectado, en la cual todos los sucesos tienen su lugar y su función necesaria dentro de la totalidad. Sin embargo, la totalidad es más que la apariencia de las cosas, más que la suma total de sus partes, más que lo que la vida o el mundo pueda contener.

Detrás de la sucesión aparentemente aleatoria o hasta caótica de sucesos que acontecen en la vida y también en el mundo yace oculto el desenvolvimiento de un orden y un propósito superiores. El proverbio Zen lo expresa bellamente: "La nieve cae copo por copo, cada uno en su lugar preciso". Es imposible comprender este orden superior a través del pensamiento porque todo lo que pensamos es contenido, mientras que el orden superior emana del ámbito informe de la conciencia, de la inteligencia universal. Pero podemos vislumbrarlo y, lo que es más, podemos entrar en consonancia con él, haciéndonos partícipes conscientes del desenvolvimiento de ese propósito superior.

Cuando paseamos por un bosque en el cual no ha intervenido la mano del hombre, nuestra mente pensante ve solamente el desorden y el caos. No logra tan siquiera diferenciar entre la vida (lo bueno) y la muerte (lo malo) porque por todas partes brota la vida a partir de la materia podrida y en descomposición. Es solamente si tenemos suficiente quietud interior y si se acalla el ruido del pensamiento que podemos tomar conciencia de la armonía oculta, de lo sagrado, del orden superior en el cual todo tiene su lugar perfecto y no podría ser de otra manera ni estar en otro lugar.

La mente se siente más cómoda en un parque construido por el hombre porque ha sido planeado a través del pensamiento; no ha crecido orgánicamente. Hay un orden comprensible para la mente mientras que, en el bosque, hay un orden incomprensible que la mente interpreta como caos y que está más allá de las categorías mentales de bueno y malo. No lo podemos comprender a través del pensamiento, pero sí sentirlo cuando logramos acallar la mente, hacer silencio y prestar atención sin tratar de comprender o explicar. Sólo entonces podemos tomar conciencia del aspecto sagrado del bosque. Tan pronto como sentimos la armonía oculta, lo sagrado, nos damos cuenta de que somos parte de eso mismo. Y cuando reconocemos esa verdad, nos hacemos partícipes conscientes de la misma. De esta manera, la naturaleza nos ayuda a entrar nuevamente en consonancia con la integralidad de la vida.

LO BUENO Y LO MALO

En algún momento de la vida, la mayoría de las personas se dan cuenta de que no solamente nacen, crecen, tienen éxito, buena salud, placeres y victorias, sino de que también hay pérdidas, fracasos, envejecimiento, deterioro, sufrimiento y muerte. En términos convencionales se habla de lo bueno y lo malo, del orden y el desorden. Las personas suelen asociar el "significado" de la vida con lo "bueno", pero lo bueno permanece bajo la amenaza constante del colapso, la descomposición y el desorden. Es la amenaza de lo ilógico, de lo "malo", cuando las explicaciones fallan y la vida deja de tener sentido. Tarde o temprano, el desorden irrumpe en la vida de todo el mundo, independientemente del número de pólizas de seguro que se tengan. Puede asumir la forma de una pérdida, un accidente, una enfermedad, la invalidez, la vejez y la muerte. Sin embargo, la llegada del desorden a la vida de una persona con el consiguiente colapso del significado definido por la mente, puede constituir la puerta de entrada a un orden superior.

"La sabiduría de este mundo es necedad ante Dios", dice la Biblia.[3] ¿Cuál es la sabiduría de este mundo? El movimiento del pensamiento, y el significado definido exclusivamente a través del pensamiento.

El pensamiento aísla las situaciones y los sucesos y los califica de buenos o malos, como si existieran por separado. La realidad termina fragmentada a base de depender excesivamente del pensamiento. Esta fragmentación, si bien es una ilusión, parece muy real mientras estamos atrapados en ella. Sin embargo, el universo es un todo indivisible en el cual todas las cosas están interconectadas y donde nada puede existir aisladamente.

La conexión profunda entre todas las cosas y todos los sucesos implica que los rótulos mentales de "bueno" y "malo" no son más que ilusiones. Siempre implican una perspectiva limitada, de tal manera que son verdaderos solamente de manera relativa y temporal. Así lo ilustra la historia de un sabio que se ganó un automóvil costoso en una lotería. La familia y los amigos se alegraron mucho por él y quisieron celebrar. "¿No es maravilloso?" exclamaron. "¡Eres tan afortunado!" El hombre sonrió y dijo, "Quizás". Durante algunas semanas disfrutó su automóvil hasta que, un buen día, un conductor ebrio chocó contra él en una esquina y el hombre terminó herido en el hospital. Los familiares y amigos acudieron a verlo y le dijeron, "Qué mala suerte". Nuevamente, el hombre sonrió y dijo, "Quizás". Mientras estaba en el hospital, hubo un deslizamiento de tierra y su casa cayó en el océano. Nuevamente, los amigos fueron a verlo al día siguiente y exclamaron, "Qué suerte tan grande que hubieras estado aquí en el hospital". Su respuesta fue la misma: "Quizás".

Ese "quizás" del hombre sabio representa la renuencia a juzgar cualquier cosa que pueda suceder. En lugar de juzgarla, la acepta por lo que es, de manera que entra a estar conscientemente en consonancia con el orden superior. Sabe que a la mente le queda imposible muchas veces comprender el lugar o el propósito de un suceso aparentemente aleatorio en medio del tapiz del todo. Pero no hay sucesos aleatorios ni cosas que existan aisladamente por sí solas. Los átomos que componen nuestro cuerpo se forjaron en algún momento dentro de las estrellas y las causas del suceso más insignificante son virtualmente infinitas y están conectadas con el todo de manera que escapa a toda comprensión. Si quisiéramos devolvernos a encontrar la causa de cualquier suceso, tendríamos que remontarnos hasta el comienzo de la creación. El cosmos no es caótico. La palabra "cosmos" en sí significa orden. Pero no es un orden comprensible para la mente humana, aunque sí es posible vislumbrarlo a veces.

LA INMUTABILIDAD ANTE LOS SUCESOS

J. Krishnamurti, el gran filósofo y maestro espiritual de la India, viajó casi continuamente por el mundo entero durante más de 50 años para tratar de comunicar a través de las palabras (que son contenido) aquello que está más allá de las palabras y del contenido. Durante una de sus últimas conferencias, sorprendió al público preguntando, "¿desean conocer mi secreto?" Todo el mundo quedó en vilo. Muchas de las personas habían acudido a sus conferencias durante 20 o 30 años sin lograr comprender la esencia de su enseñanza. Finalmente, después de todos esos años, el maestro estaba a punto de revelarles la clave. "Mi secreto es el siguiente", dijo, "no me importa lo que pueda suceder".

No dijo nada más, de manera que pienso que la mayoría de las personas presentes quedaron más confundidas que antes. Sin embargo, las implicaciones de esa frase son profundas.

¿Qué implica no inmutarse ante las cosas que puedan suceder? Implica estar internamente alineados con lo que sucede. "Lo que sucede" se refiere al carácter del momento presente, el cual es siempre como es. Se refiere al contenido, a la forma adoptada por el momento presente, el cual es el único que puede existir. Estar en consonancia con *lo que es* significa estar en una relación con las cosas que suceden en la cual no hay resistencia interior. Significa no calificar mentalmente los sucesos como buenos o malos sino dejar que las cosas sean. ¿Significa eso que no debemos hacer nada por generar cambios en nuestra vida? Todo lo contrario. Cuando la base para toda la acción es la consonancia interior con el momento presente, la inteligencia de la Vida misma imprime poder a nuestros actos.

¿De veras?

Hakuin, un maestro Zen, vivía en una aldea del Japón. Era tenido en alta estima y la gente acudía a él en busca de enseñanzas espirituales. Un día, la hija adolescente de su vecino quedó embarazada. Cuando los padres, furiosos, exigieron conocer el nombre del padre, ella finalmente dijo que se trataba de Hakuin, el maestro Zen. Llenos de ira, los padres buscaron a Hakuin, lo llenaron de improperios y le dijeron que su hija había confesado que él era el padre. Pero el maestro se limitó a decir, "¿De veras?"

La noticia del escándalo se difundió por toda la aldea y más allá de sus confines. El maestro perdió su reputación, pero no le importó. Nadie acudió nunca más a visitarlo, pero él permaneció inmutable. Cuando nació el bebé, los padres se lo llevaron a Hakuin. "Usted es el padre, de manera que tendrá que hacerse cargo". El maestro le proporcionó todo su cariño al bebé. Un año más tarde, la madre, arrepentida, confesó que el verdadero padre era un joven que trabajaba en la carnicería. Desolados, los padres acudieron a presentar sus disculpas a Hakuin y a solicitar su perdón. "Realmente lo sentimos mucho, hemos venido a llevarnos el bebé. Nuestra hija confesó que usted no era el padre". "¿De veras?" fue todo lo que dijo cuando les devolvió al bebé.

El maestro reacciona exactamente de la misma manera ante la falsedad o la verdad, las buenas o las malas noticias. Permite que la forma del momento, buena o mala, sea como es, de manera que no se involucra en el drama humano. Para él, lo único que existe es el momento presente, y ese momento es como es. No personaliza los sucesos. No es víctima de nadie. Está tan íntimamente unido con lo que sucede, que el suceso no puede ya ejercer poder sobre él. Es solamente cuando oponemos resistencia a lo que sucede que quedamos a merced de los sucesos y entonces es el mundo el que determina si hemos de ser felices o infelices.

El bebé recibe cariño y cuidados. Lo malo se vuelve bueno gracias al poder de la no resistencia. Respondiendo siempre a lo que exige el momento presente, se separa del bebé cuando llega la hora de hacerlo.

Imaginemos por unos instantes cómo habría reaccionado el ego durante las distintas etapas del desenvolvimiento de esos hechos.

EL EGO Y EL MOMENTO PRESENTE

La relación más importante y primordial de la vida es la relación con el Ahora, o mejor aún, con cualquiera que sea la forma que adopte el Ahora, es decir, lo que es o lo que sucede. Si la relación con el Ahora es disfuncional, esa disfunción se reflejará en todas las relaciones y en todas las situaciones de la vida. El ego podría definirse sencillamente como una relación disfuncional con el momento presente. Es en este momento cuando podemos decidir la clase de relación que deseamos tener con el momento presente.

Una vez que hemos alcanzado un cierto nivel de conciencia, es decir, de Presencia (y si está leyendo esto es porque seguramente es su caso) estamos en capacidad de decidir qué clase de relación deseamos tener con el momento presente. ¿Deseo que éste momento sea mi amigo o mi enemigo? El momento presente es inseparable de la vida, de tal manera que nuestra decisión se refiere realmente a la clase de relación que deseamos tener con la vida. Una vez tomada la decisión de ser amigos con el momento presente, nos toca dar el primer paso: mostrarnos amigables con él, acogerlo independientemente de su forma de presentarse. Y no tardaremos en ver los resultados. La vida se torna amable con nosotros. La gente nos ayuda y las circunstancias cooperan. Pero es una decisión que debemos tomar una y otra vez, hasta que aprendemos a vivir naturalmente de esa manera.

Con la decisión de hacer amistad con el momento presente viene el fin del ego. El ego no puede nunca estar en consonancia con el momento presente, es decir, en consonancia con la vida, puesto que su propia naturaleza lo induce a resistir, menospreciar o hacer caso omiso del Ahora. El ego se nutre del tiempo. Mientras más fuerte el ego, mayor es el tiempo durante el cual controla nuestra vida. Casi todos nuestros pensamientos entonces se refieren al pasado o al futuro y el sentido de lo que somos depende del pasado, donde encuentra una identidad, o del futuro donde busca su realización. El temor, la ansiedad, la expectativa, el remordimiento, la culpa, y la ira son disfunciones del estado de la conciencia atrapado en el tiempo.

El ego trata el momento presente de tres maneras: como un medio para una finalidad, como un obstáculo o como un enemigo. Analicemos una a la vez, de tal manera que cuando ese patrón se apodere de usted, pueda reconocerlo y decidir nuevamente.

En el mejor de los casos, el ego ve en el momento presente un medio para cumplir una finalidad. Sirve para llevarnos a algún momento en el futuro considerado más importante. Pero el futuro nunca llega salvo como momento presente y, por tanto, nunca es más que un pensamiento en la cabeza. En otras palabras, nunca estamos totalmente aquí porque siempre estamos ocupados tratando de llegar a algún otro lugar.

Cuando este patrón se acentúa, lo cual suele suceder, el momento presente es visto o tratado como si fuera un obstáculo a superar. Es allí donde surgen la impaciencia, la frustración y el estrés y, en nuestra cultura, esa es la realidad cotidiana, el estado normal de muchas personas. La Vida, la cual ocurre ahora, es vista como un "problema", y todos habitamos en un mundo lleno de problemas que debemos resolver para ser felices, sentirnos realizados o comenzar realmente a vivir (o por lo menos eso creemos). El problema está en que, por cada problema que resolvemos aparece uno nuevo. Mientras veamos un obstáculo en el momento presente, los problemas no tendrán fin. "Seré lo que deseas que sea", dice la Vida o el Ahora. "Te trataré como tú me trates. Si me ves como un problema, eso seré para ti. Si me tratas como a un obstáculo, seré un obstáculo".

En el peor de los casos, y esto también es muy común, el momento presente es visto como un enemigo. Cuando odiamos lo que hacemos, nos quejamos de nuestro entorno, maldecimos de las cosas que suceden o han sucedido; o cuando nuestro diálogo interno está lleno de lo que deberíamos o no deberíamos hacer, de acusaciones y señalamientos, entonces nos peleamos con lo que *es*, con aquello que de todas maneras ya es como es. Convertimos a la Vida en nuestra enemiga y ella nos dice, "si lo que quieres es guerra, guerra tendrás". La realidad externa, la cual es siempre el espejo de nuestro estado interior, se experimenta como algo hostil.

Una pregunta crucial que debemos hacernos con frecuencia es ¿cuál es mi relación con el momento presente? Después debemos estar alertas para descubrir la respuesta. ¿Trato el Ahora apenas como un medio para llegar a una finalidad? ¿Lo veo como un obstáculo? ¿Lo estoy convirtiendo en enemigo? Puesto que el momento presente es lo único que tendremos, puesto que la vida es inseparable del Ahora, lo que la pregunta significa realmente es, ¿cuál es mi relación con la vida? Esta pregunta es una forma excelente de desenmascarar al ego y de entrar en el estado de Presencia. Aunque la verdad absoluta no está encarnada en la pregunta (en últimas, yo y el momento presente somos uno), es una guía importante hacia el camino correcto. Hágase esa pregunta con frecuencia, hasta que ya no la necesite.

¿Cómo trascender una relación disfuncional con el momento presente? Lo más importante es reconocerla en nosotros mismos, en nuestros pensamientos y en nuestros actos. Estamos en el presente en el momento mismo en que notamos que nuestra relación con el Ahora es disfuncional. Ver equivale al afloramiento de la Presencia. Tan pronto como vemos la disfunción, ésta comienza a desvanecerse. Algunas personas se ríen cuando ven esto. Con el reconocimiento viene el poder de elegir: la posibilidad de decirle "sí" al Ahora y de aceptarlo como amigo.

LA PARADOJA DEL TIEMPO

A simple vista, el momento presente es "lo que sucede". Puesto que los sucesos cambian continuamente, parecería que cada día de la vida consta de miles de momentos en los cuales suceden distintas cosas. El tiempo es para nosotros como una cadena interminable de momentos, algunos "buenos" y otros "malos". Sin embargo, si analizamos más detenidamente, es decir, a través de nuestra experiencia inmediata, descubrimos que realmente no hay muchos momentos. Descubrimos que lo único que hay es *este momento*. La Vida siempre es ahora. La vida entera se desenvuelve en este Ahora constante. Los momentos pasados o futuros existen solamente cuando los recordamos o los imaginamos, trayéndolos a la mente en el único momento que existe: éste.

¿Por qué tenemos la impresión de que hay muchos momentos? Porque confundimos el momento presente con lo que sucede, con el contenido. Confundimos el espacio del Ahora con lo que sucede en ese espacio. Al confundir el momento presente con el contenido no solamente creamos la ilusión del tiempo, sino también la ilusión del ego.

He aquí la paradoja. Por una parte, ¿cómo podemos negar la realidad del tiempo? Lo necesitamos para ir de aquí para allá, para preparar la cena, construir una casa, leer este libro. Lo necesitamos para crecer, aprender cosas nuevas. Al parecer, consumimos tiempo en todo lo que hacemos. Todo está sujeto a eso y, al cabo de los años, "este maldito tirano que es el tiempo", termina matándonos. Podríamos compararlo con un incendio voraz o con un río de aguas embravecidas que nos arrastra en su corriente.

Hace poco me reuní con unos viejos amigos, una familia a la cual no veía hacía tiempo, y me llevé una fuerte impresión cuando los vi. Casi les pregunto, "¿están enfermos? ¿Qué sucedió? ¿Quién les hizo eso?" La madre, apoyada en un bastón, parecía como si se hubiera encogido y su rostro estaba arrugado como una manzana vieja. La hija, a quien había visto la última vez llena de la energía, el entusiasmo y las esperanzas de la juventud, parecía agotada, cansada después de educar a sus tres hijos. Entonces recordé: habían pasado casi treinta años desde nuestro último encuentro. El tiempo les había hecho eso. Seguramente ellas tuvieron la misma impresión cuando me vieron.

Todo parece estar sujeto al tiempo y, no obstante, todo sucede en el Ahora. Esa es la paradoja. A donde quiera que miremos hay suficiente evidencia *circunstancial* de la realidad del tiempo: la manzana que se pudre, el rostro en el espejo comparado con el rostro en la fotografía de hace treinta años. Sin embargo, nunca encontramos evidencia *directa*, nunca experimentamos el tiempo propiamente. Lo único que experimentamos es el momento presente o, más bien, lo que sucede en él. Si nos guiamos solamente por la evidencia directa, entonces no hay tiempo, y lo único que existe es el Ahora.

ELIMINAR EL TIEMPO

No podemos fijarnos la meta de liberarnos del ego y dar los pasos necesarios para alcanzarla en un futuro. Lo único que obtenemos es mayor insatisfacción, más conflictos internos, porque siempre nos parecerá que nunca llegamos, que nunca "alcanzamos" ese estado. Cuando fijamos para el futuro la meta de liberarnos del ego, nos damos más tiempo y, más tiempo significa más ego. Examine con cuidado si su búsqueda espiritual es una forma disfrazada de ego. Hasta tratar de deshacernos del "yo" puede ser una forma de querer más si la fijamos como una meta para el futuro. Darse más tiempo es precisamente eso: darle más tiempo al "yo". El tiempo, es decir, el pasado y el futuro, es lo que alimenta y empuja al yo falso fabricado por la mente, y el tiempo vive en la mente. No es algo que exista objetivamente en "alguna parte". Si bien es una estructura mental necesaria para la percepción sensorial, indispensable para efectos prácticos, es el mayor obstáculo para llegar a conocernos. El tiempo es la dimensión horizontal de la vida, la capa superficial de la realidad. Y está además la dimensión vertical de la profundidad, accesible solamente a través del portal del momento presente.

Entonces, en lugar de sumarnos tiempo, debemos eliminarlo. Eliminar al tiempo de la conciencia es eliminar al ego, es la única práctica verdaderamente espiritual.

Claro está que cuando hablamos de eliminar el tiempo no nos referimos al tiempo del reloj, el cual representa el uso del tiempo para efectos prácticos como fijar una cita o planear un viaje. Sería casi imposible funcionar en este mundo sin el tiempo del reloj. A lo que nos referimos es a la eliminación del tiempo psicológico, la preocupación constante de la mente egotista con el pasado y el futuro, y su retiscencia a ser una con la vida viviendo en consonancia con la *existencia* inevitable del momento presente.

Cada vez que en lugar de decirle "no" a la vida le damos un "sí", cada vez que permitimos que el momento presente sea como es, disolvemos el tiempo y también el ego. Para sobrevivir, el ego debe dar más importancia al tiempo (pasado y futuro) que al momento presente. El ego no soporta la amistad con el momento presente, salvo por breves momentos, lo suficiente para obtener lo que desea. Pero no hay nada que satisfaga al ego durante mucho tiempo. Mientras controle nuestras vidas, nos hará infelices de dos maneras. Una, al no obtener lo que deseamos y la otra al obtener lo que deseamos.

Todo aquello que es o que sucede es la forma adoptada por el Ahora. Mientras nos resistamos internamente, la forma, es decir el mundo, se convertirá en una barrera impenetrable que nos separará de lo que somos más allá de la forma, de la Vida única informe que somos. Cuando damos un "sí" interior a la forma adoptada por el Ahora, esa forma se convierte en la puerta hacia la dimensión de lo informe. La separación entre Dios y el mundo se disuelve.

Cuando reaccionamos contra la forma que la vida adopta en este momento, cuando tratamos al Ahora como un medio, un obstáculo o un enemigo, fortalecemos nuestra propia identidad en la forma: el ego. De allí la reactividad del ego. ¿Qué es reactividad? Es la adicción a la reacción. Mientras más reactivos somos, más nos enredamos con la forma. Mientras más identificados con la forma, más fuerte es el ego. Entonces nuestro Ser a duras penas logra proyectar su luminosidad a través de la forma.

Cuando no oponemos resistencia a la forma, aquello que está más allá de ella en nuestro interior emerge como una Presencia que lo abarca todo, un poder silencioso mucho más grande que la breve identidad con la forma, mucho más grande que la persona. Es nuestra esencia más profunda que no tiene parangón en el mundo de la forma.

EL SOÑADOR Y EL SUEÑO

La no resistencia es la clave para el mayor de los poderes del universo. A través de ella, la conciencia (el espíritu) se libera de su prisión en la forma. No resistirse internamente a la forma (a lo que es o a lo que sucede) es negar la realidad absoluta de la forma. La resistencia hace que el mundo y las cosas, incluida nuestra propia identidad, parezcan más reales, más sólidos y más duraderos de lo que son. Dota al mundo y al ego de un peso y de una importancia absoluta que hacen que tomemos al mundo y a nuestra persona muy en serio. Entonces confundimos el juego de la forma con una lucha por sobrevivir y, al ser ésa nuestra percepción, se convierte en nuestra realidad.

El sinnúmero de sucesos y de formas que adopta la vida, es por naturaleza, efímero. Todo es pasajero. Las cosas, los cuerpos, los egos, los sucesos, las situaciones, los pensamientos, las emociones, los deseos, las ambiciones, los temores y el drama llegan con aire de gran importancia y cuando menos acordamos se han ido, desvanecidos en la nada de donde salieron. ¿Alguna vez fueron reales? ¿Fueron algo más que un sueño, el sueño de la forma?

Cuando abrimos los ojos en la mañana, el sueño de la noche se disuelve y decimos, "fue sólo un sueño, no fue real". Pero tuvo que haber algo real en el sueño o de lo contrario no habría podido suceder. Cuando se aproxima la muerte, podemos mirar hacia atrás y preguntarnos si la vida fue apenas otro sueño. Ahora mismo, si recuerda las vacaciones del año pasado o el drama de ayer, podrá ver que son muy parecidos al sueño de anoche.

Está el sueño y también el soñador del sueño. El sueño es un juego breve de las formas. Es el mundo: real en términos relativos pero no absolutos. Y está el soñador, la realidad absoluta en la cual van y vienen las formas. El soñador no es la persona, la persona es parte del sueño. El soñador es el substrato en el cual aparece el sueño, la dimensión atemporal detrás del tiempo, la conciencia que vive en la forma y está detrás de ella. El soñador es la conciencia misma, es lo que somos.

Nuestro propósito ahora es despertarnos en el sueño. Cuando estamos despiertos en el sueño, el drama creado en la tierra por el ego llega a su fin y aparece un sueño más benigno y maravilloso. Es la nueva tierra.

MÁS ALLÁ DE LA LIMITACIÓN

A toda persona le llega el momento en que busca crecer y expandirse en el nivel de la forma. Es cuando nos esforzamos por superar una limitación como una debilidad física o un apuro económico, cuando adquirimos nuevas destrezas y conocimiento, cuando aplicamos nuestra creatividad para traer algo nuevo al mundo a fin de mejorar la vida, tanto la nuestra como la de los demás. Podría tratarse de una pieza musical o una obra de arte, un libro, un servicio, una función que realizamos, una empresa u organización a la cual contribuimos o de la cual somos los creadores.

Cuando estamos presentes, cuando nuestra atención está totalmente en el Ahora, la Presencia penetra en lo que hacemos y lo transforma. Imprime calidad y poder a nuestras obras. Estamos presentes cuando lo que hacemos no es principalmente un medio para conseguir un fin (dinero, prestigio, ganancia) sino que es una fuente de realización en sí misma, caracterizada por la alegría y la energía. Y claro está que no podemos estar presentes si no estamos en amable armonía con el momento presente. He ahí la base de la acción eficaz sin tinte de negatividad.

La forma es limitación. Estamos aquí no solamente para experimentar la limitación sino para crecer en la conciencia trascendiendo la limitación. Algunas limitaciones se pueden superar en el plano externo. Habrá otras con las cuales debemos aprender a vivir y que solamente se pueden superar internamente. Todo el mundo tropieza con ellas tarde o temprano. Podemos, o bien quedarnos atrapados en esas limitaciones a causa de las reacciones del ego, experimentando una infelicidad intensa, o bien elevarnos por encima de ellas internamente, entregándonos incondicionalmente a lo que es. Es eso lo que nos enseñan. El estado consciente de renunciación abre la dimensión vertical de la vida, la dimensión de la profundidad. Entonces, algo se proyecta sobre el mundo desde esa dimensión: algo de valor infinito que, de otra manera, no se habría manifestado. Algunas personas que se entregan ante la limitación severa se convierten en sanadores o maestros espirituales. Otras trabajan desinteresadamente para mitigar el sufrimiento humano o traer algún don de su creatividad al mundo.

A finales de los años setenta, tenía la costumbre de almorzar todos los días con uno o dos amigos en la cafetería del centro de postgrado de la Universidad de Cambridge donde estudiaba. A veces se sentaba en la mesa vecina un hombre en silla de ruedas, generalmente en compañía de tres o cuatro personas más. Un día, cuando estaba en la mesa directamente al frente de la mía, no pude abstenerme de mirarlo más atentamente, y quedé aturdido con lo que vi. Parecía totalmente paralizado. Su cuerpo estaba duro y la cabeza le colgaba constantemente hacia adelante. Una de las personas que estaba con él le llevaba la comida a la boca cuidadosamente pero de todas maneras era mucha la que se caía y que otro hombre recogía en un plato que sostenía debajo del mentón. De tanto en tanto, el hombre postrado en la silla de ruedas emitía unos sonidos ininteligibles y alguien acercaba el oído a la boca y lograba interpretar milagrosamente lo que el hombre trataba de decir.

Posteriormente le pregunté a mi amigo si sabía quién era. "Claro", dijo, "es profesor de matemáticas y las personas que lo acompañan son sus alumnos de postgrado. Tiene una enfermedad de las neuronas motrices, la cual paraliza progresivamente todas las partes de su cuerpo. Le han dado cuando más unos cinco años. Debe ser lo más espantoso que le puede pasar a un ser humano".

Unas semanas después, saliendo un día del edificio me crucé con él. Sostuve la puerta para que pasara con su silla impulsada eléctricamente y en ese momento se cruzaron nuestras miradas. Me sorprendió ver lo transparentes que eran sus ojos. No había en ellos huellas de infelicidad. Me di cuenta inmediatamente de que había renunciado a resistirse; vivía en estado de entrega.

Varios años después, comprando un periódico en un puesto de revistas, me sorprendió ver su fotografía en la portada de una revistas internacional de noticias muy prestigiosa. No solamente continuaba vivo, sino que había llegado a ser el físico teórico más importante del mundo: Stephen Hawking. Había en el artículo una frase hermosa que confirmó lo que yo había sentido al mirarlo a los ojos muchos años atrás. Comentando acerca de su vida decía (ahora con la ayuda de un sintetizador de voz), "¿Quién habría deseado más?"

LA ALEGRÍA DE SER

La infelicidad y la negatividad son una enfermedad en nuestro planeta. Lo que la contaminación es al plano externo, es la negatividad al plano interno. Está en todas partes, no solamente en los lugares donde las personas no tienen lo suficiente, sino todavía más donde la gente tiene más de la cuenta. ¿No es sorprendente? No. El mundo desarrollado está más profundamente identificado con la forma, más atrapado en el ego.

Las personas creen que su felicidad depende de lo que les sucede, es decir, que depende de la forma. No se dan cuenta de que los sucesos son lo más inestable del universo porque cambian constantemente. Ven el momento presente empañado por algo que ha sucedido y que no debió suceder, o como una deficiencia porque algo que debió suceder no sucedió. Entonces pasan por alto la perfección profunda, inherente a la vida misma, una perfección que ya existe y está más allá de lo que sucede o no sucede, más allá de la forma. Debemos aceptar el momento presente y hallar la perfección que es más profunda que cualquier forma, y que está libre del efecto del tiempo.

La alegría de Ser, la única felicidad verdadera, no se puede lograr a través de la forma, es decir, de las posesiones, los logros, las personas o los sucesos. Esa alegría nunca *llega* sino que emana de la dimensión informe que reside en nuestro interior, de la conciencia misma y, por tanto, es una con nuestra esencia.

LA DISMINUCIÓN DEL EGO

El ego siempre está en guardia contra cualquier posibilidad de verse disminuido. Los mecanismos de reparación se activan automáticamente para restablecer la forma mental del "yo". Cuando alguien me culpa o me critica, el ego lo interpreta como una disminución del yo y trata inmediatamente de reparar esa disminución mediante la justificación, la defensa o la culpa. El que la otra persona tenga la razón o no lo tiene sin cuidado. El ego está mucho más interesado en su conservación que en la verdad. Es la conservación de la forma psicológica del "yo". Algo tan normal como responder a gritos al conductor que nos insulta es un mecanismo automático e inconsciente de reparación del ego. Uno de los mecanismos de reparación más comunes es la ira, la cual infla al ego enormemente, aunque por un breve período. Todos los mecanismos de reparación son perfectamente lógicos para el ego, aunque son disfuncionales en la realidad. Los más extremos son la violencia física y el autoengaño expresado en fantasías de grandeza.

Una práctica espiritual muy poderosa consiste en permitir la disminución del ego cuando sucede, sin tratar de restaurarlo. Le recomiendo hacer el experimento de vez en cuando. Por ejemplo, cuando alguien lo critique, lo culpe o lo ofenda, en lugar de replicar y defenderse inmediatamente, no haga nada. Permita que su amor propio se quede disminuido y tome conciencia de lo que siente en su interior. Es probable que se sienta incómodo durante algunos segundos, como si se hubiera empequeñecido. Después sentirá que se amplía su espacio interno y que está intensamente vivo. No habrá menguado en lo absoluto. En realidad se habrá expandido. Entonces quizás reconozca algo asombroso: cuando se sienta disminuido de alguna manera y se abstenga de reaccionar, no sólo externamente sino también internamente, se dará cuenta de que nada ha menguado realmente, que al ser "menos" se convierte en más. Cuando opta por no defender o fortalecer su forma, deja de identificarse con ella, con su imagen mental. Al ser menos (a los ojos del ego), en efecto se produce una expansión y se genera el espacio para que el Ser pueda manifestarse. El verdadero poder, lo que usted es más allá de la forma, podrá brillar a través de la forma aparentemente debilitada. Fue lo que quiso decir Jesús con su frase, "Niégate a ti mismo" o "Presenta la otra mejilla".

Claro está que eso no significa invitar al abuso o convertirse en víctima de las personas inconscientes. Algunas veces será necesario exigirle al otro con mucha firmeza que "tenga cuidado".

Pero las palabras tendrán el poder que se obtiene cuando no hay defensividad del ego, cuando están privadas de la fuerza de la reacción. De ser necesario, podremos dar un "no" firme y contundente, pero un "no de alta calidad" carente de toda negatividad.

Cuando nos sentimos satisfechos de no ser nadie en particular, contentos con no sobresalir, entramos en consonancia con el poder del universo. Lo que parece debilidad para el ego es en realidad la única fortaleza verdadera. La verdad del espíritu es diametralmente opuesta a los valores de nuestra cultura contemporánea y la forma como ésta condiciona el comportamiento de las personas.

En lugar de tratar de ser una montaña, enseña el antiguo Tao Te Ching, "seamos el valle del universo".[4] De esta forma, volvemos a la unicidad y "todas las cosas llegarán".[5]

Asimismo enseñó Jesús en una de sus parábolas, "cuando te inviten, siéntate en el lugar más humilde de manera que, cuando llegue tu anfitrión, pueda invitarte a ocupar un mejor lugar. Entonces serás honrado en presencia de todos los que comparten la mesa contigo. Porque aquel que se ensalza será humillado y el que se humilla será ensalzado".[6]

Otro aspecto de esta práctica es abstenerse de fortalecer el yo evitando alardear, o querer sobresalir, ser especial, dejar una impresión o exigir atención. Puede implicar abstenerse de expresar una opinión cuando todos los demás expresan la suya. Ensaye a hacerlo para ver cómo se siente.

ASÍ COMO SOMOS POR FUERA SOMOS POR DENTRO

Al mirar las estrellas en el firmamento despejado podemos reconocer fácilmente una verdad a la vez totalmente simple y extraordinariamente profunda. ¿Qué es lo que vemos? La luna, los planetas, las estrellas, la banda luminosa de la vía láctea, quizás un cometa o hasta la vecina galaxia de Andrómeda a dos millones de años luz de distancia. Es correcto. Pero si simplificamos todavía más, ¿qué vemos? Objetos flotando en el espacio. ¿Entonces de qué consta el universo? De objetos y espacio.

Cuando no enmudecemos totalmente al mirar el firmamento en una noche despejada es porque no estamos mirando realmente y no tenemos conciencia de la totalidad de lo que hay en él. Probablemente estemos mirando solamente los objetos y tratando de identificarlos. Si alguna vez se sintió sobrecogido al mirar el espacio, si experimentó una sensación de reverencia ante ese misterio incomprensible, es porque renunció por un momento a su deseo de explicar y asignar nombres y tomó conciencia no solamente de los objetos del espacio sino de la profundidad infinita del espacio mismo. Seguramente logró tranquilizarse lo suficiente para tomar nota de la inmensidad en la cual existen esos mundos incontables. La sensación sobrecogedora no se deriva del hecho de que haya miles de millones de mundos, sino del reconocimiento de la profundidad que los alberga a todos.

Claro está que no podemos ver, ni oír, ni tocar, ni oler el espacio. ¿Entonces cómo sabemos tan siquiera si existe? Esta pregunta aparentemente lógica contiene un error fundamental. La esencia del espacio es el vacío, de tal manera que no "existe" en el sentido normal de la palabra. Sólo las cosas, las formas, existen. El hecho mismo de designarlo con el nombre de espacio puede ser engañoso porque, al nombrarlo, lo convertimos en objeto.

Digámoslo de esta manera: hay algo dentro de nosotros que tiene afinidad con el espacio; es por eso que podemos tomar conciencia de él. ¿Conciencia de él? Esto tampoco es completamente cierto porque cómo podemos tomar conciencia del espacio si no hay nada de lo cual tomar conciencia?

La respuesta es a la vez simple y profunda. Cuando tenemos conciencia del espacio realmente no tenemos conciencia de nada, salvo de la conciencia misma, del espacio interior. ¡El universo toma conciencia de sí mismo a través de nosotros!

Cuando el ojo no encuentra nada para ver, la nada se percibe como espacio. Cuando el oído no encuentra nada para oír, el vacío se percibe como quietud. Cuando los sentidos, diseñados para percibir la forma, se tropiezan con la ausencia de la forma, la conciencia informe que está detrás de la percepción y de la cual emana toda percepción, toda experiencia posible, ya no se oculta detrás de la forma. Cuando contemplamos la profundidad inconmensurable del espacio o escuchamos el silencio en las primeras horas del amanecer, algo resuena dentro de nosotros como en una especie de reconocimiento. Entonces sentimos que la vasta profundidad del espacio es nuestra propia profundidad y reconocemos que esa quietud maravillosa es nuestra más profunda esencia, más profunda que cualquiera de las cosas que conforman el contenido de nuestra vida.

Los Upanishads, las antiguas escrituras de la India, apuntan hacia la misma verdad con estas palabras:

"Aquello que el ojo no puede ver, pero que hace posible que el ojo vea: sabed que no es otro que Brahma, el espíritu, y no lo que la gente adora aquí. Aquello que no puede oírse con los oídos, pero que hace posible que el oído oiga: sabed que no es otro que Brahma, el espíritu, y no lo que la gente adora aquí... Aquello que no puede pensarse con la mente, pero que hace

posible que la mente piense: sabed que no es otro que Brahma, el espíritu, y no lo que la gente adora aquí".[7]

La escritura dice que Dios es conciencia informe y la esencia de lo que somos. Todo lo demás es forma, "lo que la gente adora aquí".

La realidad dual del universo, la cual consta de cosas y espacio (cosas y vacío), es también la nuestra. Una vida humana sana equilibrada y fructífera es una danza entre dos dimensiones que conforman la realidad: la forma y el espacio. La mayoría de las personas están tan identificadas con la dimensión de la forma, con las percepciones de los sentidos, los pensamientos y las emociones, que carecen de la otra mitad vital. Su identificación con la forma las mantiene atrapadas en el ego.

Lo que vemos, oímos, sentimos, palpamos o pensamos es solamente la mitad de la realidad, por así decirlo. Es la forma. Jesús hablaba en sus enseñanzas de "el mundo", mientras que la otra dimensión es el "reino de los cielos o la vida eterna".

De la misma manera que el espacio hace posible que todas las cosas existan y de la misma manera que sin el silencio no habría sonido, no existiríamos sin la dimensión vital informe que constituye la esencia de lo que somos. Podríamos hablar de "Dios" si no hubiéramos abusado tanto de la palabra. Pero prefiero hablar del Ser previo a la existencia. La existencia es forma, contenido, "lo que sucede". La existencia es el escenario de la vida; el Ser es el telón de fondo, por así decirlo.

La enfermedad colectiva de la humanidad radica en que las personas están tan inmersas en los sucesos, tan hipnotizadas por el mundo de las formas fluctuantes, tan absortas en el contenido de sus vidas, que han olvidado la esencia, aquello que está más allá del contenido, de la forma y del pensamiento. Están tan sumidas en el tiempo que han olvidado la eternidad, la cual es su origen, su hogar y su destino. La eternidad es la realidad viviente de lo que somos.

Hace algunos años, estando en China, tropecé con una estupa en la cima de una montaña cerca de Guilin. Tenía unas letras doradas grabadas cuyo significado consulté a mi anfitrión. "Significa Buda", me respondió. "¿Por qué hay dos caracteres en lugar de uno?" pregunté. "Uno significa 'hombre' y el otro significa 'no'. Los dos juntos significan 'Buda'. Me quedé perplejo. El carácter representativo de Buda contenía toda la enseñanza de Buda y, para quienes tuvieran ojos para ver, contenía el secreto de la vida. Son esas las dos dimensiones que conforman la realidad, lo que es y lo que no es: es decir, el reconocimiento de que no somos la forma.

CAPÍTULO OCHO

EL DESCUBRIMIENTO DEL ESPACIO INTERIOR

Un antiguo relato sufi dice que vivía en algún país del Medio Oriente un rey cuya existencia oscilaba permanentemente entre la felicidad y el abatimiento. Se enojaba o reaccionaba intensamente frente a la más mínima cosa, y su felicidad se convertía rápidamente en desilusión y desesperación. Llegó el día en que el rey se cansó finalmente de sí mismo y de la vida y comenzó a buscar una salida. Hizo llamar a un sabio que habitaba en su reino y que tenía fama de iluminado. Cuando se presentó el sabio, el rey le dijo, "deseo ser como tú. ¿Podrías darme algo que traiga equilibrio, serenidad y sabiduría a mi vida? Te pagaré lo que pidas".

A lo que el sabio respondió: "es probable que pueda ayudarte, pero el precio es tan alto que no sería suficiente todo tu reino para pagar por él. Por tanto, te haré un regalo, siempre y cuando te hagas digno de él". El rey prometió que así sería, y el sabio se fue.

A las pocas semanas regresó y le entregó al rey un cofre de jade tallado. Al abrirlo, el rey encontró solamente un anillo de oro en el cual había grabadas unas letras. La inscripción decía: *También esto pasará*. "¿Qué significa esto?" preguntó el rey. Y el sabio le dijo, "Lleva siempre este anillo y antes de que califiques de bueno o malo cualquier acontecimiento, toca el anillo y lee la inscripción. De esa forma estarás siempre en paz".

También esto pasará. ¿Qué hay en estas palabras tan sencillas que las hace tan poderosas? A primera vista parecería que sirvieran para darnos consuelo en situaciones difíciles y que también podrían privarnos de los goces de la vida. "No seas demasiado feliz, porque esa felicidad no durara". Eso parecerían decir en una situación percibida como buena.

El enorme significado de estas palabras se aclara cuando las consideramos en el contexto de otras dos historias mencionadas anteriormente. La historia del maestro Zen cuya respuesta a todo era siempre la misma, "¿De veras?" muestra el bien que recibimos cuando no oponemos resistencia interiormente a los sucesos, es decir, cuando somos uno con lo que nos sucede. La historia del hombre que siempre comentaba lacónicamente, "Quizás", ilustra la sabiduría de no juzgar, y la historia del anillo apunta hacia la realidad de la temporalidad que, una vez que la reconocemos, nos lleva al desapego. No resistirnos, no juzgar y no apegarnos son los tres secretos de la verdadera libertad y de una vida iluminada.

La inscripción del anillo no nos dice que no disfrutemos las cosas buenas de la vida, y tampoco es un consuelo para los momentos de sufrimiento. Tiene un propósito más profundo: ayudarnos a tomar conciencia de lo efímero de todas las situaciones, lo cual se debe a la transitoriedad de todas las formas, buenas o malas. Cuando tomamos conciencia de esa transitoriedad de todas las formas, nuestro apego disminuye y dejamos de identificarnos hasta cierto punto con ellas. El desapego no implica que no podamos disfrutar de las cosas buenas que el mundo nos ofrece. En realidad nos ayuda a disfrutarlas todavía más. Una vez que reconocemos y aceptamos que todas las cosas son transitorias y que el cambio es inexorable, podemos disfrutar los placeres del mundo sin temor a la pérdida y sin angustia frente al futuro. Cuando nos desapegamos, podemos ver las cosas desde un punto de vista más elevado en lugar de quedar atrapados por los acontecimientos de la vida. Somos como el astronauta que ve el planeta Tierra rodeado por el espacio infinito y reconoce una verdad paradójica: que la Tierra es preciosa pero insignificante al mismo tiempo. El hecho de reconocer que *Esto también pasará* trae consigo el desapego, y éste a su vez nos abre una nueva dimensión en la vida: el espacio interior. Cuando vivimos en el desapego, sin juzgar y sin resistirnos, logramos acceso a esa dimensión.

Cuando dejamos por completo de estar identificados con las formas, la conciencia, lo que somos, se libera de su prisión en la forma. Esa liberación es el surgimiento del espacio interior. Se presenta como una quietud, una paz sutil en el fondo de nuestro ser, hasta en presencia de algo aparentemente malo. *Esto también pasará*. Entonces, súbitamente, hay un espacio alrededor del suceso. También hay espacio alrededor de los altibajos emocionales, incluso alrededor del sufrimiento. Y por encima de todo, hay espacio entre los pensamientos. Y desde ese espacio emana una paz que "no es de este mundo", porque este mundo es forma y la paz es espacio. Es la paz de Dios.

Entonces podremos disfrutar y honrar las cosas de este mundo sin atribuirles la importancia y el peso que no tienen. Podremos participar en la danza de la creación y llevar una vida activa sin apegarnos a los resultados y sin imponer exigencias exageradas al mundo: lléname, hazme feliz, hazme sentir seguro, dime quién soy. El mundo no puede darnos esas cosas, y cuando nos despojamos de esas expectativas desaparece todo el sufrimiento creado por nosotros mismos. Todo ese sufrimiento se debe a que le hemos dado un valor exagerado a la forma y al hecho de no tener conciencia de la dimensión del espacio interior. Cuando esa dimensión se manifiesta en nuestra vida podemos disfrutar las cosas, las experiencias y los placeres de los sentidos sin perdernos en ellos, sin apegarnos a ellos, es decir, sin volvernos adictos al mundo.

Esto también pasará es la frase que nos muestra la realidad. Al señalar la temporalidad de todas las formas, señala, por ende, hacia lo eterno. Solamente lo eterno de nosotros puede reconocer la temporalidad de lo temporal.

Cuando se pierde la dimensión del espacio o cuando no la reconocemos, las cosas del mundo adquieren una importancia absoluta, una seriedad y un peso que realmente no tienen. Cuando no vemos el mundo desde la perspectiva de lo informe, se convierte en un lugar amenazador y, en últimas, en un lugar de desesperación. El profeta del Antiguo Testamento debió sentirlo así cuando escribió, "se cansarán de hablar y no podrán decir más, pero no se sacia el ojo de ver ni el oído de oír".[1]

LA CONCIENCIA DEL OBJETO Y LA CONCIENCIA DEL ESPACIO

La vida de la mayoría de las personas está atestada de cosas: cosas materiales, cosas por hacer, cosas en qué pensar. Es una vida parecida a la historia de la humanidad, la cual Winston Churchill definió diciendo, "una maldita cosa tras otra". Sus mentes están atestadas de pensamientos, que se suceden uno tras otro sin parar. Esa es la dimensión de la conciencia del objeto, la cual constituye la realidad predominante de muchas personas y es la causante de tanto desequilibrio. A fin de que la cordura reine nuevamente en nuestro planeta, debemos equilibrar la conciencia del objeto con la conciencia del espacio. El surgimiento de la conciencia del espacio es la etapa siguiente en la evolución de la humanidad.

Tener conciencia del espacio significa que, además de tener conciencia de las cosas (que siempre se reducen a las percepciones sensoriales, los pensamientos y las emociones) hay un estado de alerta subyacente. Ese estado de alerta implica que no solamente somos conscientes de las cosas (los objetos) sino también del hecho de ser conscientes. Es eso que percibimos como una quietud despierta en el fondo mientras las cosas suceden en primer plano. Es una dimensión que está presente en todos nosotros, pero que pasa inadvertida para la mayoría de las personas. Algunas veces la señalo cuando pregunto, "¿Puede sentir su propia Presencia?"

La conciencia del espacio representa no solamente la liberación del ego, sino también del materialismo y la materialidad. Es la dimensión espiritual, la única capaz de imprimir trascendencia y un verdadero significado a este mundo.

La razón verdadera por la cual nos molestamos ante una situación, una persona o un suceso no está en la persona, la situación o el suceso, sino en haber perdido la perspectiva verdadera que solamente el espacio nos puede proporcionar. Quedamos atrapados en la conciencia del objeto y perdemos de vista el espacio interior atemporal de la conciencia misma. Cuando utilizamos como guía la frase *También esto pasará*, recuperamos la conciencia de esa dimensión interior.

Otra frase que nos señala la verdad interior es la siguiente: "nunca estoy disgustado por la razón que creo".[2]

CAER POR DEBAJO DEL PENSAMIENTO
PARA ELEVARNOS POR ENCIMA DE ÉL

Cuando estamos muy cansados generalmente entramos en un estado de mayor reposo y tranquilidad de lo normal. Esto se debe a que los pensamientos se aquietan y dejamos de recordar ese yo problemático fabricado por la mente. Avanzamos hacia el sueño. El alcohol y ciertas drogas (siempre y cuando no activen el cuerpo del dolor), nos hacen sentir más relajados, despreocupados y quizá más llenos de vida durante un tiempo. Podemos comenzar a cantar y a bailar, manifestando esas expresiones características de la alegría de vivir desde tiempos remotos. Al aligerarse el peso de la mente podemos vislumbrar la alegría de Ser. Quizás esta es la razón por la cual se habla de "bebidas espirituosas". Pero el precio es elevado: la inconsciencia. En lugar de elevarnos por encima del pensamiento caemos por debajo de él. Con unos tragos de más retrocedemos al reino vegetal.

La conciencia del espacio no tiene nada que ver con las "lagunas" mentales. Aunque los dos estados tienen en común el hecho de estar más allá del pensamiento, hay una diferencia fundamental entre los dos. En el primero, nos elevamos por encima del pensamiento mientras que en el segundo caemos por debajo de él. El uno es el paso siguiente en la evolución de la conciencia humana y el otro es un retroceso hacia un estado del cual salimos hace millones de años.

LA TELEVISIÓN

Ver televisión es la actividad (o más bien la inactividad) de esparcimiento predilecta de millones de personas del mundo entero. Al cumplir los 60 años, el estadounidense común habrá pasado 15 años de su vida delante de la pantalla del televisor, y las cifras de otros países son semejantes.

Para muchas personas, la televisión es "relajante". Si observamos atentamente, nos damos cuenta de que mientras más tiempo mantenemos la atención enfocada en la pantalla, más se suspende la actividad del pensamiento y más tiempo pasamos viendo solamente la entrevista, el programa de juego, la comedia o hasta los comerciales sin generar un solo pensamiento. No solamente olvidamos por completo nuestros problemas, sino que nos liberamos de nosotros mismos transitoriamente. ¿Qué podría ser más relajante que eso?

¿Entonces es la televisión un medio para crear espacio interior? ¿Nos ayuda a estar presentes? Desafortunadamente no es así. Si bien la mente suspende su actividad durante períodos prolongados de tiempo, se conecta con la actividad mental del programa de televisión. Se conecta con la versión televisada de la mente colectiva y entra a pensar esos pensamientos. La mente está inactiva únicamente en el sentido de no generar sus propios pensamientos. Sin embargo, está absorbiendo continuamente los pensamientos y las imágenes provenientes de la televisión. Esto induce una especie de estado de trance y mayor susceptibilidad, parecido al de la hipnosis. Es por eso que es ideal para manipular "la opinión pública", como lo saben bien los políticos, los grupos de interés y los anunciantes. Es por eso que pagan millones de dólares para sorprendernos inermes en ese estado de receptividad. Buscan reemplazar nuestros pensamientos por los de ellos, y por lo general lo logran.

Así, mientras vemos televisión, la tendencia es a caer por debajo del pensamiento en lugar de elevarnos por encima de él.

En esto, la televisión se parece al alcohol y a ciertas drogas. Si bien nos libera transitoriamente del yugo de la mente, el precio también es alto: la inconsciencia. Lo mismo que las drogas, la televisión tiene una cualidad adictiva grande. Tomamos el control para apagar el aparato y en lugar de hacerlo comenzamos a repasar todos los canales. Media hora o una hora después todavía estamos viendo y recorriendo los canales. Es como si el botón de apagado fuera el único que el dedo no logra oprimir. Continuamos pegados al aparato no porque algo interesante atrae nuestra atención, sino precisamente porque no hay nada interesante para ver. Una vez atrapados, mientras más trivial y más sin sentido, más adictiva se vuelve. Si fuera interesante y desafiara el intelecto, llevaría a la mente a pensar nuevamente, lo cual sería más consciente y preferible a un trance inducido por un aparato. Entonces las imágenes de la pantalla no mantendrían totalmente cautiva nuestra atención.

Si el contenido del programa es de cierta calidad, puede contrarrestar hasta cierto punto, o incluso deshacer, el efecto adormecedor del medio de la televisión. Hay algunos programas que han sido de gran ayuda para muchas personas, les han cambiado la vida para bien, les han servido para abrir el corazón y les han ayudado a alcanzar el estado de conciencia. Hay incluso ciertas comedias que, aunque no tratan ningún tema en particular, son espirituales sin saberlo porque nos muestran una caricatura del ego y de la sinrazón humana. Nos enseñan a no tomarnos nada demasiado en serio, a vivir la vida con despreocupación y, por encima de todo, enseñan por medio de la risa. La risa es extraordinaria como factor liberador y también curativo. Sin embargo, en la mayoría de los casos, la televisión continúa bajo el control de personas totalmente sometidas al ego, de tal manera que continuamos bajo el control de esa segunda intención de adormecernos, es decir, de sumirnos en la inconsciencia. Sin embargo, el medio de la televisión encierra un potencial enorme, todavía inexplorado.

Debemos evitar los programas y los comerciales que nos agreden con una secuencia acelerada de imágenes que cambian cada dos o tres segundos o menos. El exceso de televisión y de esos programas en particular es el causante en gran medida del trastorno del déficit de atención, una disfunción mental que afecta a millones de niños del mundo entero. Esos períodos breves de atención se traducen en percepciones y relaciones vacuas e insatisfactorias. Todo lo que hagamos estando en ese estado carece de calidad, porque la calidad requiere atención.

Ver la televisión con frecuencia y por períodos prolongados no solamente nos sume en un estado de inconsciencia sino que nos induce a la pasividad y nos agota la energía. Por consiguiente, en lugar de ver cualquier cosa, elija los programas que desee ver. Cada vez que recuerde, sienta la vida dentro de su cuerpo mientras está frente a la pantalla. Tome conciencia de su respiración periódicamente. Aparte los ojos de la pantalla a intervalos regulares para que ésta no se apodere por completo de su sentido de la vista. No suba el volumen más de lo necesario para que la televisión no se apodere de su sentido de la audición. Oprima el botón de silenciar el aparato durante los comerciales. Asegúrese de no dormirse inmediatamente después de apagar o, peor aún, de quedarse dormido con el televisor encendido.

CÓMO RECONOCER EL ESPACIO INTERIOR

El espacio entre los pensamientos probablemente se haya manifestado esporádicamente en su vida sin que usted se haya percatado. Para la conciencia obnubilada por las experiencias y condicionada para identificarse exclusivamente con la forma, es decir, para la conciencia del objeto, es casi imposible reconocer el espacio en un principio. Esto implica que es imposible tomar conciencia de nosotros mismos porque siempre estamos conscientes de alguna otra cosa. La forma nos distrae continuamente. Hasta en los momentos en que nos parece estar conscientes de nosotros mismos nos hemos convertido en un objeto, una forma de pensamiento, de modo que tomamos conciencia de un pensamiento, no de nosotros mismos.

Al oír hablar del espacio interior quizás usted se disponga a buscarlo, pero si lo busca como si se tratara de un objeto o una experiencia, no podrá encontrarlo. Ese es el dilema de todas las personas que buscan la realización espiritual o la iluminación. Jesús dijo, "El reino de Dios no vendrá con señales que puedan observarse; tampoco dirán, 'Ha llegado' o 'Aquí está, porque el reino de Dios está entre ustedes".[3]

Cuando no pasamos la vida insatisfechos, preocupados, nerviosos, desesperados o agobiados por otros estados negativos; cuando podemos disfrutar las cosas sencillas como el sonido de la lluvia o del viento; cuando podemos ver la belleza de las nubes deslizándose en el cielo o estar solos sin sentirnos abandonados o sin necesitar el estímulo mental del entretenimiento; cuando podemos tratar a los extraños con verdadera bondad sin esperar nada de ellos, es porque se ha abierto un espacio, aunque sea breve, en medio de ese torrente incesante de pensamientos que es la mente humana. Cuando eso sucede, nos invade una sensación de bienestar, de paz vívida, aunque sutil. La intensidad varía entre una sensación de contento escasamente perceptible y lo que los antiguos sabios de la India llamaron "ananda" (la dicha de Ser). Al haber sido condicionados a prestar atención a la forma únicamente, quizás no podamos notar esa sensación, salvo de manera indirecta. Por ejemplo, hay un elemento común entre la capacidad para ver la belleza, apreciar las cosas sencillas, disfrutar de la soledad o relacionarnos con otras personas con bondad. Ese elemento común es la sensación de tranquilidad, de paz y de estar realmente vivos. Es el telón de fondo invisible sin el cual esas experiencias serían imposibles.

Cada vez que sienta la belleza, la bondad, que reconozca la maravilla de las cosas sencillas de la vida, busque ese telón de fondo interior contra el cual se proyecta esa experiencia. Pero no lo busque como si buscara algo. No podría identificarlo y decir, "Lo tengo", ni comprenderlo o definirlo mentalmente de alguna manera. Es como el cielo sin nubes. No tiene forma. Es espacio; es quietud; es la dulzura del Ser y mucho más que estas palabras, las cuales son apenas una guía. Cuando logre sentirlo directamente en su interior, se profundizará. Así, cuando aprecie algo sencillo, un sonido, una imagen, una textura, cuando vea la belleza, cuando sienta cariño y bondad por otra persona, sienta ese espacio interior de donde proviene y se proyecta esa experiencia.

Desde tiempos inmemoriales, muchos poetas y sabios han observado que la verdadera felicidad (a la que denomino la alegría de Ser) se encuentra en las cosas más sencillas y aparentemente ordinarias. La mayoría de las personas, en su búsqueda incesante de experiencias significativas, se pierden constantemente de lo insignificante, lo cual quizás no tenga nada de insignificante. Nietzsche, el filósofo, en un momento de profunda quietud, escribió: "¡Cuán poco es lo que se necesita para sentir la felicidad! ... Precisamente la cosa más mínima, la cosa más suave, la cosa más liviana, el sonido de la lagartija al deslizarse, un suspiro, una brizna, una mirada, la mayor felicidad está hecha de lo mínimo. Es preciso mantener la quietud".[4]

¿Por qué es que la "mayor felicidad" está hecha de "lo mínimo"? Porque la cosa o el suceso no son la *causa* de la felicidad aunque así lo parezca en un principio. La cosa o el suceso es tan sutil, tan discreto que compone apenas una parte de nuestra conciencia. El resto es espacio interior, es la conciencia misma con la cual no interfiera la forma. El espacio interior, la conciencia y lo que somos realmente en nuestra esencia son la misma cosa. En otras palabras, la forma de las cosas pequeñas deja espacio para el espacio interior. Y es a partir del espacio interior, de la conciencia no condicionada, que emana la verdadera felicidad, la alegría de Ser. Sin embargo, para tomar conciencia de las cosas pequeñas y quedas, es necesario el silencio interior. Se necesita un estado de alerta muy grande. Mantenga la quietud. Mire. Oiga. Esté presente.

He aquí otra forma de encontrar el espacio interior: tome conciencia de estar consciente. Diga o piense, "Yo Soy" sin agregar nada más. Tome conciencia de la quietud que viene después del Yo Soy. Sienta su presencia, el ser desnudo, sin velos, sin ropajes. Es el Ser para el cual no hay juventud, vejez, riqueza o pobreza, bien o mal, ni ningún otro atributo. Es la matriz espaciosa de toda la creación, de toda la forma.

¿Puedes oír la quebrada en la montaña?

Un maestro zen caminaba en silencio con uno de sus discípulos por un sendero de la montaña. Cuando llegaron donde había un cedro antiguo, se sentaron para comer su merienda sencilla a base de arroz y verduras. Después de comer, el discípulo, un monje joven que no había descubierto todavía la clave del misterio del Zen, rompió el silencio para preguntar: "maestro, como puedo entrar en Zen?"

Obviamente se refería a la forma de entrar en el estado de la conciencia que es el Zen.

El maestro permaneció en silencio. Pasaron casi cinco minutos durante los cuales el discípulo aguardó ansiosamente la respuesta. Estaba a punto de hacer otra pregunta cuando el maestro le preguntó repentinamente, "¿oyes el sonido de esa quebrada en la montaña"?

El discípulo no se había percatado de ninguna quebrada. Estaba demasiado ocupado pensando en el significado del Zen. Entonces prestó atención al sonido y su mente ruidosa comenzó a aquietarse. Al principio no oyó nada. Después, sus pensamientos dieron paso a un estado de alerta, hasta que escuchó el murmullo casi imperceptible de una quebrada en la distancia.

"Sí, ahora lo oigo", dijo.

El maestro levantó un dedo y con una mirada a la vez dura y gentil, le dijo, "Entra al Zen desde allí".

El discípulo quedó asombrado. Fue su *satori*, un destello de iluminación. Sabía lo que era el Zen sin saber qué era lo que sabía.

Después siguieron su camino en silencio. El discípulo no salía de su asombro al sentir la vida del mundo que lo rodeaba. Lo experimentó todo como si fuera la primera vez. Sin embargo, poco a poco comenzó a pensar nuevamente. El ruido de su mente sofocó nuevamente la quietud de su conciencia y no tardó en formular otra pregunta: "maestro", dijo, "he estado pensando. ¿Qué hubiera dicho usted si yo no hubiera logrado oír la quebrada en la montaña?" El maestro se detuvo, lo miró, levantó el dedo y dijo, "Entra al Zen desde allí".

LA ACCIÓN CORRECTA

El ego pregunta: ¿cómo puedo hacer que esta situación satisfaga mis necesidades, o cómo puedo llegar a otra situación que *en efecto* satisfaga mis necesidades?

La Presencia es un estado de amplitud interna. Cuando estamos presentes, preguntamos, "¿cómo reacciono a las necesidades de esta situación, de este momento?" En realidad ni siquiera necesitamos hacer la pregunta. Estamos quedos, alertas, abiertos a lo que *es*. Aportamos una nueva dimensión a la situación: espacio. Entonces observamos y oímos. Y así nos volvemos uno con la situación. Si en lugar de reaccionar contra la situación, nos fundimos en ella, la solución emana de la situación misma. En realidad, no es nuestra persona quien observa y oye, sino la quietud misma. Entonces, si la acción es posible o necesaria, optamos por una acción, o mejor aún, la acción correcta sucede a través de nosotros. La acción correcta es aquella que es apropiada para el todo. Cuando se cumple la acción queda la quietud, el espacio, el estado de alerta. No hay quien lance los brazos al aire en señal de triunfo ni vocifere un "¡Sí!" desafiante. No hay nadie que diga, "Vean, eso es obra mía".

El espacio interior es la fuente de toda creatividad. Una vez lograda la creación, la manifestación de la forma, debemos mantenernos atentos para que no surja la noción de que esa forma es "mía". Cuando nos damos el crédito por lo logrado es porque el ego está de vuelta y ha relegado a segundo plano ese vasto espacio.

PERCIBIR SIN NOMBRAR

La mayoría de las personas tienen apenas una conciencia periférica del mundo que las rodea, especialmente cuando los alrededores son conocidos. La voz de su mente absorbe la mayor parte de su atención. Algunas personas se sienten más vivas cuando viajan y visitan lugares desconocidos o países extraños porque en ese momento su sentido de la percepción, de la experiencia, ocupa mayor parte de su conciencia que los pensamientos. Se tornan más presentes; otras permanecen completamente poseídas por la voz de su mente aún en esos momentos. Sus juicios instantáneos distorsionan sus percepciones y experiencias. Es como si no hubieran salido de sus casas. El único que se desplaza es el cuerpo, mientras que ellas se quedan donde siempre han estado: dentro de sus cabezas.

Esta es la realidad de la mayoría de las personas: tan pronto como perciben algo, el ego, ese ser fantasma, le da un nombre, lo interpreta, lo compara con otra cosa, lo acepta, lo rechaza o lo califica de bueno o malo. La persona es prisionera de las formas de pensamiento, de la conciencia del objeto.

No es posible despertar la espiritualidad hasta tanto cese la urgencia compulsiva por nombrar o hasta tomar conciencia de ella y poder observarla en el momento en que sucede. Es nombrando constantemente que el ego mantiene su lugar en la mente no observada. Cuando cesa el impulso de nombrar, e incluso en el momento mismo en que tomamos conciencia de él, se abre el espacio interior y nos liberamos de la posesión de la mente.

Tome algún objeto que tenga a la mano (un bolígrafo, una silla, una taza, una planta) y explórelo visualmente, es decir, mírelo con gran interés, casi con curiosidad. Evite los objetos con asociaciones personales fuertes que le recuerden el pasado, por ejemplo, el lugar donde lo adquirió, la persona de quien lo recibió, etcétera. Evite también cualquier cosa que tenga letras encima como un libro o un frasco, porque estimularía el pensamiento. Sin esforzarse, concentre toda su atención en cada uno de los detalles del objeto, manteniéndose en un estado de alerta pero relajado. En caso de que aflore algún pensamiento, no se deje arrastrar por él.

No son los pensamientos los que le interesan sino el acto mismo de percibir. ¿Puede eliminar los pensamientos? ¿Puede mirar sin que la voz de su mente comente, llegue a conclusiones, compare o trate de dilucidar algo? Después de un par de minutos, dirija su mirada a su alrededor, haciendo que su atención ilumine cada cosa sobre la cual se pose.

Después lleve su atención a los sonidos que se producen a su alrededor. Escuche de la misma manera como observó los objetos, algunos sonidos pueden ser naturales (el agua, el viento, los pájaros), mientras que otros son hechos por el hombre. Algunos son agradables, mientras que otros pueden ser desagradables. Sin embargo, no trate de diferenciar entre los buenos y los malos. Permita que cada sonido sea como es, sin interpretaciones. La clave, nuevamente, es el estado de alerta y atención.

Cuando miramos y escuchamos de esa manera, tomamos conciencia de un sentido de calma sutil y quizás casi imperceptible en un principio. Algunas personas lo sienten como una quietud en el fondo, otras hablan de una sensación de paz. Cuando la conciencia no está completamente absorta en los pensamientos, parte de ella permanece en su estado original informe, y no condicionado. Ese es el espacio interior.

¿Quién es el experimentador?

Lo que vemos, oímos, saboreamos, tocamos y olemos son, naturalmente, objetos de los sentidos. Son las cosas que experimentamos. Pero, ¿quién es el sujeto, el experimentador? Si usted en este momento dice, "bueno, pues claro que el experimentador soy yo, Pedro Pérez, contador, de cuarenta y cinco años, divorciado, padre de dos hijos", estará equivocado. Pedro Pérez y todo aquello con lo cual se identifique el concepto mental de Pedro

Pérez, son los objetos de la experiencia, no el sujeto que tiene la experiencia.

Son tres los posibles ingredientes de toda experiencia: las percepciones sensoriales, los pensamientos o las imágenes mentales y las emociones. Son pensamientos Pedro Pérez, contador, de cuarenta y cinco años, divorciado, padre de dos hijos y, por tanto, son parte de su experiencia en el momento en que pasan por su mente. Ellos y todo lo demás que usted pueda decir o pensar acerca de usted mismo son los objetos, no el sujeto. Son la experiencia, no el experimentador. Usted podría agregar miles de definiciones más (pensamientos) acerca lo que es usted y sin duda alguna crecería la complejidad de su experiencia (y también los ingresos de su psiquiatra), pero no es ése el camino para descubrir al experimentador, el cual es anterior a todas las experiencias pero sin el que no habría experiencia.

¿Entonces quién es el experimentador? Usted. ¿Y quién es usted? La conciencia. ¿Y qué es conciencia? Esa pregunta no tiene respuesta porque tan pronto como se da una respuesta se la falsifica y se la convierte en otro objeto. La conciencia, cuyo nombre tradicional es Espíritu, no se puede conocer en el sentido normal de la palabra, y es inútil buscarla. Todo el conocimiento reside en el ámbito de la dualidad: sujeto y objeto, conocedor y conocido. El sujeto, el yo, el conocedor sin quien sería posible todo conocimiento, toda percepción o todo pensamiento, debe eludir por siempre todo conocimiento. Esto se debe a que es informe, solamente las formas son susceptibles de conocerse y, no obstante, sin la dimensión informe, el mundo de la forma sería imposible. Es el espacio luminoso en el cual emerge y se sumerge el mundo. Ese espacio es la vida que Yo Soy. Es atemporal. Lo que sucede en ese espacio es relativo y temporal: el placer y el dolor, la ganancia y la pérdida, el nacimiento y la muerte.

El mayor impedimento para descubrir el espacio interior, para encontrar al experimentador, es fascinarse con la experiencia hasta el punto de perderse en ella. Es la conciencia extraviada en su propio sueño. Es dejarse atrapar hasta tal punto por cada pensamiento, cada emoción y cada experiencia que en efecto permanecemos en una especie de ensoñación. Ese ha sido el estado normal de la humanidad durante miles de años.

Aunque no podemos conocer la conciencia, podemos reconocer en ella lo que somos. Podemos sentirla directamente en cualquier situación, independientemente de donde estemos. Podemos sentirla aquí y ahora como la Presencia, el estado interior en el cual se perciben las palabras de esta página y se convierten en pensamientos. Es el YO SOY de fondo. Las palabras que estamos leyendo y convirtiendo en pensamientos son la parte delantera del escenario y el Yo Soy es el telón de fondo, el substrato, la base subyacente de toda experiencia, pensamiento y sentimiento.

LA RESPIRACIÓN

Descubra su espacio interior creando vacíos entre el torrente de pensamientos. Sin esos vacíos, el pensamiento se vuelve repetitivo, pierde toda inspiración y chispa creadora, como sucede con la gran mayoría de las personas del planeta. La duración de esos vacíos no importa. Unos cuantos segundos bastan. Poco a poco se irán alargando por sí mismos, sin ningún esfuerzo de su parte. Más importante que la duración es la frecuencia, de tal manera que haya espacios entre las actividades diarias y el torrente de pensamientos.

Alguien me mostró hace poco el prospecto anual de una organización espiritual grande. Al hojearlo me impresionó la gran diversidad de seminarios y talleres importantes. Me recordó el *smorgasbord*, uno de esos banquetes suecos donde puede uno elegir entre una enorme variedad de platos. La persona me preguntó si le podía recomendar uno o dos cursos. "No sé", le respondí, "todos suenan muy interesantes". "Pero sí se lo siguiente", añadí. "Tome conciencia de su respiración tantas veces como le sea posible, cada vez que recuerde hacerlo. Hágalo durante un año y será un medio de transformación mucho más poderoso que asistir a todos esos cursos. Y no vale nada".

Al tomar conciencia de la respiración apartamos nuestra atención de los pensamientos y creamos espacio. Es una forma de generar conciencia. Si bien la conciencia plena existe ya como no manifiesta, estamos aquí en el mundo para traer la conciencia a esta dimensión.

Tome conciencia de su respiración. Note la sensación de respirar. Sienta cómo el aire entra y sale de su cuerpo. Note cómo se expanden y se contraen ligeramente el pecho y el abdomen al inhalar y al exhalar. Una respiración consciente basta para abrir algo de espacio en medio del tren interminable de pensamientos. Una respiración consciente (y dos todavía más) varias veces al día es una manera excelente de traer espacio a la vida. Aunque medite con la atención en la respiración durante dos horas o más, como lo hacen algunas personas, solo necesitará (o podrá) tomar conciencia de una respiración. Las demás son recuerdos o anticipación, es decir, pensamiento. Respirar no es realmente algo que hagamos, sino algo que presenciamos mientras sucede. La respiración sucede espontáneamente. La inteligencia de nuestro cuerpo se encarga de ella. No hace falta esfuerzo alguno. Note también la breve pausa de la respiración, especialmente el punto quieto, al final de la exhalación, antes de la siguiente inhalación.

La respiración de muchas personas es superficial, contrariamente a lo que debería ser. Mientras más se toma conciencia de la respiración, más se restablece su profundidad natural.

Puesto que la respiración carece de forma, desde tiempos antiguos se la ha asimilado al espíritu, a la Vida única informe. "Y Dios hizo al hombre del polvo de la tierra y sopló en sus narices el aliento de vida y lo hizo un ser viviente".[5] En alemán, respiración es *atmen*, palabra derivada del sánscrito antiguo *atman* que significa el espíritu divino interior o el Dios interior.

El hecho de que la respiración carezca de forma es una de las razones por las cuales tomar conciencia de ella es una forma muy eficaz de traer espacio a la vida, de generar conciencia. Es un objeto de meditación excelente precisamente porque no es objeto y carece de forma. La otra razón es que la respiración es uno de los fenómenos más sutiles y aparentemente insignificantes, lo "mínimo" que, según Nietzsche, es el ingrediente de la "mejor felicidad". Usted podrá decidir si desea practicar o no la conciencia de la respiración como meditación formal. Sin embargo, la meditación formal no reemplaza la acción de crear la conciencia del espacio en la vida diaria.

El hecho de tomar conciencia de la respiración nos obliga a estar en el momento presente, la clave de toda transformación interior. Siempre que tomamos conciencia de la respiración estamos absolutamente presentes. Podrá notar que no puede pensar *y* tomar conciencia de la respiración al mismo tiempo. Al respirar conscientemente se detiene la mente. Pero lejos de estar en trance o medio dormidos, estamos completamente despiertos y muy alertas. No caemos por debajo del pensamiento sino que nos elevamos por encima de él. Y si observamos más atentamente, descubrimos que esas dos cosas, estar completamente en el momento presente y dejar de pensar sin perder la conciencia, son una sola: el surgimiento de la conciencia del espacio.

LAS ADICCIONES

Podría decirse que un comportamiento compulsivo de vieja data es una adicción, y la adicción vive dentro de nosotros casi como una entidad o una personalidad secundaria, un campo de energía que se apodera periódicamente de nosotros por completo. Hasta se apodera de nuestra mente, de la voz mental, la cual entonces se convierte en la voz de la adicción. Podría decir, "hoy ha sido un día muy difícil, me merezco un premio. ¿Por qué negarme el único placer que me queda en la vida?" Entonces, si estamos identificados con la voz interior a causa de nuestra inconsciencia, abrimos el refrigerador para atacar la torta de chocolate. En otros momentos, la adicción puede dejar por fuera a la mente de un todo y, sin saber a qué horas, nos vemos con un cigarrillo en la boca o un vaso de licor en la mano. "¿Cómo llegó esto a mi mano?" La acción de sacar un cigarrillo de la cajetilla y encenderlo, o de servir el trago, ocurrió en medio de la inconsciencia total.

Si usted tiene un patrón de comportamiento compulsivo como fumar, comer en exceso, beber, ver televisión, Internet, o cualquier otro, haga lo siguiente: cuando note que la urgencia de la adicción comienza a manifestarse, pare y respire conscientemente tres veces. De esa manera se establece un estado de alerta. Deténgase durante unos minutos a observar la urgencia misma y a sentir ese campo de energía en su interior. Sienta conscientemente la necesidad física o mental de ingerir o consumir una determinada sustancia, o el deseo de manifestar el comportamiento compulsivo. Después respire conscientemente otras cuantas veces. Verá que la ansiedad desaparece, al menos transitoriamente. O quizás se dé cuenta de que el peso de la urgencia prevalece y no tiene otra salida que obedecer o manifestar el comportamiento nuevamente. No lo convierta en un problema. Convierta la adicción en parte de su práctica de conciencia tal como se describió anteriormente. A medida que aumente la conciencia, los patrones adictivos se debilitarán hasta disolverse finalmente. Sin embargo, recuerde tomar nota de los pensamientos que justifican el comportamiento adictivo, a veces con argumentos sagaces, a medida que van pasando por su mente. Pregúntese de quién es la voz, y se dará cuenta de que la que habla es la adicción. Mientras lo sepa, mientras esté presente en calidad de observador de su mente, es menos probable que ésta logre engañarlo para que usted haga lo que ella desea.

LA CONCIENCIA DEL CUERPO INTERIOR

Otra forma fácil pero muy eficaz de descubrir el espacio en la vida se relaciona estrechamente con la respiración. Verá que al sentir el flujo sutil del aire que entra y sale del cuerpo, lo mismo que el movimiento suave del pecho y el abdomen, toma también conciencia del cuerpo interior. De esa forma, podrá pasar su atención a esa sensación de vida difundida por todo el cuerpo.

La mayoría de las personas viven tan distraídas con sus pensamientos, tan identificadas con la voz de la mente, que no logran sentir la corriente de vida que las anima. El hecho de no poder sentir la vida que anima el cuerpo físico, la vida que somos en esencia, es la mayor privación que nos puede suceder. Entonces comenzamos a buscar sustitutos no solamente para el estado natural de bienestar, sino también algo para sofocar la inquietud continua que nos atrapa cuando no estamos en contacto con la corriente vivificante siempre presente pero ignorada. Algunos de los sustitutos son el estado de euforia producido por las drogas, el exceso de estímulos sensoriales como la música fuerte, las actividades peligrosas o de alto riesgo, o una obsesión por el sexo. Hasta el drama en las relaciones sirve de reemplazo para esa sensación de vida.

El disfraz más perseguido para tapar la inquietud subyacente es el de las relaciones íntimas: el hombre o la mujer que "me hará feliz". Pero claro está que también es una de las desilusiones más frecuentes. Y cuando la inquietud emerge nuevamente, la persona tiende a culpar a su pareja.

Respire dos o tres veces con plena conciencia. Trate de percibir la sutil corriente de vida que invade todo su cuerpo interior. ¿Puede sentir su cuerpo desde adentro, por así decirlo? Deténgase brevemente en partes específicas de su cuerpo. Sientas las manos, después, los brazos, las piernas, los pies. ¿Siente el abdomen, el pecho, el cuerpo y la cabeza? ¿Y los labios? ¿Hay vida en ellos? Después tome conciencia nuevamente del cuerpo interior en su totalidad. Al principio puede hacerlo con los ojos cerrados, y una vez que aprenda a sentir el cuerpo, abra los ojos, mire a su alrededor y continúe sintiendo el cuerpo simultáneamente. Algunos lectores quizás no sientan la necesidad de cerrar los ojos; podrán sentir su cuerpo interior mientras leen estas palabras.

EL ESPACIO INTERIOR Y EXTERIOR

El cuerpo interior no es sólido sino espacioso. No es la forma física, sino la vida que la anima. Es la inteligencia creadora y la que sustenta el cuerpo, es la que coordina simultáneamente centenares de funciones diferentes de una complejidad tan extraordinaria que la mente humana puede comprender apenas una fracción infinitesimal de la misma. Cuando tomamos conciencia de ella, lo que sucede realmente es que la inteligencia toma conciencia de sí misma. Es la "vida" evasiva que ningún científico ha podido descubrir porque la conciencia que la busca *es ella misma*.

Los físicos han descubierto que la aparente solidez de la materia es una ilusión producto de nuestros sentidos. Esto se aplica también al cuerpo físico, al cual vemos como una forma. Sin embargo, el 99.99 por ciento del cuerpo es realmente espacio vacío. Así de vasto es el espacio entre los átomos comparado con su tamaño, para no mencionar también el gran espacio que hay al interior de cada átomo. El cuerpo físico no es más que una interpretación equivocada de lo que somos. Es, en muchos sentidos, una versión a escala del macrocosmos del espacio exterior. Para darnos una idea de lo vasto que es el espacio entre los cuerpos celestes, consideremos lo siguiente: la luz, viajando a una velocidad constante de 186,000 millas (300,000 kilómetros) por segundo, tarda poco más de un segundo en recorrer la distancia entre la tierra y la luna; la luz del sol tarda cerca de 8 minutos en llegar a la tierra. La luz de nuestro vecino más cercano en el espacio, la estrella Próxima Centauro, es decir, el sol más cercano al nuestro, viaja durante 4.5 años antes de llegar a la Tierra. Así de vasto es el espacio que nos rodea. Y después está el espacio intergaláctico, cuya inmensidad escapa a nuestra comprensión. La luz de la galaxia más cercana a la nuestra, Andrómeda, tarda 2.4 millones de años en llegarnos. ¿No es verdaderamente asombroso que nuestro cuerpo sea tan espacioso como el universo?

Así, el cuerpo físico, que es forma, se revela esencialmente informe cuando profundizamos en él. Se convierte en la puerta de entrada hacia el espacio interior. Aunque el espacio interior carece de forma, está intensamente vivo. Ese "espacio vacío" es la vida en toda su plenitud, la Fuente inmanifiesta de la cual fluyen todas las manifestaciones. El vocablo tradicional para designar esa fuente es *Dios*.

Los pensamientos y las palabras pertenecen al mundo de la forma; no pueden expresar lo informe. Así, cuando decimos, "siento mi cuerpo interior", se trata de una interpretación errada creada por el pensamiento. Lo que sucede realmente es que la conciencia que se presenta como un cuerpo (la conciencia que Yo Soy) está tomando conciencia de sí misma. Cuando dejamos de confundir lo que somos con una forma transitoria del "yo", entonces la dimensión de lo infinito y eterno, Dios, se puede expresar a través de "mí" y guiar*me*. También nos independiza de la forma. Sin embargo, de nada sirve reconocer a nivel puramente intelectual que "yo no soy esta forma". La pregunta más importante de todas es: ¿puedo sentir en este momento mi propia Presencia, o más bien, la Presencia que Soy Yo?

También podemos abordar esta verdad desde otro punto de referencia. Pregúntese, "¿tengo conciencia no solamente de lo que sucede en este momento, sino del Ahora propiamente, como el espacio viviente atemporal en el cual todo sucede?" Si bien esta pregunta parece no tener relación alguna con el cuerpo interior, le sorprenderá reconocer que al tomar conciencia del espacio del Ahora, sentirá más vida en su interior. Es sentir la vida del cuerpo interior, esa vida que forma parte intrínseca de la alegría de Ser. Debemos entrar en el cuerpo para trascenderlo y descubrir que no somos eso.

En la medida de lo posible, en su vida cotidiana, recurra a la conciencia de su cuerpo interior para crear espacio. Mientras espera, mientras escucha a alguien, mientras se detiene a admirar el cielo, un árbol, una flor, a su pareja, o a un hijo, sienta al mismo tiempo la vida que vibra en su interior. De esa manera, parte de su atención o conciencia permanecerá informe y otra parte estará disponible para el mundo externo de la forma. Cada vez que "habitamos" nuestro cuerpo de esa manera, nos sirve de ancla para permanecer presentes en el Ahora. Nos impide perdernos en el mar de los pensamientos, las emociones o las situaciones externas.

Cuando pensamos, sentimos, percibimos y experimentamos, la conciencia nace a la forma. Reencarna en un pensamiento, un sentimiento, un sentido de percepción, una experiencia. El ciclo de reencarnaciones del cual aspiran a liberarse los budistas sucede continuamente y es solamente en este momento, a través del poder del Ahora, que podemos salir de él. Aceptando completamente la forma del Ahora, nos ponemos interiormente en sintonía con el espacio, el cual es la esencia del Ahora. A través de la aceptación, nuestro interior se hace espacioso y nos mantenemos alineados con el espacio y no con la forma. Es así que traemos el verdadero equilibrio y la perspectiva a nuestra vida.

LA CONCIENCIA DE LOS VACÍOS

En el transcurso del día vemos y oímos toda una serie de cosas cambiantes que suceden una tras otra. Cuando nos percatamos por primera vez de estar viendo algo u oyendo un sonido (y mucho más si es desconocido), antes de que la mente le asigne un nombre o lo interprete, generalmente hay un vacío de atención intensa en el cual ocurre la percepción. Ese es el espacio interior.

La duración de ese vacío varía de una persona a otra. Es fácil pasarla por alto porque, en muchos casos, son brechas extremadamente breves, quizás de un segundo o menos.

Lo que sucede es lo siguiente: cuando se produce una imagen o un sonido nuevo, hay una interrupción breve en el torrente habitual de pensamientos en el primer momento de la percepción. La conciencia se aparta del pensamiento porque se la necesita para detectar una percepción. Una imagen o un sonido muy extraño puede dejarnos "mudos", incluso en nuestro interior. Es decir que provoca un vacío más largo.

La frecuencia y la duración de esos espacios determina nuestra capacidad para disfrutar de la vida, para sentir la conexión interior con otros seres humanos y con la naturaleza. También determina nuestro grado de libertad frente al ego, porque el ego implica una inconsciencia total de la dimensión del espacio.

Cuando tomamos conciencia de estos vacíos a medida que se producen naturalmente, poco a poco se prolongan y experimentamos con más frecuencia la alegría de percibir, sin la interferencia del pensamiento. Entonces el mundo se nos presenta renovado, alegre y vivaz. Mientras más percibimos al mundo a través de la pantalla mental de la abstracción y la conceptualización, más inerte y desabrido se torna.

PERDERNOS PARA ENCONTRARNOS

El espacio interior también aflora cuando renunciamos a la necesidad de enfatizar nuestra identidad con la forma. Esa necesidad le pertenece al ego y no es una necesidad verdadera. Ya hicimos una breve alusión a esto. Cada vez que renunciamos a uno de esos patrones de comportamiento permitimos que aflore el espacio interior. Somos más auténticos. Para el ego, parecerá como si estuviéramos perdidos, pero en realidad sucede todo lo contrario. Jesús nos enseño que debemos perdernos para encontrarnos. Cada vez que renunciamos a uno de esos patrones, restamos peso a lo que somos en el nivel de la forma y nuestro verdadero ser se manifiesta más plenamente. Nos empequeñecemos para engrandecernos.

A continuación aparecen algunas de las formas como las personas tratan de enfatizar su identidad con la forma, aunque inconscientemente. Si nos mantenemos en estado de alerta, podremos detectar algunos de esos patrones inconscientes en nosotros mismos: exigir reconocimiento por algo que hicimos y molestarnos o enojarnos al no recibirlo; tratar de llamar la atención hablando de nuestros problemas o de nuestra enfermedad, o haciendo una escena; dar una opinión cuando nadie la ha pedido y no contribuye en lo absoluto a la situación; preocuparnos más por la opinión que el otro tenga de nosotros, que por la otra persona, es decir, utilizar a los demás para reflejar nuestro ego o fortalecerlo; tratar de impresionar a los demás con nuestras posesiones, conocimiento, aspecto físico, posición social, fortaleza física, etcétera; reforzar momentáneamente al ego a través de una reacción airada contra algo o alguien; tomarnos las cosas a pecho, sentirnos ofendidos; reafirmar que tenemos la razón y que los otros están equivocados a través de quejas mentales o verbales inútiles; mostrarnos importantes o aparentar que lo somos.

Una vez detectado ese patrón interior, conviene hacer un experimento. Averigüe cómo se siente y qué sucede cuando renuncie a ese patrón. Sencillamente abandónelo y vea qué sucede.

Otra manera de generar conciencia es restarle peso a lo que somos en el nivel de la forma. Descubra el poder enorme que fluye desde su interior para proyectarse sobre el mundo una vez que logre restarle peso a su identidad con la forma.

LA QUIETUD

Se ha dicho que "la quietud es el lenguaje de Dios y todo lo demás es una mala traducción". Quietud es sinónimo de espacio. Al tomar conciencia de la quietud cada vez que la encontremos en la vida podremos conectarnos con la dimensión informe y atemporal que vive en nosotros y que está más allá del pensamiento y del ego. Puede ser la quietud que invade al mundo de la naturaleza, la quietud de nuestra habitación al amanecer o los vacíos de silencio entre los sonidos. La quietud no tiene forma y es por eso que no podemos tomar conciencia de ella a través del pensamiento. El pensamiento es forma; tomar conciencia de la quietud significa estar quedos; estar quedos es estar conscientes sin pensar. En ningún otro momento somos más esencialmente nosotros mismos que cuando estamos en estado de quietud. En ese estado somos lo que éramos antes de asumir transitoriamente esta forma física y mental llamada persona. También somos lo que seremos cuando la forma se disuelva. Cuando estamos quedos, somos lo que somos más allá de nuestra existencia temporal: conciencia informe, eterna.

CAPÍTULO NUEVE

EL PROPÓSITO INTERNO

Tan pronto como trascendemos el simple estado de supervivencia, la pregunta acerca del significado y el propósito adquiere lugar preponderante en nuestra vida. Muchas personas se sienten prisioneras de la rutina diaria, la cual parece restar toda importancia a la vida. Hay quienes piensan que la vida pasa, que las está dejando o ya las ha dejado atrás. Otras personas se sienten enormemente preocupadas por las exigencias de su trabajo, por la necesidad de ver por su familia o por su situación económica y de vida. Algunas son víctimas del estrés agudo mientras que otras son presa del tedio. Hay quienes se pierden en medio de la actividad frenética mientras que otras sucumben al estancamiento. Muchas personas añoran la libertad y la expansión implícitas en la promesa de la prosperidad. Otras ya disfrutan de la libertad relativa que les ofrece la prosperidad pero descubren que ni siquiera eso le imprime significado a la vida. No hay nada que reemplace el verdadero propósito. Pero el propósito primario o verdadero de la vida no se encuentra en el plano externo. No tiene nada que ver con lo que hacemos sino con lo que somos, es decir, con nuestro estado de conciencia.

Por eso lo más importante que debemos reconocer es lo siguiente: tenemos un propósito interno y otro externo en la vida.
El propósito interno se relaciona con el Ser y es primario. El
propósito externo se relaciona con el hacer y es secundario. Si
bien este libro se refiere principalmente a nuestro propósito interno, en éste capítulo y en el siguiente nos referiremos también
a la pregunta de cómo lograr consonancia entre el propósito interno y el externo. Sin embargo, los dos propósitos están tan
íntimamente ligados que es casi imposible hablar del uno sin hacer
referencia al otro.

Nuestro propósito interno es el despertar. Es así de sencillo,
es un propósito que compartimos con todos los demás seres humanos de este planeta, porque es el propósito de la humanidad.
Nuestro propósito interno es parte esencial del propósito del todo,
del universo y de su inteligencia. Nuestro propósito externo puede variar con el tiempo y es muy diferente según la persona. La
base para poder cumplir con nuestro propósito externo está en
encontrar el propósito interno y vivir en consonancia con él. Es
la base del éxito verdadero. Sin esa consonancia podemos lograr
determinadas cosas a base de esfuerzo, lucha, dedicación o simplemente mucho trabajo y sagacidad. Pero ese esfuerzo no encierra
dicha alguna y termina invariablemente por traducirse en alguna
forma de sufrimiento.

EL DESPERTAR

El despertar es un cambio de conciencia consistente en el divorcio
entre el pensamiento y la conciencia. En la mayoría de los casos
no es un suceso puntual sino un proceso. También es un proceso
incluso para las pocas personas que experimentan un despertar

súbito, dramático y aparentemente irreversible. Es un proceso en el cual el nuevo estado de conciencia toma posesión gradualmente transformando todo lo que la persona hace y convirtiéndose así en parte integral de la vida.

En lugar de permanecer perdidos en nuestros pensamientos, cuando despertamos reconocemos que somos el observador consciente. Es entonces cuando el pensamiento deja de ser la actividad autónoma y egoísta que domina nuestra vida. La conciencia asume las riendas y el pensamiento, en lugar de tener el control de la vida, pasa a servir a la conciencia. La conciencia es la conexión consciente con la inteligencia universal. Otra palabra para describirla es la Presencia: la conciencia sin pensamiento.

El inicio del proceso del despertar es un acto de gracia. No podemos hacer que suceda ni tampoco prepararnos para él ni acumular créditos para merecerlo. No hay una secuencia clara de pasos lógicos que conduzca al despertar, aunque eso sería lo que le encantaría a la mente. No tenemos que hacernos merecedores primero. Puede llegarle al pecador antes que al santo, pero no necesariamente. Es por eso que Jesús se relacionaba con toda clase de gente y no solamente con las personas respetables. No hay nada que podamos hacer para provocar el despertar. Lo que hagamos será cosa del ego, que estará buscando agregar el despertar o la iluminación a la lista de sus posesiones más preciadas para engrandecerse y adquirir todavía más importancia. De esa manera, en lugar de despertar, añadimos a la mente el *concepto* del despertar o la imagen de lo que es una persona iluminada, y nos esforzamos por vivir de acuerdo con esa imagen. Esforzarnos por ser como la imagen que tenemos de nosotros mismos o que otros tienen de nosotros no es vivir una vida auténtica sino representar otro de los personajes inconscientes del ego.

Por consiguiente, si no hay nada que podamos hacer con respecto al despertar, si es algo que ya ha sucedido o está por suceder, ¿cómo es posible que sea el propósito primario de la vida? ¿Acaso no está implícito en el propósito el hecho de poder hacer algo por lograrlo?

El primer despertar, el primer destello de conciencia sin pensamiento solamente sucede por la gracia, sin que hagamos nada. Si para usted este libro es incomprensible y no significa nada, es porque todavía no le ha llegado ese primer despertar. Sin embargo, si hay algo en su interior que responde a él, si de alguna manera reconoce algo de verdad en él, significa que ya ha entrado en el proceso. Una vez que se inicia el proceso, no hay marcha atrás, aunque el ego puede demorarlo. La lectura de este libro podrá ser el comienzo del despertar para algunas personas. Para otras, este libro ejercerá la función de ayudarlas a reconocer que ya han iniciado el proceso, y a intensificarlo y acelerarlo. Otra función es ayudar a la gente a reconocer su ego cada vez que trate de recuperar el control y de ensombrecer el surgimiento de la conciencia. En algunos casos, el despertar sucede cuando las personas se dan cuenta repentinamente de la clase de pensamientos que cruzan constantemente por su mente, especialmente los pensamientos negativos persistentes con los cuales quizás se hayan identificado durante toda la vida. Súbitamente se produce un estado de alerta que toma conciencia del pensamiento sin ser parte de él.

¿Cuál es la relación entre la conciencia y el pensamiento? La conciencia es el espacio en el cual existen los pensamientos cuando ese espacio ha tomado conciencia de sí mismo.

Después de haber visto el destello de la conciencia o la Presencia, aprendemos a conocerla de primera mano. En ese momento deja de ser simplemente un concepto mental y, por tanto, podemos tomar la decisión consciente de estar presentes en lugar de dejarnos arrastrar por pensamientos inútiles. Podemos invitar la Presencia a la vida, es decir, abrir espacio. Con la gracia de la conciencia viene la responsabilidad. Podemos optar por continuar como si nada hubiera sucedido, o podemos reconocer su importancia y aceptar que el surgimiento de la conciencia es lo más importante que *puede* sucedernos. Abrirnos a la conciencia y traer su luz a este mundo se convierte entonces en el propósito preponderante de la vida.

"Deseo conocer la mente de Dios", dijo Einstein. "Lo demás son detalles". ¿Qué es la mente de Dios? Conciencia. ¿Qué significa conocer la mente de Dios? Estar conscientes. ¿Cuáles son los detalles? El propósito externo y lo que quiera que suceda en el plano externo.

Así, quizás mientras usted espera que suceda algo significativo en su vida, podría no darse cuenta de que lo más importante que puede sucederle a un ser humano ya le ha sucedido: el comienzo del proceso de separación entre el pensamiento y la conciencia.

Muchas personas que se encuentran en las primeras etapas del proceso de despertar sienten que ya no saben a ciencia cierta cuál es su propósito externo. Aquello que mueve al mundo ya no las motiva. Al ver con tanta claridad la demencia de nuestra civilización, podrían sentirse aisladas hasta cierto punto de la cultura que las rodea. Hay quienes sienten que habitan en tierra de nadie, en medio de dos mundos. Ya el ego no dirige su destino pero la conciencia todavía no se ha integrado plenamente a sus vidas. No se ha producido la fusión entre el propósito interno y el propósito externo.

UN DIÁLOGO SOBRE EL PROPÓSITO INTERNO

El diálogo que viene a continuación resume un sinnúmero de conversaciones que he sostenido con personas que estaban buscando su verdadero propósito en la vida. Decimos que algo es verdad cuando resuena con nuestro Ser más profundo, cuando está en consonancia con nuestro propósito interno. Es por eso que en este diálogo dirijo primero la atención al propósito interno y primordial.

P: *No sé exactamente de qué se trata, pero cuando pienso en un cambio, siento que deseo expansión en mi vida; deseo hacer algo que deje huella y, sí, deseo también la prosperidad y la libertad que viene con ella. Deseo hacer algo importante, algo que deje una huella en el mundo. Pero si me pregunta qué es exactamente lo que deseo, tendría que decir que no lo sé. ¿Podría ayudarme a encontrar mi propósito en la vida?*

R: Su propósito es estar aquí, hablando conmigo, porque es aquí donde usted está y es esto lo que está haciendo, hasta tanto se levante y comience a hacer otra cosa. Esa otra cosa se convertirá entonces en su propósito.

¿Entonces mi propósito es sentarme en mi oficina durante los próximos 30 años hasta jubilarme o hasta que me despidan?

En este momento no está en su oficina, de manera que ése no es su propósito. Cuando esté en su oficina, haciendo lo que sea que haga, ése será su propósito. No durante los próximos 30 años, sino ahora.

Creo que no nos estamos entendiendo. Para usted, el propósito es lo que hacemos ahora; para mí significa tener una meta en la vida, algo grande e importante que imprima sentido a lo que hago, algo que deje huella. Despachar documentos en la oficina no lo es. Eso lo sé.

Mientras no tenga conciencia de Ser, usted buscará significado solamente en la dimensión del hacer y del futuro, es decir, en la dimensión del tiempo. Y todo significado o toda realización que usted encuentre en esa dimensión se disolverá o demostrará no ser más que una ilusión. El tiempo terminará por destruirlo indefectiblemente. Todo significado que encontremos en ese plano es verdadero solamente en términos relativos y temporales.

Por ejemplo, si ver por sus hijos le da significado a su vida, ¿qué sucederá con ese significado cuando ellos ya no necesiten de usted y quizás ni siquiera deseen escuchar lo que usted tiene que decir? Si le encuentra importancia a la vida ayudando a los demás, dependerá de que otras personas estén en peores circunstancias que las suyas para que su vida continúe teniendo significado y usted pueda sentirse a gusto consigo mismo. Si sobresalir, triunfar o tener éxito en esto o aquello le proporciona significado, ¿qué pasará si nunca llega a triunfar o si algún día se termina su racha de buena suerte? Tendría entonces que recurrir a su imaginación o a sus recuerdos, los cuales le proporcionarán apenas un significado pobre e insatisfactorio a su vida. Triunfar en cualquier campo tiene importancia siempre y cuando haya miles o millones de personas que no hagan lo mismo. Por consiguiente, es preciso que otros seres humanos "fracasen" para que su vida pueda tener significado.

No estoy diciendo que ayudar a los demás, ver por los hijos o aspirar a la excelencia en cualquier campo no merezcan la pena. Para muchas personas, son un aspecto importante de su propósito externo, pero éste por sí solo siempre es relativo, inestable y transitorio. Pero no significa que usted deba abstenerse de hacer todas esas cosas. Significa que debe conectarlas con su propósito primario interno, de tal manera que pueda imprimir un significado más profundo a todo lo que haga.

Cuando no vivimos en consonancia con nuestro propósito primario, cualquiera que sea el propósito que tengamos en la vida, aunque sea crear el cielo en la tierra, provendrá del ego o sucumbirá con el tiempo. Tarde o temprano, llevará al sufrimiento. Si usted desconoce su propósito interno, todo lo que haga, aunque parezca espiritual, llevará la marca del ego y, por tanto, acabará por corromperse. El dicho de que "el camino al infierno está sembrado de buenas intenciones" apunta a esa verdad. En otras palabras, no son las metas ni los actos los que son primordiales sino el estado de conciencia del cual emanan. Alcanzar el propósito primario equivale a sentar las bases para una nueva realidad, una nueva tierra. Una vez construidos esos cimientos, el propósito externo se carga de poder espiritual porque las metas y las intenciones se funden con el impulso evolutivo del universo.

La separación entre el pensamiento y la conciencia, que es el centro del propósito primario, sucede cuando negamos el tiempo. Claro está que no nos referimos a la aplicación práctica del tiempo como concertar una cita o planear un viaje. No nos referimos al tiempo del reloj, sino al tiempo psicológico, es decir, el hábito afianzado de la mente de buscar la plenitud de la vida en el futuro donde no es posible hallarla y haciendo caso omiso de la única puerta de acceso a ella: el momento presente.

Cuando consideramos que lo que somos o hacemos es el propósito principal de nuestra vida, negamos el tiempo. Esto proporciona un poder inconmensurable. Negar el tiempo en lo que hacemos también crea la conexión entre el propósito interno y el externo, entre el Ser y el hacer. Cuando negamos el tiempo, negamos el ego. Todo lo que hagamos tendrá una calidad extraordinaria porque el hacer mismo se convierte en el centro de nuestra atención. Nuestro hacer se convierte entonces en el canal a través del cual penetra la conciencia en este mundo. Esto significa que hay calidad en lo que hacemos, hasta en las cosas más insignificantes, como voltear las páginas del directorio telefónico o cruzar una habitación. El propósito principal de voltear las paginas es voltear las páginas; el propósito secundario es hallar un número telefónico. El propósito principal de cruzar la habitación es cruzar la habitación; el propósito secundario es tomar un libro que está del otro lado, y tan pronto como se toma el libro, ése se convierte en el propósito principal.

Quizás usted recuerde la paradoja del tiempo a la cual hicimos referencia anteriormente: todo lo que hacemos consume tiempo y, no obstante, siempre lo hacemos en el ahora. Entonces, si bien nuestro propósito interno es negar el tiempo, el propósito externo se relaciona necesariamente con el futuro y no podría existir sin el tiempo, pero siempre es secundario. Cada vez que sentimos angustia o tensión es porque otro propósito se ha adueñado de nosotros y hemos perdido de vista nuestro propósito interno. Hemos olvidado que lo primario es nuestro estado de conciencia y que todo lo demás es secundario.

¿Acaso vivir de esa manera no me impedirá tratar de lograr algo excepcional? Mi temor es permanecer encadenado a las minucias el resto de mi vida, a cosas inconsecuentes. Temo no salir nunca de la mediocridad, no atreverme jamás a lograr algo extraordinario, no realizar mi potencial.

De las cosas pequeñas a las cuales honramos y proporcionamos cuidados nacen las cosas grandes. La vida de todas las personas realmente está hecha de detalles. La grandeza es una abstracción mental y una fantasía del ego. La paradoja está en que la base de la grandeza está en honrar los detalles del presente en lugar de perseguir la idea de la grandeza. El momento presente siempre es pequeño en el sentido de que siempre es simple, pero en él se encarna el mayor de los poderes. Como el átomo, que es una de las cosas más pequeñas pero que encierra un poder enorme. Es sólo cuando estamos en consonancia con el momento presente que logramos acceso a ese poder. Pero podría ser más atinado decir que *ese poder* tiene entonces acceso a nosotros, y a través nuestro, al mundo. Jesús se refirió a este poder cuando dijo, "Estas palabras no vienen de mí. El Padre que está en mí obra por mí".[1] La ansiedad, la tensión, y la negatividad nos aíslan de ese poder. La ilusión de estar separados del poder que dirige el universo se manifiesta nuevamente. Nos sentimos solos para luchar contra algo o para tratar de lograr alguna cosa u otra. ¿Pero cuál es el origen de la ansiedad, la tensión o la negatividad? El hecho de habernos apartado del momento presente. ¿Y a qué se debió eso? Al hecho de haber pensado que otra cosa era más importante. El haber olvidado nuestro propósito principal. Una pequeña equivocación, un error de percepción, y el resultado es un mundo de sufrimiento.

A través del momento presente tenemos acceso al poder de la vida misma. Aquello a lo cual hemos denominado "Dios". Tan pronto como nos apartamos de él, Dios deja de ser una realidad en la vida y lo único que nos queda es el *concepto* mental de Dios, el cual tiene seguidores y detractores. Hasta el hecho de creer en Dios es un mal sustituto de la realidad viviente de Dios que se manifiesta en cada momento de la vida.

¿Acaso la armonía total con el presente no se traduce en el fin de todo movimiento? ¿Acaso la existencia de una meta cualquiera no implica una perturbación transitoria de la armonía con el momento presente y quizás el restablecimiento de esa armonía a un nivel más elevado o más complejo una vez alcanzada esa meta? Imagino que la semilla que trata de salir de la tierra tampoco puede estar en armonía total con el momento presente porque su meta es convertirse en árbol. Quizás cuando alcance la madurez pueda vivir en armonía con el momento presente.

La semilla no desea nada porque está en unión con la totalidad y la totalidad actúa a través de ella. "¿Por qué preocuparse por la ropa? "Miren cómo crecen las flores del campo que no trabajan ni tejen", dijo Jesús. "Y yo les aseguro que ni Salomón en el esplendor de su gloria se vistió como una de esas flores".[2] Podríamos decir que la totalidad, es decir, la Vida, no se considera separada de la vida, y por tanto, no desea nada para sí misma. Es una con lo que la Vida desea. Es por eso que no sufre de tensión ni de ansiedad. Y si debe morir prematuramente, muere serenamente. Su entrega en la muerte es tan total como en la vida. Intuye su arraigo en el Ser, en la Vida informe única y eterna, por primitiva que sea su intuición.

Al igual que los sabios taoístas de la antigua China, Jesús nos remite a la naturaleza porque ve en ella el poder en acción, cuyo contacto han perdido los seres humanos. Es el poder creador del universo. Jesús nos dice que si Dios ha vestido así a las flores silvestres, ¿no hará mucho más por nosotros? Eso quiere decir que aunque la naturaleza es una expresión maravillosa de la fuerza evolutiva del universo, cuando los seres humanos estamos en consonancia con la inteligencia de base, podremos expresar esa misma fuerza en un nivel más elevado y asombroso.

Así, podemos ser fieles a la vida siendo fieles a nuestro propósito interno. A medida que logramos estar en el presente y plenamente conscientes de lo que hacemos, nuestros actos se cargan de poder espiritual. En un principio es probable que no notemos los cambios en *lo que* hacemos, solamente en el *cómo*. El propósito primario es entonces permitir que la conciencia fluya en lo que hacemos. El propósito secundario es aquello que deseamos lograr a través de lo que hacemos. Mientras que anteriormente la noción del propósito se asociaba con el futuro, ahora hay un propósito más profundo que solamente podemos hallar en el presente, negando el tiempo.

Cuando esté con otras personas, en el trabajo o en algún otro lugar, présteles toda su atención. Ya no estará allí principalmente como persona, sino como campo de conciencia, de Presencia despierta. El motivo original para relacionarse con la persona (comprar o vender algo, solicitar o proporcionar información, etcétera) pasa a ser secundario. El campo de conciencia que surge entre los dos se convierte en el propósito primario de la interacción. El espacio de conciencia adquiere mayor importancia que el tema de la conversación, más importancia que los objetos físicos o mentales. El *Ser* humano adquiere preeminencia sobre las cosas de este mundo. Esto no significa que haya que descuidar las cosas de la vida práctica. En realidad lo que sucede es que los quehaceres fluyen no solamente con mayor facilidad sino con mayor contundencia cuando reconocemos la dimensión del Ser concediéndole primacía. El afloramiento de ese campo unificador de la conciencia entre los seres humanos es el factor más esencial de las relaciones en la nueva tierra.

¿Es la noción del éxito apenas una ilusión del ego? ¿Cómo medir el verdadero éxito?

El mundo nos dice que el éxito consiste en conseguir aquello que nos proponemos. Nos dice que el éxito es triunfar, que lograr el reconocimiento y la prosperidad es un ingrediente esencial. Todo lo anterior no es otra cosa que un subproducto del éxito, pero no el éxito mismo. La noción convencional de este concepto se relaciona con los resultados de lo que hacemos. Hay quienes dicen que el éxito es producto de una mezcla de esfuerzo y suerte, o perseverancia y talento, o de estar en el sitio correcto en el momento justo. Si bien cualquiera de esas cosas pueden ser determinantes del éxito, no son su esencia. Lo que el mundo no nos dice (porque no lo sabe) es que no podemos *alcanzar* el éxito. Solamente podemos *tenerlo*. No podemos permitir que un mundo demente nos diga que hay otro éxito aparte de un buen momento presente. ¿Y eso qué quiere decir? Que hay un elemento de calidad en lo que hacemos, hasta en la actividad más insignificante. Calidad implica cuidado y atención, que vienen con la conciencia. Nuestra Presencia es requisito para la calidad.

Digamos que usted es empresario y al cabo de dos años de luchas y esfuerzos finalmente desarrolla un producto o servicio que se vende bien y produce utilidades. ¿Éxito? Sí, en términos convencionales. Pero la verdad es que fueron dos años de contaminar el cuerpo y la tierra con energía negativa, de mortificar a las personas a su alrededor y de afectar a muchas otras personas a quienes nunca conoció. El supuesto consciente sobre el cual se apoyó todo el esfuerzo fue que el éxito es un suceso futuro y que el fin justifica los medios. Pero el fin y los medios son uno solo. Y si los medios no contribuyen a la felicidad del ser humano, tampoco lo hará el fin. El resultado, el cual es inseparable de las actuaciones que condujeron a él ya está contaminado por esas actuaciones y, por ende, será fuente de más infelicidad. Ese es el karma que perpetúa la infelicidad.

Como usted ya lo sabe, su propósito externo o secundario está en la dimensión del tiempo, mientras que su propósito principal es inseparable del Ahora y, por tanto, exige negar el tiempo. ¿Cómo reconciliar ambas cosas? Reconociendo que todo el viaje de la vida consta en últimas del paso que se da en el momento presente. Lo único que hay siempre es este paso, de tal manera que es preciso prestarle toda la atención. Esto no significa que no deba saber hacia dónde se dirige sino que el paso de este momento es lo primario mientras que el destino es secundario. Y lo que encontramos al llegar a nuestro destino depende de la calidad de este paso. Otra forma de decirlo es la siguiente: lo que el futuro nos depara depende de nuestro estado de conciencia en el momento presente.

Éxito es cuando el hacer se impregna de la calidad atemporal del Ser. A menos que el Ser impregne lo que hacemos, a menos que estemos presentes, nos perderemos en cualquier cosa que hagamos. También nos perdemos en el pensamiento y en nuestras reacciones a lo que sucede externamente.

¿A qué se refiere exactamente cuando habla de que "nos perdemos"?

La conciencia es la esencia de lo que somos. Cuando la conciencia (usted) se identifica completamente con el pensamiento y olvida su naturaleza esencial, se pierde en el pensamiento. Cuando se identifica con las formaciones mentales y emocionales como los deseos y los temores (los motores primordiales del ego) se pierde en esas formaciones. La conciencia también se pierde cuando se identifica con los actos y las reacciones frente a las cosas. Así, todos los pensamientos, los deseos o temores, los actos y las reacciones se infunden con una sensación equivocada del ser y, por tanto, somos incapaces de sentir la dicha simple de Ser y buscamos el placer y hasta el sufrimiento a manera de reemplazo. Es vivir olvidados del Ser. En ese estado de olvido de lo que somos, los éxitos no son más que una ilusión pasajera. No tardamos en sentirnos infelices a pesar de los logros, o fijamos completamente nuestra atención en algún problema o dilema nuevo.

¿Cómo pasar del reconocimiento de mi propósito interno a descubrir lo que debo hacer en el plano externo?

El propósito externo varía enormemente de una persona a otra y nunca es duradero. Está sujeto al tiempo y termina cediendo su lugar a algún otro propósito. También varía significativamente la medida en que la dedicación al propósito interno de despertar modifica las circunstancias externas de nuestra vida. Algunas personas experimentan un rompimiento gradual o súbito con el pasado: su trabajo, su situación de vida, sus relaciones y todo lo demás sufre un cambio profundo. Ellas mismas podrían ser las iniciadoras de una parte del cambio, no a través de una serie de decisiones dolorosas sino de un reconocimiento súbito de lo que deben hacer. La decisión les llega lista, por así decirlo. Llega mediada por la conciencia, no por el pensamiento. La persona se despierta un buen día con la certeza de lo que debe hacer. Algunas personas abandonan de la noche a la mañana un ambiente de trabajo o una situación de vida demencial. Así, antes de descubrir lo correcto para usted a nivel externo, antes de descubrir aquello que funciona y que es compatible con el despertar de la conciencia, quizás tenga que descubrir aquello que no está bien o que ya no funciona o es incompatible con su propósito interno.

Es posible que lleguen otros tipos de cambios desde afuera. Un encuentro inesperado trae oportunidades nuevas y expansión para la vida. Se disuelve un obstáculo o un conflicto de vieja data. Sus amigos viven la misma clase de transformación interna o desaparecen de su vida. Algunas relaciones se disuelven mientras que otras se profundizan. Podría perder su empleo o convertirse en agente de cambio positivo en su lugar de trabajo. Podría disolverse su matrimonio o los dos podrían alcanzar un nivel más hondo de intimidad. Algunos cambios parecerán negativos a primera vista, pero no tardará en darse cuenta de que se está creando espacio en su vida para permitir el surgimiento de algo nuevo.

Podrá haber un período de inseguridad e incertidumbre. ¿Qué debo hacer? A medida que el ego deja de controlar su vida disminuye la necesidad psicológica de contar con la seguridad de las cosas externas e ilusorias. Puede vivir en medio de la incertidumbre y hasta disfrutarlo. Cuando acepte la incertidumbre se abrirán una infinidad de posibilidades. Significa que el temor dejará de dominar su vida y de impedirle tomar la iniciativa para propiciar el cambio. Tácito, el filósofo romano, anotó acertadamente que "el anhelo de la seguridad interfiere con todas las empresas grandes y nobles". Cuando no logramos aceptar la incertidumbre, se convierte en miedo. Cuando la incertidumbre es perfectamente aceptable, se traduce en mayor vivacidad, conciencia y creatividad.

Hace muchos años, un fuerte impulso interno me empujó a abandonar una carrera académica que el mundo habría calificado de "prometedora". Pasé a vivir en la incertidumbre total y de allí, después de varios años, emergió mi nueva encarnación como maestro espiritual. Tiempo después me sucedió algo parecido nuevamente. Me sentí impelido a abandonar mi hogar en Inglaterra para ir a vivir a la Costa Oeste de Norteamérica. Obedecí ese impulso aunque desconocía la razón. De ese nuevo paso hacia la incertidumbre brotó el libro *El poder del ahora*, la mayor parte del cual escribí estando en California y en Columbia Británica sin una casa propia. Prácticamente no tenía ingresos y vivía de mis ahorros, los cuales se esfumaban a gran velocidad. En realidad, todo encajó perfectamente. Se me agotó el dinero justo cuando estaba a punto de culminar el libro. Compré un billete de lotería y gané $1.000 dólares con los cuales pude subsistir un mes más.

Pero no todo el mundo debe pasar por cambios drásticos en sus circunstancias externas, en el otro extremo del espectro están las personas que permanecen exactamente donde están y continúan haciendo lo mismo de siempre. En su caso, es el *cómo* el que cambia, no el *qué*. No es cuestión de inercia. Lo que sucede es que su actividad ya es el vehículo perfecto para traer la conciencia a este mundo y no necesitan de ningún otro. También ellas contribuyen a la manifestación de la nueva tierra.

¿No debería sucederle esto a todo el mundo? Si cumplir con el propósito interno equivale a estar en unión con el momento presente, ¿por qué querría alguien abandonar su trabajo o su situación de vida actual?

Estar en unión con lo que *es* no implica no ser motor de cambio o ser incapaz de tomar la iniciativa. Lo que sucede es que la motivación para actuar proviene de un nivel más profundo y no de los deseos o los temores del ego. La consonancia interna con el momento presente abre la conciencia y nos pone en armonía con el todo, del cual el momento presente es parte integral. Entonces, el todo, o la totalidad de la vida, actúa a través de nosotros.

¿A qué se refiere cuando habla del todo?

Por una parte, el todo comprende todo aquello que existe, es el mundo o el cosmos. Pero todo aquello que existe, desde los microbios hasta los seres humanos y las galaxias, forma una red de procesos multidimensionales conectados y no es una serie de cosas o entidades independientes.

Son dos las razones por las cuales no percibimos esta unidad y consideramos que todas las cosas son independientes. Una es la percepción, la cual reduce la realidad a lo que nos es accesible a través de nuestros pocos sentidos: lo que vemos, oímos, olemos, saboreamos y palpamos. Pero cuando percibimos sin interpretar ni adjuntar rótulos mentales, es decir, sin agregar pensamiento a nuestras percepciones, podemos sentir una conexión más profunda detrás de nuestra percepción de la separación.

La otra razón más seria por la cual vivimos en la ilusión de la separación es el pensamiento compulsivo. Es cuando permanecemos atrapados en el torrente incesante de pensamientos compulsivos que el universo realmente se aparta de nosotros y perdemos la capacidad de sentir la conexión entre todo lo que existe. El pensamiento fragmenta la realidad en pedazos inertes. Esa visión de la realidad da paso a unas actuaciones supremamente destructivas y carentes de inteligencia.

Sin embargo, más allá de la interconexión entre todo lo que existe hay un nivel más profundo. En ese nivel del todo, todas las cosas son una. Es la Fuente, la única Vida inmanifiesta. Es la inteligencia eterna que se manifiesta a través del desenvolvimiento del universo en el tiempo.

El todo está hecho de existencia y Ser, lo manifiesto y lo inmanifiesto, el mundo y Dios. Así, cuando entramos en armonía con el todo, nos convertimos en una parte consciente de la red del todo y de su propósito: el surgimiento de la conciencia en el mundo. El resultado es que comienzan a ocurrir con frecuencia las casualidades propicias, los encuentros fortuitos, las coincidencias y los sucesos sincronizados. Carl Jung describió la sincronicidad como "un principio unificador acausal". Esto significa que no hay una conexión causal entre los sucesos sincronizados en el plano superficial de nuestra realidad. Es una manifestación externa de una inteligencia subyacente al mundo de las apariencias y una conexión más profunda incomprensible para la mente. Pero podemos ser partícipes conscientes del desenvolvimiento de esa inteligencia, del florecimiento de la conciencia.

La naturaleza existe en estado de unicidad inconsciente con el todo. Es, por ejemplo, la razón por la cual prácticamente ningún animal salvaje pereció en el desastre del tsunami del año 2004. Al estar en contacto más estrecho con la totalidad que los seres humanos, pudieron presentir la llegada del tsunami mucho antes de que se lo pudiera ver u oír, de manera que tuvieron tiempo para refugiarse en terrenos elevados. Quizás hasta esta afirmación sea producto de nuestro punto de vista humano. Quizás sencillamente avanzaron hacia las zonas más altas sin ninguna motivación deliberada. Hacer *esto* o *aquello* es parte de la forma como la mente fragmenta la realidad, mientras que la naturaleza sencillamente vive en unicidad inconsciente con el todo. Nuestro propósito y destino es traer a este mundo una nueva dimensión permaneciendo en unicidad consciente con la totalidad y en armonía consciente con la inteligencia universal.

¿Puede el todo utilizar a la mente humana para crear cosas o para producir situaciones que estén en armonía con su propósito?

Sí, cada vez que hay inspiración, palabra que significa "en espíritu", y cada vez que hay entusiasmo, palabra que significa "en Dios", se desata un poder creador que va mucho más allá de lo que una simple persona puede hacer.

CAPÍTULO DIEZ

UNA NUEVA TIERRA

Los astrónomos han descubierto evidencia que parece indicar que el universo comenzó a existir hace quince mil millones de años, nacido de una explosión gigantesca, y que se ha venido expandiendo desde entonces. No solamente se ha estado expandiendo sino que su complejidad y su diferenciación han ido aumentando cada vez más. Algunos científicos también postulan que este movimiento desde la unicidad hasta la multiplicidad dará marcha atrás con el tiempo. Entonces cesará la expansión y el universo comenzará a contraerse nuevamente para volver a lo inmanifiesto a la nada inconcebible de la cual se originó, y quizás repita los ciclos de nacimiento, expansión, contracción y muerte una y otra vez. ¿Con qué fin? "¿Por qué molestarse el universo en existir?" pregunta el físico Stephen Hawking, reconociendo al mismo tiempo que no hay modelo matemático alguno que pueda dar la respuesta.

Sin embargo, si miramos hacia el interior en lugar del exterior únicamente, descubrimos que tenemos un propósito interno y otro externo, y puesto que somos un reflejo microcósmico del macrocosmos, debemos concluir que el universo también tiene un propósito interno y otro externo inseparables de los nuestros. El propósito externo del universo es crear la forma y experimentar la interacción de las formas (el juego, el sueño, el drama, o como queramos llamarlo). Su propósito interno es despertar a su esencia informe. Después viene la reconciliación entre ambos propósitos: traer la esencia (la conciencia) al mundo de la forma y, por ende, transformar el mundo. El propósito último de esa transformación está más allá de la imaginación o la comprensión de la mente humana. Y, no obstante, esa transformación es la tarea que se nos ha asignado en este momento en este planeta. Es la reconciliación del propósito externo y el interno, la reconciliación entre Dios y el mundo.

Antes de examinar la relevancia de la expansión y la contracción del universo para nuestra propia vida, debemos tener presente que nada de lo que digamos sobre la naturaleza del universo debe tomarse como verdad absoluta. El infinito no puede explicarse a base de fórmulas matemáticas o de conceptos. Ningún pensamiento puede encapsular la inmensidad de la totalidad. Aunque la realidad es un todo unificado, el pensamiento la corta en fragmentos. Esto da lugar a los errores fundamentales de la percepción, por ejemplo, que hay cosas y sucesos independientes, o que *esto* es la causa de *aquello*. Todo pensamiento implica un punto de vista, y todo punto de vista, por su naturaleza, implica limitación, lo cual significa en últimas que no es verdad, o por lo menos no en términos absolutos. Solamente el todo es verdad, pero el todo no puede verbalizarse ni pensarse. Visto más allá de las limitaciones del pensamiento y, por tanto, incomprensible para la mente humana, todo sucede en el ahora. Todo lo que ha sido o será es el ahora y está por fuera del tiempo, que es una construcción mental.

Para ilustrar lo relativo y lo absoluto, tomemos como ejemplo el alba y el ocaso. Cuando decimos que el sol sale por la mañana y se oculta por la tarde, estamos diciendo una verdad relativa. En términos absolutos, es falso. Es solamente desde la perspectiva limitada de un observador que esté en la superficie de la Tierra que se puede afirmar que el sol sale y se oculta. Si estuviéramos lejos en el espacio, veríamos que el sol no sale ni se oculta, sino que brilla continuamente. Sin embargo, aún sabiendo ese hecho, podemos seguir hablando del alba y el ocaso, apreciar su belleza, pintarlos, escribir poemas sobre ellos, a pesar de saber que es una verdad relativa y no absoluta.

Entonces, sigamos refiriéndonos por un momento a otra verdad relativa: la manifestación del universo a través de la forma y su retorno a lo informe, lo cual implica la perspectiva limitada del tiempo, y veamos su relevancia para nuestra propia vida. Claro está que la noción de "nuestra propia vida" es otro punto de vista limitado producto del pensamiento, otra verdad relativa. En últimas, "nuestra propia vida" no existe, puesto que nosotros y la vida no somos dos sino uno.

UNA BREVE HISTORIA SOBRE NUESTRA VIDA

La manifestación del mundo lo mismo que su retorno a lo inmanifiesto, su expansión y contracción, son dos movimientos universales que podríamos considerar como el abandono del hogar y el regreso a él. Estos dos movimientos se reflejan en todo el universo de muchas maneras, por ejemplo la expansión y la contracción incesantes del corazón y la inhalación y exhalación de la respiración. También se reflejan en los ciclos de sueño y vigilia. Todas las noches, sin saberlo, regresamos a la Fuente inmanifiesta de toda la vida cuando entramos en la etapa de sueño profundo donde no soñamos, y emergemos nuevamente renovados en la mañana.

Estos dos movimientos, la salida y el regreso, se reflejan también en los ciclos de vida de cada persona. Sin saber cómo ni cuándo aparecemos en este mundo. Después del nacimiento viene la expansión. No solamente crecemos físicamente sino también en conocimiento, actividades, posesiones y experiencias. Nuestra esfera de influencia se expande y la vida se torna cada vez más compleja. Es la etapa en la cual nuestro interés primordial es hallar y perseguir nuestro propósito externo. Por lo general hay un crecimiento concomitante del ego, es decir, la identificación con todas las cosas anteriores, de tal manera que se acrecienta la definición de nuestra identidad con la forma. También es la época en la cual el ego tiende a adueñarse del propósito externo (el crecimiento) y el ego, a diferencia de la naturaleza, no sabe cuándo parar en su búsqueda de la expansión y tiene un apetito voraz por *más*.

Y entonces, justo cuando pensábamos haber logrado nuestro cometido o que pertenecíamos a este mundo, se inicia el movimiento de retorno. Quizás comiencen a morir las personas que nos rodean, las personas que formaron parte de nuestro mundo. Entonces se debilita nuestra forma física y se contrae nuestra esfera de influencia. En lugar de ser más, nos volvemos menos, y el ego reacciona ante esa situación cada vez más con mayor angustia y depresión. Nuestro mundo comienza a contraerse y descubrimos que ya no lo controlamos. En lugar de actuar en la vida, la vida actúa sobre nosotros reduciendo gradualmente nuestro mundo. La conciencia que se identificó con la forma experimenta el ocaso, la disolución de la forma. Y entonces, un día, también desaparecemos. Nuestro sillón está todavía allí, pero en lugar de estar sentados en él, no es más que un espacio vacío. Regresamos al sitio de donde salimos apenas unos cuantos años atrás.

La vida de cada persona (todas las formas de vida en realidad) representa un mundo, una forma única en la que el universo se experimenta a sí mismo. Y cuando nuestra forma se disuelve se acaba un mundo, uno entre un sinnúmero de mundos.

EL DESPERTAR Y EL MOVIMIENTO DE RETORNO

El movimiento de retorno en la vida de una persona, el debilitamiento o la disolución de la forma, ya sea a causa de la edad, la enfermedad, la incapacidad o alguna otra forma de tragedia personal, encierran un enorme potencial para el despertar espiritual: suspender la identificación con la forma. Puesto que es tan escasa la verdad espiritual en nuestra cultura contemporánea, no muchas personas ven en el movimiento de retorno una oportunidad, de manera que cuando sobreviene o le sucede a alguien cercano, piensan que se trata de algo espantoso que no debería estar sucediendo.

En nuestra civilización hay una enorme ignorancia sobre la condición humana y, mientras mayor es la ignorancia respecto de las cosas espirituales, mayor es el sufrimiento. Para muchas personas, especialmente en Occidente, la muerte no es más que un concepto abstracto, de tal manera que no tienen la menor idea de lo que le sucede a la forma humana cuando se aproxima a la disolución. A la mayoría de las personas decrépitas y ancianas se las encierra en instituciones. Los cadáveres, los cuales, en algunas culturas se exponen para que todo el mundo los vea, se ocultan de la vista. Basta con intentar ver un cadáver para descubrir que es prácticamente ilegal, salvo si el muerto es un familiar cercano. En las funerarias hasta maquillan el rostro del cadáver. Lo único que se nos permite ver es una imagen higienizada de la muerte.

Puesto que la muerte es solamente un concepto abstracto, la mayoría de las personas no están en absoluto preparadas para la disolución de la forma que les espera. Cuando se aproxima produce espanto, incomprensión, desesperación y un miedo enorme. Ya nada tiene sentido porque todo el significado y el propósito de la vida estaban asociados con la acumulación, el éxito, la construcción, la protección y la gratificación. La vida se asociaba con el movimiento de expansión y la identificación con la forma, es decir, el ego. La mayoría de las personas no conciben que tenga significado alguno el hecho de que su vida y su mundo se estén derrumbando. Y, sin embargo, allí hay un significado todavía más profundo que en el movimiento de expansión.

Era precisamente a través de la llegada de la vejez, de una pérdida o de una tragedia personal que tradicionalmente solía aparecer la dimensión espiritual en la vida de una persona. Es decir, el propósito interno emergía solamente cuando el propósito exterior se desmoronaba y se quebraba el cascarón externo del ego. Esos sucesos representan el comienzo del movimiento hacia la disolución de la forma. La mayoría de las culturas antiguas seguramente comprendían intuitivamente este proceso, razón por la cual reverenciaban y respetaban a los ancianos. Eran los depositarios de la sabiduría y representaban la dimensión de la profundidad sin la cual ninguna civilización puede sobrevivir durante mucho tiempo. En nuestra civilización, que está totalmente identificada con lo externo y desconoce la dimensión interna del espíritu, la palabra "anciano" tiene muchas connotaciones negativas. Es una ofensa decir que una persona es vieja. Para evitar la palabra, usamos eufemismos como "personas mayores" o de la "tercera edad". La figura de la "abuela" entre los pueblos indígenas posee una gran dignidad. La "abuelita" de hoy es, cuando más, graciosa. ¿Por qué se considera inútiles a los ancianos? Porque en la ancianidad, el énfasis ya no está en el hacer sino en el Ser y nuestra civilización, perdida en el hacer, no sabe nada sobre el Ser. Pregunta: ¿Ser? ¿Para qué sirve?

En algunas personas, el inicio aparentemente prematuro del movimiento de retorno, la disolución de la forma, parece perturbar severamente el movimiento de crecimiento expansivo. En algunos casos, es una perturbación transitoria mientras que en otros es permanente. Pensamos que un niño no tiene por qué enfrentar la muerte, pero el hecho es que algunos niños deben enfrentarse a la muerte de uno de sus padres o de ambos por enfermedad o accidente, o hasta la posibilidad de su propia muerte. Algunos niños nacen con una incapacidad que limita severamente la expansión natural de su vida. O una limitación severa se presenta en la vida a una edad relativamente temprana.

Esa perturbación del movimiento expansivo en un momento en el cual no "tendría porqué estar sucediendo" también encierra el potencial de generar el despertar espiritual. En últimas, las cosas que deben suceder, suceden; lo que quiere decir que no hay nada de lo que sucede que no sea parte del gran todo y de su propósito. Así, la perturbación o la destrucción del propósito externo puede ser el camino para hallar el propósito interno y para el florecimiento de un nuevo propósito externo en consonancia con el interno. Los niños que han sufrido mucho por lo general se convierten en jóvenes muy maduros para su edad.

Lo que se pierde en el nivel de la forma se gana en el nivel de la esencia. En la figura tradicional del "clarividente ciego" o del "sanador herido" de las culturas y las leyendas antiguas, una gran pérdida o incapacidad en el nivel de la forma se convierte en la puerta hacia el espíritu. Después de experimentar directamente la naturaleza inestable de todas las formas es muy probable que nunca más les atribuyamos un valor excesivo y tampoco que nos perdamos buscándolas a ciegas o en nuestro apego a ellas.

La disolución de la forma y la ancianidad en particular representan una oportunidad que apenas comienza a reconocerse en nuestra cultura contemporánea. Desafortunadamente, la mayoría de las personas dejan pasar la oportunidad porque el ego se identifica con el movimiento de retorno de la misma manera que se identificó con el movimiento de expansión. Esto hace que el cascarón del ego se endurezca y se encoja en lugar de abrirse. Entonces, el ego disminuido pasa el resto de sus días lamentándose o quejándose, atrapado en el miedo o la ira, la autocompasión, la culpa u otros estados mentales y emocionales negativos, o recurriendo a estrategias evasivas como apegarse a los recuerdos, y pensar y hablar sobre el pasado.

Cuando el ego deja de identificarse con el movimiento de retorno, la vejez o la cercanía de la muerte se convierte en lo que debe ser: una puerta hacia la dimensión del espíritu. He conocido ancianos que eran verdaderas encarnaciones de ese proceso. Irradiaban luz, su forma debilitada había adquirido traslucidez para dar paso a la luz de la conciencia.

En la nueva tierra, la vejez será reconocida universalmente y valorada como la etapa para el florecimiento de la conciencia. Para quienes se encuentren perdidos todavía en las circunstancias externas de la vida, será una etapa para regresar tardíamente a su hogar cuando despierten a su propósito interno. Para muchas otras personas, representará la intensificación y la culminación del proceso de despertar.

EL DESPERTAR Y EL MOVIMIENTO DE EXPANSIÓN

Tradicionalmente, el ego ha usurpado y utilizado para sus propios fines el crecimiento natural de la vida que viene con el movimiento de expansión. "Mira lo que *yo* sé hacer, apuesto a que tú no puedes hacerlo", le dice un niño a otro cuando descubre la creciente fuerza y destreza de su cuerpo. Se trata de uno de los primeros intentos del ego por destacarse identificándose con el movimiento expansivo y el concepto de ser "más que los demás", y fortalecerse disminuyendo a los demás. Claro está que es solamente el comienzo de la larga serie de percepciones erróneas del ego.

Sin embargo, a medida que se acrecienta la conciencia y el ego pierde el control sobre la vida, no es necesario esperar para que el mundo se contraiga o se derrumbe a causa de la vejez o de la tragedia personal a fin de despertar al propósito interno. A medida que emerge la nueva conciencia en el planeta es cada vez más grande el número de personas que no necesitan un sacudón doloroso para despertar. Se acogen voluntariamente al proceso de despertar mientras continúan activas en su ciclo de crecimiento y expansión. Cuando el ego pierde su posición de usurpador en ese ciclo, la dimensión espiritual se manifiesta en el mundo a través del movimiento expansivo (el pensamiento, las palabras, las obras, la creación) con tanta intensidad como lo hace en el movimiento de retorno (la quietud, el Ser y la disolución de la forma).

Hasta ahora, el ego ha distorsionado y utilizado equivocadamente la inteligencia humana, la cual es apenas un aspecto minúsculo de la inteligencia universal. Es lo que denomino "la inteligencia al servicio de la locura". Se necesita una inteligencia superior para dividir el átomo. Usar esa inteligencia para construir y acumular bombas atómicas es demencia o, en el mejor de los casos, lo menos inteligente que hay. La estupidez es relativamente inofensiva, pero la estupidez inteligente es altamente peligrosa. Esta estupidez inteligente, de la cual encontramos un sinnúmero de ejemplos obvios, amenaza la supervivencia de nuestra especie.

Sin el impedimento de la disfunción del ego, nuestra inteligencia entra en alineación perfecta con el ciclo expansivo de la inteligencia universal y su ímpetu creador. Nos hacemos partícipes conscientes de la creación de la forma. No somos nosotros los creadores sino los vehículos de la inteligencia universal. No nos identificamos con aquello que creamos, de manera que no nos perdemos en lo que hacemos. Aprendemos que en el acto de la creación interviene una energía de la más alta intensidad, pero que no genera tensiones ni representa un "arduo esfuerzo". Debemos comprender la diferencia entre la tensión y la intensidad, como veremos más adelante. La lucha o la tensión es señal de que el ego ha regresado, como lo son también las reacciones negativas frente a los obstáculos.

La fuerza que impulsa los deseos del ego crea "enemigos", es decir, unas reacciones que se manifiestan en fuerzas opuestas de igual intensidad. Mientras más fuerte es el ego, mayor es el sentido de separación con respecto a los demás. Las únicas actuaciones que no provocan reacciones opuestas son las encaminadas a lograr el bien colectivo. Son incluyentes en lugar de excluyentes. Unen en lugar de separar. No son por "mi" país sino por toda la humanidad, ni por "mi" religión sino por el surgimiento de la conciencia de todos los seres humanos, no por "mi" especie, sino por todos los seres vivos y toda la naturaleza.

También estamos aprendiendo que la acción, si bien es necesaria, es solamente un factor secundario a la hora de manifestar nuestra realidad externa. El factor primordial de la creación es la conciencia. Por muy activos que seamos, por muchos esfuerzos que realicemos, es el estado de conciencia el que crea nuestro mundo y si no hay un cambio en ese nivel interno, nada lograremos por mucho que hagamos. Solamente crearemos versiones modificadas del mismo mundo una y otra vez, un mundo que sería el reflejo externo del ego.

LA CONCIENCIA

La conciencia ya es consciente. Es lo que no se manifiesta, lo eterno. Sin embargo, el universo adquiere conciencia apenas gradualmente. La conciencia misma es atemporal y, por tanto, no evoluciona. No tuvo principio ni tendrá fin. Cuando la conciencia se manifiesta a través del universo, parece sujeta al tiempo y al proceso evolutivo. La mente humana es incapaz de comprender a cabalidad la razón de este proceso, pero podemos vislumbrarlo en nuestro interior y hacernos partícipes conscientes del mismo.

La conciencia es la inteligencia, el principio organizador que está detrás de la manifestación de la forma. La conciencia ha venido preparando las formas durante millones de años a fin de poder expresarse a través de ellas en el universo manifiesto.

Si bien podríamos decir que el plano de la conciencia pura inmanifiesta es otra dimensión, no está separada de esta dimensión de la forma. La forma y lo informe están entretejidos. Lo inmanifiesto fluye hacia esta dimensión en forma de conciencia, espacio interno, Presencia. ¿Cómo lo hace? A través de la forma humana que toma conciencia y cumple así con su destino. Fue para este propósito elevado que se creó la forma humana, y millones de formas distintas que la antecedieron abonaron el camino para ella.

La conciencia se encarna en la dimensión de lo manifiesto, es decir, se hace forma. Al hacerlo entra en una especie de estado de ensoñación. La inteligencia permanece, pero la conciencia pierde conciencia de sí misma. Se pierde en la forma y se identifica con las formas. Podría decirse que es el descenso de la divinidad a la materia. En esa etapa de evolución del universo, la totalidad del movimiento expansivo ocurre en ese estado de ensoñación. Vislumbramos el despertar solamente en el momento de la disolución de una forma individual, es decir, en el momento de la muerte. Y entonces comienza la siguiente encarnación, la siguiente identificación con la forma, el siguiente sueño individual, el cual forma parte del sueño colectivo. Cuando el león desgarra el cuerpo de una cebra, la conciencia encarnada en la forma de la cebra se desprende de la forma que está en proceso de disolución y, durante un instante despierta a su naturaleza esencial de conciencia inmortal. Entonces cae nuevamente en el sueño y encarna en otra forma. Cuando el león envejece y es incapaz de cazar, en el momento de su última exhalación se producen nuevamente los destellos breves del despertar, seguidos de otro sueño en la forma.

En nuestro planeta, el ego humano representa la etapa final del sueño universal, de la identificación de la conciencia con la forma. Era una etapa necesaria de la evolución de la conciencia.

El cerebro humano es una forma altamente diferenciada a través de la cual la conciencia entra en esta dimensión. Contiene cerca de cien mil millones de células nerviosas o neuronas, más o menos equivalentes al mismo número de estrellas de nuestra galaxia, las cuales podrían considerarse como el cerebro del macrocosmos. El cerebro no es el creador de la conciencia; la conciencia creó el cerebro, la forma física más compleja de la tierra, con el propósito de expresarse. Cuando el cerebro se daña, no quiere decir que se pierda la conciencia sino que ésta ya no puede utilizarlo para penetrar en esta dimensión. No podemos perder la conciencia porque es nuestra esencia. Solamente podemos perder lo que tenemos, más no lo que somos.

EL QUEHACER DESPIERTO

El quehacer despierto es el aspecto externo de la nueva etapa de la evolución de la conciencia en nuestro planeta. Mientras más nos acercamos al final de nuestra actual etapa de evolución, más disfuncional se torna el ego, lo mismo que se vuelve disfuncional la oruga antes de convertirse en mariposa. Pero la conciencia nueva ha comenzado a surgir al mismo tiempo que la vieja se disuelve.

Nos encontramos en medio de un acontecimiento extraordinario en la evolución de la conciencia humana, pero no uno del cual se hablará en las noticias. En nuestro planeta y quizás en muchos otros lugares de nuestra galaxia y del resto del universo, la conciencia comienza a despertar de su ensoñación en la forma. Eso no significa que todas las formas (el mundo) hayan de disolverse, aunque bastantes seguramente lo harán. Significa que la conciencia podrá comenzar a crear formas sin perderse en ellas. Podrá permanecer consciente mientras crea y experimenta la forma. ¿Y por qué continuar creando y experimentando la forma? Para gozar de ella. ¿Y cómo lo hace? A través de seres humanos despiertos que habrán aprendido el significado del quehacer en el estado despierto.

Hacer en el estado despierto es lograr la consonancia entre el propósito externo (lo que hacemos) y el propósito interno (despertar y permanecer despiertos). Al hacer estando despiertos nos unimos al propósito expansivo del universo. La conciencia fluye hacia este mundo a través de nosotros. Fluye hacia nuestra mente e inspira nuestro pensamiento. Fluye hacia lo que hacemos imprimiéndole poder y dirección.

La realización de nuestro destino no depende de *aquello* que hacemos sino de *cómo* lo hacemos. Y nuestro estado de conciencia determina la forma como hacemos lo que hacemos.

Nuestras prioridades se invierten cuando el hacer, o la corriente de conciencia que fluye hacia lo que hacemos, se convierte en el propósito principal de nuestro quehacer. La corriente de conciencia es la que determina la calidad. En otras palabras, la conciencia es el factor primordial en todas las situaciones y en todo lo que hacemos; la situación es secundaria. El éxito "futuro" depende de la conciencia de la cual emanan los actos y es inseparable de ella. Puede ser, o bien la fuerza reactiva del ego, o bien la atención alerta de la conciencia despierta. Toda acción verdaderamente exitosa proviene del campo de la atención presente, en lugar del ego y del pensamiento condicionado e inconsciente.

LAS TRES MODALIDADES DEL QUEHACER DESPIERTO

La conciencia puede fluir de tres maneras hacia lo que hacemos y, por ende, hacia el mundo a través de nosotros. Son tres modalidades para alinear la vida con el poder creador del universo. La modalidad se refiere a la frecuencia energética subyacente que fluye hacia lo que hacemos y conecta nuestros actos con la conciencia despierta que comienza a emerger en el mundo. Todo lo que hagamos será disfuncional y producto del ego a menos que emane de una de estas tres modalidades, las cuales pueden fluctuar durante el transcurso del día, aunque una de ellas podrá dominar durante una cierta etapa de la vida. Cada modalidad es apropiada para determinadas situaciones.

Las modalidades del quehacer despierto son la aceptación, el gozo y el entusiasmo. Cada una representa una cierta frecuencia de vibración de la conciencia. Es necesario estar alertas a fin de cerciorarnos de que alguna de ellas esté operando siempre que estemos enfrascados en alguna actividad, desde la tarea más sencilla hasta la más compleja. Cuando no estamos en estado de aceptación, gozo o entusiasmo, al mirar atentamente descubrimos que estamos creando sufrimiento para nosotros mismos y para los demás.

LA ACEPTACIÓN

Si hay algo que no podamos disfrutar, por lo menos podemos aceptarlo como aquello que debemos hacer. Aceptar significa reconocer que, por ahora, esto es lo que esta situación y este momento me exigen, de manera que lo hago con buena disposición. Ya nos referimos anteriormente a la importancia de aceptar internamente lo que *sucede,* y aceptar lo que debemos *hacer* es otro aspecto de lo mismo. Por ejemplo, quizás no podamos disfrutar de cambiar una llanta pinchada en la mitad de la nada y bajo una lluvia torrencial y mucho menos sentir entusiasmo al hacerlo, pero podemos infundir aceptación a la labor. Realizar una acción en estado de aceptación significa estar en paz mientras la realizamos. Esa paz es una vibración sutil de energía que penetra en lo que hacemos. A primera vista, la aceptación parecería sinónimo de pasividad, pero en realidad es activa y creadora porque trae algo completamente nuevo a este mundo. Esa paz, esa vibración sutil de energía es la conciencia, y una de las maneras de manifestarse en este mundo es a través de la entrega, uno de cuyos aspectos es la aceptación.

Si no puede aceptar ni disfrutar lo que hace, deténgase. De lo contrario, no estará asumiendo responsabilidad por lo único sobre lo cual puede asumirla y que, dicho sea de paso, es lo único que importa: su estado de conciencia. Y si no asume responsabilidad por su estado de conciencia, no estará asumiendo la responsabilidad por la vida.

EL GOZO

La paz que llega con la entrega se convierte en una sensación de vivacidad cuando disfrutamos realmente lo que hacemos. El gozo es la segunda modalidad del quehacer despierto. En la nueva tierra, el gozo reemplazará al deseo como fuerza motriz de las actuaciones del ser humano. El deseo proviene de la ilusión del ego de ser un fragmento separado del poder de la creación. A través del gozo nos conectamos con el poder creador.

Cuando el presente, y no el pasado o el futuro, se convierte en el punto focal de la vida, nuestra capacidad para disfrutar lo que hacemos aumenta drásticamente. La alegría es el aspecto dinámico del Ser. Cuando el poder creador del universo toma conciencia de sí mismo, se manifiesta en forma de alegría. No es necesario esperar a que algo "importante" suceda en la vida para poder disfrutar finalmente de lo que hacemos. Hay más importancia en la alegría de la que podríamos necesitar. El síndrome de "esperar para comenzar a vivir" es uno de los engaños más comunes del estado de inconciencia. Es mucho más probable que la expansión y el cambio positivo se manifiesten en el plano externo de la vida cuando disfrutamos de lo que hacemos en el momento, en lugar de esperar a que se produzca un cambio para poder comenzar a gozar. No le pida a su mente autorización para gozar de lo que hace. Lo único que recibirá serán miles de razones para no disfrutar. "Ahora no" dirá la mente. "¿No ves que estoy ocupada? No hay tiempo. Quizás mañana puedas comenzar a gozar…". Ese mañana no llegará nunca a menos que comience a disfrutar lo que hace en este momento.

Cuando decimos que disfrutamos haciendo esto o aquello realmente estamos cayendo en una percepción equivocada. Hace parecer que derivamos alegría de lo que hacemos cuando en realidad no es así. La alegría no emana de lo que hacemos, sino que fluye hacia lo que hacemos y se manifiesta en el mundo desde las profundidades de nuestro ser. La idea errónea de que la alegría viene de lo que hacemos es normal, pero también peligrosa porque crea la noción de que la alegría es algo que puede derivarse de alguna otra cosa, como una actividad o una cosa. Entonces esperamos que el mundo nos brinde alegría y felicidad cuando en realidad no puede hacerlo. Es por eso que muchas personas viven en un estado permanente de frustración. El mundo no les brinda lo que creen necesitar.

¿Entonces cuál es la relación entre algo que hacemos y el estado de alegría? Que disfrutamos cualquier actividad en la cual estemos totalmente presentes, cualquier actividad que no sea solamente un medio para alcanzar una finalidad. No es la acción realizada la que disfrutamos realmente sino la sensación profunda vivacidad de la cual se impregna la actividad. Esto significa que cuando disfrutamos haciendo algo, realmente experimentamos la alegría del Ser en su aspecto dinámico. Es por eso que todo aquello que disfrutamos nos conecta con el poder que está detrás de toda la creación.

La siguiente es una práctica espiritual que imprimirá poder y expansión creadora a su vida. Haga una lista de varias de sus actividades de todos los días. Incluya actividades que considere aburridas, irritantes, tediosas, intrascendentes o que le produzcan tensión. Pero no incluya aquello que deteste hacer puesto que se trata de algo que debería aceptar o sencillamente dejar de hacer. En la lista puede haber cosas como trasladarse hacia y desde el trabajo, comprar los víveres, lavar la ropa, o cualquier cosa que le parezca tediosa o molesta. Después siempre que esté realizando esas actividades, permita que se conviertan en un vehículo para estar presente. Manténgase en estado de alerta y tome conciencia de la quietud despierta y consciente que le sirve de telón de fondo a la actividad. Pronto descubrirá que todo lo que haga en un estado de alerta se convierte en fuente de gozo en lugar de irritación, tedio o tensión. Para ser más exacto, lo que disfruta no es la acción externa sino la dimensión interna de la conciencia de la cual se impregna la acción. Eso es encontrar la alegría del Ser en el hacer. Si siente que su vida no tiene significado o que es demasiado tediosa y llena de tensiones, es porque no ha traído esa dimensión a su vida todavía. Tomar conciencia de la acción no es todavía su principal objetivo.

La nueva tierra se manifiesta a medida que crece el número de personas que descubren que el principal propósito de la vida es traer la luz de la conciencia a este mundo y utilizar su actividad, cualquiera que sea, como vehículo para hacerlo.

La alegría de Ser es la alegría de estar conscientes.

La conciencia despierta toma entonces las riendas y se encarga de dirigir la vida, desplazando al ego. Entonces descubrimos que aquello que veníamos haciendo desde tiempo atrás comienza a expandirse de manera natural para convertirse en algo mucho mayor, al impregnarse del poder de la conciencia.

Algunas de las personas que enriquecen la vida de muchas otras simplemente a través de su acción creadora sencillamente hacen lo que más disfrutan sin querer nada para sí mismas como consecuencia de esa actividad. Pueden ser músicos, artistas, escritores, científicos, maestros, constructores, o pueden traer al plano de la manifestación nuevas estructuras sociales o empresariales (empresas iluminadas). Algunas veces, su radio de influencia permanece reducido durante algunos años y después, súbita o gradualmente, una ola de poder creador baña lo que hacen y su actividad se expande más allá de lo que pudieron imaginar y toca a un sinnúmero de personas. Además del gozo se suma a su actividad una intensidad que trae consigo una creatividad muy superior a la que podría lograr un ser humano común y corriente.

Pero no hay que permitir que se suba a la cabeza porque es allí donde puede estar oculto un remanente del ego. La persona sigue siendo un ser humano corriente. Lo extraordinario es lo que llega al mundo a través de ella. Pero esa esencia es compartida con todos los seres. Hafiz, el poeta persa y maestro sufi del siglo catorce, expresó bellamente esta verdad: "Soy el agujero de la flauta por la cual se desliza el aliento de Cristo. Oíd su música".[1]

EL ENTUSIASMO

Más adelante hay otra forma como la manifestación creadora puede llegarles a quienes permanecen fieles a su propósito interno de despertar. Un buen día reconocen con toda claridad su propósito externo. Tienen una visión grande, una meta y, a partir de ese momento, dedican todo su esfuerzo a esa meta. Generalmente, esa meta o visión está conectada de alguna manera con alguna actividad de la cual gozan enormemente y que ya están realizando en menor escala. Es aquí donde emerge la tercera modalidad del quehacer despierto: el entusiasmo.

Entusiasmo significa gozar profundamente lo que se hace, además de tener el elemento de la visión o la meta que se persigue. Cuando le sumamos una meta al placer de lo que hacemos, cambia la frecuencia en la cual vibra el campo de energía. Se agrega un cierto grado de tensión estructural, como podríamos llamarla, de tal manera que el gozo se convierte en entusiasmo. En el punto culminante de la actividad creadora impulsada por el entusiasmo hay una cantidad enorme de energía e intensidad. La sensación es la de una flecha en trayectoria directa hacia el blanco, y que disfruta su viaje.

Un observador podría decir que la persona está bajo estrés, pero la intensidad del entusiasmo no tiene nada que ver con él. El estrés se produce cuando el deseo de llegar a la meta es superior al deseo de hacer lo que hacemos. Se pierde el equilibrio entre el goce y la tensión estructural, y esta última se impone. El estrés por lo general es señal de que el ego ha regresado y de que nos estamos desconectando del poder creador del universo. Lo que queda es el impulso y el esfuerzo del ego que busca satisfacer su deseo, de tal manera que es preciso luchar y "trabajar arduamente" para lograr la meta. El estrés siempre disminuye tanto la calidad como la eficacia de lo que hacemos bajo su influencia. También hay un vínculo estrecho entre el estrés y las emociones negativas tales como la angustia y la ira. El estrés es tóxico para el cuerpo y ya hay evidencia de que es una de las causas principales de las enfermedades degenerativas como el cáncer y la cardiopatía.

A diferencia del estrés, el entusiasmo vibra en una frecuencia elevada, de tal manera que resuena con el poder creador del universo. Ralph Waldo Emerson lo reconoció cuando dijo que "nunca nada verdaderamente grande se ha logrado sin entusiasmo".[2] La palabra "entusiasmo" viene del griego *en* y *theos* que significa "en Dios". Y la palabra afín *enthousiazein* significa "estar poseído por un dios". En efecto, nosotros por nuestra cuenta no podemos hacer nada verdaderamente importante. El entusiasmo permanente genera una ola de energía creadora y entonces lo único que debemos hacer es "montarnos sobre esa ola".

El entusiasmo imprime un poder enorme a lo que hacemos, hasta tal punto que quienes no se han conectado con el poder ven "nuestros" logros con asombro y podrían equipararlos con lo que somos. Sin embargo, nosotros conocemos la verdad a la cual se refirió Jesús cuando dijo, "Yo no puedo hacer nada por mi propia cuenta".[3] A diferencia de los deseos del ego, los cuales generan una fuerza contraria directamente proporcional a la intensidad de esos deseos, el entusiasmo nunca genera oposición. No genera confrontación, su actividad no produce ganadores y perdedores; en lugar de excluir, incluye a los demás. No necesita utilizar ni manipular a la gente porque es el poder creador mismo y, por tanto, no necesita robarle energía a una fuente secundaria. El deseo del ego siempre trata de recibir de algo o de alguien; el entusiasmo de su propia abundancia. Cuando el entusiasmo tropieza con obstáculos como pueden ser situaciones adversas o personas obstruccionistas, nunca ataca sino que se limita a buscar otros caminos, o cede y acoge al otro, convirtiendo esa energía contraria en energía favorable.

El entusiasmo y el ego no pueden coexistir. El uno implica la ausencia del otro. El entusiasmo sabe para dónde va pero, al mismo tiempo, está perfectamente unido con el momento presente, la fuente de su vivacidad, su alegría y su poder. El entusiasmo no "desea" nada pero tampoco carece de nada. Es uno con la vida, y por muy dinámicas que sean las actividades que inspire, no nos perdemos en ellas. Y siempre deja ese espacio quieto pero intensamente vivo en el centro de la rueda, un espacio central en medio de la actividad, al cual, a pesar de ser la fuente de todo, nada lo afecta.

A través del entusiasmo entramos en armonía perfecta con el principio expansivo y creador del universo, pero sin identificarnos con sus creaciones, es decir, sin ego. Donde no hay identificación no hay apego, una de las grandes fuentes de sufrimiento. Una vez pasa la ola creadora, la tensión estructural disminuye nuevamente dejando atrás el gozo por lo que hacemos. Nadie puede vivir permanentemente en estado de entusiasmo. Posteriormente llegará una nueva ola creadora, dando lugar a un nuevo estado de entusiasmo.

Cuando se instaura el movimiento de retorno hacia la disolución, el entusiasmo pierde su utilidad. El entusiasmo pertenece al ciclo expansivo de la vida. Es solamente a través de la entrega que podemos entrar en consonancia con el movimiento de retorno, con el regreso al hogar.

Para resumir, el gozo de lo que hacemos, sumado a una meta o visión que nos motiva, se convierte en entusiasmo. No basta con tener una meta, sino que, lo que hacemos en el momento presente debe ser el punto central de nuestra atención. De lo contrario, dejaremos de estar en consonancia con el propósito universal. Debemos cerciorarnos de que nuestra visión o meta no sea una imagen inflada de nosotros mismos y, por tanto, una versión disfrazada del ego, como querer convertirse en estrella de cine, en escritor famoso o en empresario millonario. También debemos cerciorarnos de que nuestra meta no gire alrededor de *tener* esto o aquello, como una mansión al lado del mar, nuestra propia compañía o diez millones de dólares en el banco. Una imagen engrandecida de nosotros mismos, o la visión de *tener* esto o aquello no son más que metas estáticas y, por tanto, no generan poder. Debemos asegurarnos de que nuestras metas sean dinámicas, es decir, que apunten hacia la *actividad* en la cual tenemos centrada nuestra atención y a través de la cual estamos conectados con otros seres humanos y también con el todo. En lugar de vernos como estrellas famosas o escritores exitosos, debemos vernos como fuente de inspiración y de enriquecimiento para un sinnúmero de personas a través de nuestro trabajo. Debemos sentir cómo esa actividad no solamente enriquece y confiere profundidad a nuestra vida, sino a la de muchas personas más. Debemos sentir que somos la puerta a través de la cual fluye la energía desde la Fuente inmanifiesta de toda vida, para beneficio de todos.

Todo esto implica que nuestra meta o visión es ya una realidad en nuestro interno, en el nivel de la mente y del sentimiento. El entusiasmo es el poder a través del cual el plano mental se traslada a la dimensión física. Es el uso creativo de la mente, razón por la cual no hay deseo de por medio. No podemos manifestar lo que deseamos; sólo podemos manifestar lo que ya tenemos. Podemos obtener lo que deseamos esforzándonos arduamente y sometiéndonos al estrés, pero no es ése el camino de la nueva tierra. Jesús nos dio la clave para utilizar la mente de manera creativa y para la manifestación consciente de la forma cuando dijo, "Todo lo que pidan en la oración crean que ya lo han recibido y lo obtendrán".[4]

LOS PORTADORES DE LA FRECUENCIA

El movimiento expansivo hacia la forma no se expresa con igual intensidad en todas las personas. Hay quienes sienten un fuerte impulso para construir, crear, participar, lograr o dejar una huella en el mundo. Si permanecen en estado de inconsciencia, el ego asumirá naturalmente el control y aprovechará la energía del ciclo expansivo para sus propios fines. Sin embargo, eso reduce considerablemente la corriente de energía creadora que tiene a su disposición, razón por la cual cada vez necesitan esforzarse más por obtener lo que desean. Si están en estado de conciencia, estas personas en quienes el movimiento expansivo es fuerte son altamente creativas. Otras personas llevan una existencia menos notable y aparentemente más pasiva y tranquila una vez que han dado curso a la expansión natural que viene con el crecimiento.

Son personas que por naturaleza miran hacia adentro y, para ellas, el movimiento expansivo hacia la forma es mínimo. Preferirían regresar al hogar en lugar de salir. No anhelan participar decididamente en el mundo ni cambiarlo. Si tienen alguna ambición, generalmente se limitan a encontrar algo para hacer a fin de lograr un cierto grado de independencia. Para algunas no es fácil encajar en este mundo. Algunas tienen la suerte de encontrar un nicho acogedor donde puede llevar una vida relativamente protegida, un trabajo que les proporciona una fuente de ingresos constante o una pequeña empresa propia. Algunas se sentirán atraídas por la vida en un monasterio o una comunidad espiritual; otras podrán aislarse y vivir al margen de una sociedad con la cual sienten poco en común; algunas recurren a las drogas por que la vida en este mundo les parece demasiado dolorosa. Otras, con el tiempo, se convierten en sanadoras o guías espirituales, es decir, maestros del Ser.

En épocas pasadas quizás se las habría llamado contemplativas. Es como si no tuvieran un lugar en la civilización contemporánea. Sin embargo, con el surgimiento de la nueva tierra, su papel es tan vital como el de los creadores, los hacedores y los reformadores. Su función es la de anclar la frecuencia de la nueva conciencia en este planeta. He dicho que estas personas son las portadoras de la frecuencia, están aquí para generar conciencia a través de las actividades de la vida cotidiana, a través de su interacción con los demás, y "limitándose a ser".

En este sentido, son las personas que imprimen un significado profundo a las cosas aparentemente insignificantes. Su labor consiste en traer la quietud espaciosa a este mundo estando absolutamente presentes en todo lo que hacen. Hay conciencia y, por tanto calidad, en todo lo que hace, por intranscendente que sea. Su propósito es hacerlo todo de una manera sagrada, y puesto que cada ser humano es parte integral de la conciencia colectiva humana, tienen un impacto sobre el mundo mucho más profundo de lo que sus vidas aparentan.

LA NUEVA TIERRA NO ES UNA UTOPÍA

¿Acaso la visión de la nueva tierra no es más que otra visión utópica? De ninguna manera. Todas las utopías tienen en común una proyección mental de un futuro en el que todo será perfecto, todos nos salvaremos, habrá paz y armonía y desaparezcan todos nuestros problemas. De esas utopías ha habido muchas; algunas terminaron en desilusión y otras en desastre.

Todas las utopías tienen en su centro una de las principales disfunciones estructurales de la vieja conciencia: aspirar a la salvación en el futuro. La única forma como el futuro puede existir es en forma de pensamiento, de tal manera que cuando proyectamos la salvación hacia el futuro lo que hacemos realmente es buscarla en la mente. Permanecemos atrapados en la forma, y eso es ego.

"Y vi un nuevo cielo y una nueva tierra"[5], escribió un profeta de la Biblia. Los cimientos de la nueva tierra están en el nuevo cielo, en el despertar de la conciencia. La tierra (la realidad externa) es solamente el reflejo externo de ese cielo. El surgimiento del nuevo cielo y, con él, de la nueva tierra, no son unos sucesos liberadores que hayan de suceder en un futuro. Nada nos *habrá* de liberar porque la libertad está solamente en el momento presente. Ese reconocimiento es el despertar. El despertar como un suceso futuro carece de significado porque despertar es reconocer la Presencia. Así, el nuevo cielo, el despertar de la conciencia, no es un estado futuro al cual aspiramos llegar. El nuevo cielo y la nueva tierra están emergiendo dentro de nosotros en este momento y, si no es así, entonces no son más que un pensamiento. ¿Qué les dijo Jesús a sus discípulos? "El cielo está aquí, en medio de vosotros".[6]

En el Sermón de la Montaña, Jesús hizo una profecía que pocas personas han comprendido hasta la fecha. Dijo, "Bienaventurados los humildes, porque ellos heredarán la tierra"[7]. ¿Quiénes son los humildes y qué quiere decir eso de que heredarán la tierra?

Los humildes son quienes carecen de ego. Son las personas que han despertado a su naturaleza esencial verdadera y reconocen esa esencia en todos "los demás" y en todas las formas de vida. Viven en el estado de entrega y sienten su unicidad con el todo y con la Fuente, encarnan la conciencia despierta que está cambiando todos los aspectos de la vida en nuestro planeta, incluida la naturaleza, porque la vida en la tierra es inseparable de la conciencia humana que la percibe y se relaciona con ella. Es así como los humildes heredarán la tierra.

Una nueva especie comienza a surgir en el planeta. ¡Está surgiendo ahora y es usted!

NOTAS

CAPÍTULO UNO

1 Revelaciones 21,1 e Isaías 65,17

CAPÍTULO DOS

1 Mateo 5,3

2 Filipenses 4,7

CAPÍTULO TRES

1 Lucas 6,41

2 Juan 14,6

3 Halevi, Yossie. *Introspective As a Prerequisite for Peace.* Nueva York: New York Times, septiembre 7, 2002.

4 Departamento de Justicia de los Estados Unidos, Oficina de Estadísticas, Estadísticas Carcelarias, junio, 2004.

5 Einstein, Albert, *Mein Weltbild.* Frankfurt: Ullstein Verlag, 25 Edición, 1993, p. 42.

CAPÍTULO CUATRO

1 Shakespeare, William, *Macbeth.*

2 Shakespeare, William, *Hamlet.*

CAPÍTULO SEIS

1 Mateo 5,48

CAPÍTULO SIETE

1 Lucas 6,38
2 Marcos 4,25
3 I Corintios 3,19
4 Tse, Lao. *Tao Te Ching,* Capítulo 28.
5 Ibíd., Capítulo 22.
6 Lucas 14, 10-11
7 *The Upanishads.* Londres: Penguin, 1977, p.51

CAPÍTULO OCHO

1 Eclesiastés 1,8
2 *Un curso de milagros,* (Fundación para la Paz Interior, Glen Allen, California, 1990) Libro de Ejercicios, Primera Parte, Lección 5, p.8
3 Lucas 17,20-21
4 Nietzsche, Friedrich. *Así habló Zaratustra.* Nueva York: Viking Penguin Inc. 1954, p. 288.
5 Génesis 2,7

CAPÍTULO NUEVE

1 Juan 14,10
2 Mateo 6,28-29

CAPÍTULO DIEZ

1 Hafiz, *The Gift* Nueva York: Penguin 1999)
2 Emerson, Ralph Waldo. "Círcles" de *Ralph Waldo Emerson: Selected Essays, Lectures, and Poems.* New York: Bantam Classics.

3 Juan 5,30
4 Marcos 11,24
5 Revelaciones 21,1
6 Lucas 17,21
7 Mateo 5,5

NAMASTE PUBLISHING

NUESTRA MISIÓN EDITORIAL

Poner a disposición de los lectores unas publicaciones encaminadas a reconocer, elogiar y estimular a quienes deseen expresar su verdadera esencia y así volver a recordar *quiénes son realmente*.

NAMASTE PUBLISHING
P.O. Box 62084
Vancouver, British Columbia V6J 4A3
Canadá
www.namastepublishing.com
Email: namaste@telus.net
Tel: 604-224-3179
Fax: 604-224-3354

Para solicitar todas las publicaciones de Eckhart Tolle, incluido el material en CD y DVD

o

Para solicitar cualquiera de los libros de transformación de Namaste Publishing,

Ingrese a www.namastepublishing.com

o

Envíe un mensaje de correo electrónico a:

namasteproductions@shaw.ca

A Bucket of Stars

A Bucket of Stars

SURI ROSEN

Cover illustration by
Steven P. Hughes

Scholastic Canada Ltd.
Toronto New York London Auckland Sydney
Mexico City New Delhi Hong Kong Buenos Aires

Scholastic Canada Ltd.
604 King Street West, Toronto, Ontario M5V 1E1, Canada

Scholastic Inc.
557 Broadway, New York, NY 10012, USA

Scholastic Australia Pty Limited
PO Box 579, Gosford, NSW 2250, Australia

Scholastic New Zealand Limited
Private Bag 94407, Botany, Manukau 2163, New Zealand

Scholastic Children's Books
1 London Bridge, London SE1 9BG, UK

www.scholastic.ca

Library and Archives Canada Cataloguing in Publication
Title: A bucket of stars / Suri Rosen ; cover illustrations by Steven P. Hughes.
Names: Rosen, Suri, author.
Identifiers: Canadiana (print) 20230217915 | Canadiana (ebook) 20230217923 |
ISBN 9781443192798
(softcover) | ISBN 9781443192804 (EPUB)
Classification: LCC PS8635.O6495 B83 2023 | DDC jC813/.6—dc23

6 5 4 3 2 1   Printed in Canada   114   23 24 25 26 27

For Marty

TRUE FACT:
One teaspoon of a neutron star weighs more than all humans on earth combined.

I lay on my back under a lion.

And a bull and a goat too. And over in the southwest edge of the sky — I'm looking at you, Orion — a hunter was brandishing a sword of hydrogen, helium, and dust. A big bear and a small bear shimmered above — that's Ursa Major and Ursa Minor for anyone out there who speaks Constellation.

It was a glorious night as we floated on a bed of cool water beneath the sparkling sky. A muggy breeze tickled the birch trees that circled the water hole. We drifted in darkness on the pond, safely hidden from the abandoned estate house in the distance.

I'd seen better night skies and I'd seen worse. I mean, I'd definitely trade Sirius for Jupiter any day of the week, but you can't be greedy when it comes to planets. You take what you can get, which is never that much if you live close to a city. Those bright lights are like gigantic leaf blowers that blast the stars right out of the sky.

My older brother, Kyle, was the reason I'd snuck onto the abandoned estate that night. I wasn't really a rule-breaker, but it didn't take *that* much convincing to get me there. I guess I'm easy that way — you could basically buy me for the price of a single constellation.

Time stopped as we floated in silence. It wasn't a bad night sky, really. I'd rate it four million out of five million stars. But it still didn't compare to lying on a sandy beach under the magic of the Milky Way back when Dad still took us camping.

As I drifted under the moonlight, Kyle flipped onto his stomach, then slowly treaded water in lazy arcs. He turned to me and flicked water on my face.

"*Hoc fateri*, Noah," Kyle said. "*Hoc loco est mirabile*." Which is Latin for "This place is amazing."

"*Sed illud proprietatem*," I said. Latin for "Are you nuts? We're trespassing, you always break rules, and I'm kind of nervous that you're going to get us killed."

Okay, maybe it wasn't. I mean, except for the part about us trespassing.

"The sky doesn't belong to anyone," Kyle said. At fifteen, he was two years older than me, and a million times more sure of his place in the universe.

"But this property does."

"You worry too much," he said as he studied the

2

sky. "And look — I *gave* you the Big Dipper tonight."

"Thanks a lot, buddy." I splashed water on him. "It was *mine* already."

He rolled his eyes and pushed a wave of water at me with the ball of his hand. "I'm going to dunk you, doofus."

"I'm going to jump you, shmoofus," I said, returning a current of water.

Pond war!

Kyle and I excel at war. We'll fight with anything: bubbles, melons, furniture, and even garbage, as long as we keep it under Dad's radar. Right now, water was our weapon of choice, and Kyle and I shoved gallons of it at each other, dunking and splashing and kicking and thrashing.

But all of a sudden, Kyle went still.

I stared at him. *What's the matter?*

His eyes were wide. He placed a finger to his lips and looked toward the house. "Someone's there," he whispered.

I shrank back into the water, my heart racing. "You said nobody lives there!"

Kyle shrugged. "Yeah, maybe not."

I kicked his leg under the water.

He shook his head and shot me a warning look. I followed his gaze to the side of the house, where the moon dropped a pale spotlight on an older man. He stood next to a pink Volkswagen Beetle that looked like it hadn't budged since the 1960s. His white hair fell to his thin shoulders, and he was wearing khaki pants and a Hawaiian shirt.

A Hawaiian shirt. How threatening is that, right?

Extremely threatening, actually.

He was wielding a shotgun.

I gripped Kyle's arm under the water.

The man surveyed the forest through the gun's scope, turning slowly in a circle. Then he raised the shotgun and pointed it at the night sky, right at Polaris, like he was going to take out the North Star with a single shot.

Bile rose in my stomach.

He racked the gun and pulled the trigger.

TRUE FACT:
*There are over one hundred billion
stars in our galaxy and two hundred
billion galaxies in the universe.*

The forest protested the shotgun blast with a chorus of flapping and chattering. I could feel the water turn to ice around my body.

Kyle whispered, "We have to get out of here!"

My eyes widened. "But he'll *see* us."

There was no way I was getting out of that pond. I held my ground — or water, as the case may be.

"Are you crazy?" Kyle said. "We're dead ducks!"

Images of ducks assaulted my mind. I mean, I'm not opposed to ducks or anything — I just didn't want to *be* one. Specifically, a *dead* one. I followed Kyle, paddling to the edge of the water hole and crouching at the surface.

The man was surveying the forest, his shotgun again at the ready. Satisfied that nobody was in the pond, he finally stomped around the corner and disappeared behind the house.

Kyle cocked his head toward the driveway. "Now!"

I nodded and tailed him as he pulled himself out of the pond. Dripping water, we crawled over a carpet of twigs and pine cones to the edge of the forest and the massive willow tree where we'd hidden our clothing and bikes.

I swiped away ants and dirt as I jammed on my clothes with trembling hands. Kyle was only a few feet away from me, but the thick canopy of branches hugging the sides of the driveway swallowed him in darkness.

And then I remembered.

My binoculars.

Actually, my father's binoculars.

I *had* to get them. I was hopping on my feet, pulling on my shoes, when Kyle materialized next to me, his lips drawn in a tight line.

I made C-shaped hands in front of my eyes. Binoculars.

He frantically jabbed his thumbs against the sides of his pointer fingers. Gun.

"But he's in the back of the house," I whispered.

His eyes flashed. "For *now*."

I glanced at the binoculars, nestled in a patch of grass a foot from the pond. They were so close. I only needed a couple of seconds to grab them.

Okay, so I know you're thinking I'm nuts. The guy

had a shotgun, and he wasn't afraid to use it. But the binoculars were Dad's, and he was crazy about them. Well, to be precise, he was crazy about them back when he still had the ability to get crazy about things.

Those binoculars, they had a *camera* in them. And if you were lucky enough to catch sight of a meteor shower or a nebula, you could capture the image and take it home with you, like you got to keep a piece of the sky.

I knew that Kyle was furious with me. But for the record, *he* was the one who'd convinced me to sneak into this pond. I sometimes wondered if even Kyle couldn't understand how opposite we were. With our lanky frames, auburn hair, and blue eyes, we looked alike on the outside, but that was where the similarities ended.

We'd only moved to Queensport in early August, and in a few weeks, we were both going to start new schools — Kyle in grade ten, me in eight. But here's the difference between us: by the end of the first day of school, Kyle would be surrounded by a circle of buddies and a whole lot of girls. And me?

Well, I'll always have my stars.

With my heart thumping, I dropped to my knees. There was no sign of the old man, so I sucked in a deep breath, scrambled to the pond, and scooped up the binoculars. But then my eyes flitted to the house, and I felt my stomach drop.

A shadow shifted on the porch.

I didn't wait to find out if it was a person, a rabbit, or a pot of petunias. I power-slithered back to the shadow of the trees, my heart roaring in my ears.

Panting hard, I mounted my bicycle and crunched over dirt and pebbles to where the driveway met the road.

Kyle was perched on his bike, ready to fly. His eyes swam with fear and anger, but there was no time to argue. The owner of the house might appear at any moment. We pedalled furiously along King Road.

Soon a truck loomed behind us, its blinding headlights scattering our shadows across the asphalt. I glanced over my shoulder, but there was nothing but a wall of black behind the blazing lights. Cold and terror shook my body.

We sped to Mel's convenience store and ducked around the side of the building, our chests heaving from exertion.

I suddenly noticed an extremely sad bloodhound hitched to a lamppost on the sidewalk. A few feet away, two sullen dudes in torn jeans and black T-shirts sat on the curb slurping freezies, which somehow minimized the hooligan effect. I mean, the freezies were *strawberry*.

It was a pretty safe bet that even though they looked about Kyle's age, neither one of them would ever possess his crazy chess prowess. One wore a baseball cap, the other a tuque, and both looked like they'd forgotten their crossbows at home. They glared at us as we fled into Mel's.

"What were you *thinking*?" Kyle yelled once we were inside. "*Quod a gun.*"

Now you know the Latin word for "gun."

"What about *you*?" I said. "You told me the place was empty!"

"Bro, I did it for you. For the *sky*."

"Nice try. Since it was actually for you. The *water*."

He sighed. "Okay, okay, let's calm down. It's just those stupid binoculars —" Kyle stopped. His shoulders relaxed, and a grin stretched across his face. He shoved me with his hip. "It was kind of fun, to be honest. You have to admit that place is great. I mean it was *basically* empty."

"That's comforting if you get *basically* killed."

"I know, right?"

I shook my head as the door slammed open. A stocky boy with a shock of black hair shrouding his eyes strutted inside followed by a man who looked like his father. The man wore a fitted suit and pointy leather shoes, and he smelled of cigarettes.

"Pack of Marlboros," he barked at the cashier.

"Sure, Mr. Conti."

We turned our attention back to the shelves. Kyle pulled out two bottles of Mountain Dew, and then we headed toward the chocolate aisle. It was the kind of night where you simply must have a Mars bar.

Some comets will do that to you.

The stocky boy stomped in our direction and accidentally-on-purpose shoved me aside. As I struggled to hang on to my balance, my hands protectively flew up to the binoculars that were still hanging from my neck.

He smirked as he sailed toward a skinny girl behind us. She looked to be my age but was a good six inches shorter than me. She had huge green eyes behind thick-framed glasses, olive skin, and thick brown hair with an unreasonable number of hairpins. Did I mention that she had huge green eyes? Her backpack was jammed, and when the boy pushed past her, she tripped backwards and a pile of mini cassette tapes spilled out of her knapsack and onto the floor.

Kyle and I dropped to our knees and helped her gather the cases, then stuffed them back into her bag.

"Thanks," she muttered, glancing behind her.

"No problem," Kyle said.

I rose to my feet and found myself eye to eye with the boy.

"Mitchell!" the father bellowed from the cash. "Come on already."

Ignoring him, Mitchell smirked at me. "What do we have here?" he said, reaching for my binoculars. "Looks like an expensive toy."

"We have to go, Mitchell!"

I shrank back, but the boy stepped even closer and reached for the strap, his oily breath singeing my cheek.

My pulse raced. Dad's binoculars were worth at least four hundred dollars.

Mitchell tightened his stubby fingers around the strap and gave a hard yank.

Kyle charged at him, his eyes flashing in anger. "Don't you *dare* touch my brother!"

Mitchell's mouth dropped as he retreated. It was a surprisingly instant collapse.

"*Et fuisset quasi sciurus melior off*," Kyle said to me, his eyes rolling.

I nodded. Mitchell probably *was* meant to be a squirrel.

"*Curabitur sed male sciurus*," I replied. If he *were* a squirrel, he'd be an embarrassment to all the other squirrels. He would bring shame to the squirrel community.

Mitchell's eyes swept between Kyle and me. "You two are psychos," he muttered, like he wasn't the biggest psycho in that entire store.

I suddenly felt very sad because I was sure that somewhere in Centaurus or Andromeda or some other galaxy, there was a magical planet that was free of any Mitchells and you could buy a chocolate bar in peace.

"You're just weird," Mitchell said as he grabbed a package of gum, strode to the cashier, and flung a bunch of quarters on the counter. His eyes flitted to Kyle as he and his father turned toward the door.

Kyle waved his hand dismissively. "Run along, little boy."

Mitchell glared at him, then left the store.

Kyle grabbed a bag of Ruffles chips, then turned to

me. "What else did we come here for? Oh, right. *Quidam post-pyrobolum scelerisque.*"

Some post-shotgun chocolate.

The green-eyed girl was standing next to the cash register holding a Mars bar.

"*Ea ultima got unum,*" I whispered. She's got the last one.

"*Nice quod ipsa videtur,*" Kyle said, elbowing me in the ribs. "*Cur non peteret, si hoc non est?*"

Sure she seemed nice, but there was no way I was going to ask her for it.

"Yeah, yeah," I said, my cheeks warm. "Let's just pay and leave. I've had enough drama for one evening."

Just then, the girl turned and handed me her Mars bar.

Sometimes people just get you, even if you speak a different language.

THREE

TRUE FACT:
If you could nibble the centre of our galaxy, it would taste like raspberries.

You're probably wondering why Kyle and I communicate in this weirdo ancient language that hardly anyone can speak.

It all started two years ago, with the Zombie Invasion of 2001.

And in case you're worried, this story isn't going to suddenly turn into a full-fledged zombie apocalypse tale. The only victims of this particular zombie attack were my family members, and the lone person snatched was my father.

Before 2001, when he became undead, Dad was my best friend. Our family lived in central Alberta, and at least once a week, we'd head out to the wilderness to catch stars and comets — and if we were lucky, the northern lights. We would take his telescope and be dazzled by the sky. That's the way it was for us; we were addicted to dazzle.

Once upon a time, Dad was studying to be an astronomer. But when Mom died, he dropped out of his doctoral program and launched a business selling science supplies to schools. It wasn't exactly his dream in life, but it was okay.

Only then his business went under, and Dad really lost his way. That's when the zombies came and took away my best friend.

He lost interest in astronomy. He lost interest in playing chess with Kyle. He lost interest in Kyle. And finally he lost interest in me too.

Dad suffered from constant headaches and couldn't tolerate any noise. So one evening, when Kyle and I were waging a perfectly entertaining pillow war, he marched us over to the local community centre and told us to sign up for courses two evenings a week.

The course offerings were a bit limited. Heartbroken that cake decorating and synchronized swimming were filled, Kyle and I settled on Living Latin.

It turned out to be a win for everybody. We embraced the language and spent hours translating pop songs, TV commercials, and jokes into Latin. Well, *bad* Latin. Like, *really bad* Latin — as in, we might have actually been saying some pretty strange and terrible things. But it didn't matter. Bad Latin became our secret language. We could share ideas that we didn't want anyone else to hear, even while we were standing right in front of them. I mean, you could never assume that people around you don't understand Bad Latin. But there were plenty of times we took a chance. And lots of times it worked.

Like when you're discussing a bully right in front of him, or talking about the green-eyed girl who just gave you her Mars bar.

As we exited the store, I heard the cashier shout to her.

"You okay, Tara? Give Max Newman a hug for me."

Tara grinned. I'd just met her and I already hated Max Newman.

Kyle and I stood outside the store, guzzling our sodas while Tara unhitched the leash from the lamppost and patted her incredibly sad dog.

I must have been gaping or blushing or making some other horrifically revealing gesture because Kyle elbowed me in the ribs.

"*Dic aliquid*," Kyle said as he shoved me toward Tara. Say something.

I swallowed, then stepped in front of her. "Hey," I bleated.

Smooth opening, no?

"So . . . is Mars your favourite chocolate bar?" I said, my cheeks on fire.

Tara studied me like I was a complete freak.

"*Defectus sum*," I muttered to Kyle. Yep. I felt like a loser.

Kyle grinned. "*Scio*," he said, patting me on the back. I know.

Tara raised a package of Reese's Peanut Butter Cups. "I'm not fussy."

"I like those too!"

"That's . . . good to know. I guess?"

"*Quae me odit*," I muttered to Kyle. She hates me.

"*Probabilite*." Kyle said thoughtfully.

"What is that language?" she asked.

"Latin," I said.

"*Bad* Latin," Kyle corrected. Despite our terrible translations, we still understood each other. It's like we shared a secret dialect of a secret language.

She shook her head. "Why?"

"Because we didn't want to do ballet," I blurted out.

She studied me again. I was a study in weirdo.

"Well, I guess that's why they all spoke Latin in ancient Rome," Tara said with a shrug.

"Exactly," Kyle said with a grin. "When was the last time you saw a Roman in a tutu?"

"Seriously, why do you speak it?" she asked again.

"We had to take a course at the community centre in the place we used to live out west, and nothing else was available," I said.

"Well, it's not much better here," she said, pointing to a stack of flyers wedged in a newspaper box.

I glanced down. Apparently, the community centre in neighbouring Unionside was still looking for instructors for the fall courses. A thought popped into my head, and I grabbed a flyer and shoved it in my pocket for later.

"Well, nice meeting you," Kyle said to Tara. "Noah, we have to go."

I didn't want to go. But it was time.

We said goodbye, grabbed our bikes, and strode off in the direction of the two dudes in ripped jeans and sour faces. What *was* it about this place? Queensport seemed to have an endless supply of both indoor and outdoor goons.

Kyle paused, his eyes landing on a skateboard wedged against the curb. "Hey," he said to the dude with the tuque.

That's when I knew that Kyle was a goner. He came in two speeds: skateboarding and chess. And ever since Dad had abandoned their games, Kyle had ditched chess and gone full-on skateboard.

"I'll come home later," he said to me.

"*Seriously*? It's ten o'clock. What'll I tell Dad if he asks where you are?"

Kyle snorted.

"Yeah, you're right," I said, then dropped my voice to a whisper. "But I don't think he'd appreciate you hanging out with these guys."

Kyle's lips curled into a smile. "Well, now I'm sold. I'll see you later."

I climbed on my bike and cycled home under a canopy of stars, sailing past cornfields and fruit orchards, the air heavy with the scent of ripening apples.

The light pollution in Queensport wasn't actually so bad, and the sky was decently black. Have I mentioned how much I love the dark?

I'd be an awesome vampire.

Ten minutes later, I arrived home. We'd moved to Queensport so we could live rent-free in Dad's childhood home, a time capsule from the 1950s. I tiptoed through the front hall and into the small kitchen, shuddering at the sight of a pot lined with congealed macaroni and cheese next to a stack of dirty plates.

"Noah, come in here."

I froze. Dad didn't really do anger — that took too much effort — but I'd gotten so used to the Classic Zombie Voice that this new Irate Zombie was unnerving.

I stepped into the living room.

Sitting on the worn couch, across from my father, was a police officer.

"Noah Cooper?" the policeman said. "I've been looking for you."

TRUE FACT:
*In the entire sky, there are exactly
9,096 stars visible to the naked
eye. To see more, you need a
telescope.*

"**A**pparently when you trespassed someone's private property, you forgot to take the evidence away with you," Officer Clayborn said as he handed me the binocular case.

The one with my name and address on it.

Well, that must have been a tough crime to solve.

"What were you *doing*, Noah?" my father hissed.

"Were you alone?" the officer said.

I felt a knot of anxiety in my chest. There was no reason for Kyle to get into trouble too. "For sure. Yes. I was alone."

My father looked at me doubtfully.

"Except for the guy with the shotgun," I said.

Office Clayborn's brows flew up with skepticism. "You don't say."

"I'm telling you! He was wearing a Hawaiian shirt, and he shot his gun in the air!"

"Really, now?" Officer Clayborn said. "That sounds like a bit of a stretch."

I turned to my father. "Dad!"

"Noah, come on," my father muttered.

The officer rose to his feet and wrapped up his visit. He gave me a stern warning, and after he left, I got a stern warning from my father too. Zombies don't really waste time on long conversations, so the one that followed just covered the basics — what was I thinking, this was a small town, he still needed a job, and his son's reputation could ruin his chances.

With the warnings concluded, I turned to escape to my bedroom, but then I remembered the flyer.

"Dad, did you know that they're looking for instructors at the community centre?" I said.

He looked at me blankly.

"You could teach a course in astronomy!"

He shook his head.

"But why not? You could make a bit of money."

Even though it wasn't about a bit of money. In fact, it wasn't even about a lot of money.

"Not with that old lousy Celestron," he sneered.

Somehow it wasn't lousy all those years we'd used it, but I guess no telescope is good enough when you can't see the sky anymore.

But I pushed. "Maybe they have a budget for supplies. You know, to get a better one."

"Buddy, the county doesn't even have the budget for *me*. I applied for a job, and they told me the most they might be able to offer is a part-time position."

"Dad, that's great!"

He grimaced.

"Maybe it'll give you time to teach a course as well."

"There's no money, buddy. They're not going to start investing in decent optical aids."

"Okay, but our telescope still does a decent job. Or maybe you could show people what they can see with the naked eye."

"Come on, Noah," he snorted. "You know that won't interest anybody. With all the construction going on in this county, the light pollution is worse than it was in Alberta."

"But there still are a ton of stars here."

"I'd need a much more powerful telescope or a larger aperture to see some real night action here. There's no way we can afford that. Especially now."

"But you have so much to offer."

"*Noah*," he said firmly.

A stronger telescope, a larger-aperture telescope. Was a telescope really the only thing coming between Dad and the night sky?

I guess it usually is.

The conversation was over, so I climbed the stairs. Kyle's room was empty, and a thick layer of tossed clothing carpeted the floor. A brown plastic container was wedged under his bed, and I knew that his marble chess pieces were locked inside — and maybe a little part of Kyle too.

Now that those two skateboard dudes had rolled into his life, I figured I wouldn't be seeing those chess pieces too much anymore.

Or Kyle, for that matter.

TRUE FACT:
If you could see the Andromeda Galaxy with your naked eye, you'd be looking about 2.5 million light years away.

Kyle must have heard about the cop's visit because when I woke up the next morning, he was snoring softly on the floor next to my bed. I tiptoed downstairs to the kitchen, where Dad was drinking a cup of coffee.

Wearing a suit.

Okay, it was a bit crumpled, but still, there's something so optimistic about putting on a suit.

"What's going on?" I said.

"An interview," he replied as he drained the last of his mug. "I got a call early this morning, It's with the county."

"Dad, that's *amazing*."

"It's just an interview and it's just part time. I told you about it last night." He glanced at his watch and rose to his feet with a sigh. "I've got to go."

"You'll be great! You always are."

He squeezed my shoulder. "Thanks, buddy," he said with a bleak smile. "Love you." Then he strode out the front door.

I poured myself a bowl of cereal and milk and was just digging in when Kyle appeared, holding his skateboard gear and rubbing his eyes.

"Did I just see Dad leave the house in a suit?"

"He's got an interview."

Kyle's mouth fell open. "A *job* interview?"

"For the county. He didn't sound too excited, though. He said it's just part time."

His face hardened. "Well, well. I guess Jim Cooper is reaching for the stars these days."

I grimaced and changed the subject. "You found your people, huh?" I pointed at his skateboarding gear. "Those scary kids at Mel's?"

"They're not scary, and they're not just *my* people either. We're supposed to meet them at some empty lot in half an hour. You can use my old skateboard." He snapped his fingers. "Finish your breakfast — we have to go."

I shook my head. "Pass."

"Perfect," he said as he grabbed a granola bar from the pantry. "Five minutes, okay?"

"Listen, what do you think of me buying Dad a telescope? A good one."

His nose wrinkled. "Why would you do that?"

I shrugged. "He thinks he can't teach a course at

the community centre because he needs a better telescope."

Kyle patted me on the shoulder. "Right. Because he
needs a better telescope."

"Think about it, though. He could make extra money doing something he loves—"

"*Loved.*"

"Come on, Kyle. It's worth a try. No?"

"No."

I felt my shoulders deflating and saw Kyle's face
soften.

"Hey, bro. Where would you even get the money?"
he asked.

"I've been saving my birthday money for the last
few years."

"And you really think you have enough?"

"I'm not sure."

"Well, I wish you luck," Kyle said. "Now, *veni!*"
Come on.

"*I sum comedere,*" I said, pointing to my bowl.

"Okay, finish up. We gotta hit Mel's for some
Mountain Dew," Kyle said. "And I need a ride on your
bike."

"I don't know about that place."

"Why? Are you all sensitive because of last night?"

I set the spoon down on the table. "Kyle, we trespassed, some guy almost shot us, and the police came
looking for me."

"Don't be a drama queen."

"But I was the one who got the blame!"

He pointed a finger at me. "But you see, *you* were the one who forgot your binocular case. Come on, eat up. It's more fun if you come with me."

"Ah, the truth comes out."

"Well, we gotta go — Mason and O are waiting."

"*O*? That's a *name*?"

"Yep."

"With an *h*?"

"Nope."

"Weird. Anyway, I'm not going. There's something I have to take care of."

"Well, if you finish this secret mission and get bored, come to the lot in front of the abandoned school building, okay?"

"Yeah, I don't do abandoned so much anymore."

"Maybe don't do rules so much anymore," he said, slapping me on the back. "*Vale*," he said as he waved goodbye.

"*Vale*."

I had to go to the bank. I needed to check my account to figure out if I really did have enough money to buy a telescope. I grabbed my bike and pedalled to the tiny strip mall next to the bank — also known as downtown Queensport — and pulled up to the sidewalk.

A man was pacing back and forth in front of the bank, barking into his cellphone. Some sort of business-barks.

There were no cars in the parking lot, and it seemed like the entire town was napping. I stepped inside the bank and felt my eyes go wide.

A current of terror shot up my spine.

I'd walked into a robbery.

SIX

TRUE FACT:
There could be up to four hundred billion stars in the Milky Way Galaxy.

I froze.

Two women lay face down on the floor. An older man was gagged and bound to a chair in front of the window.

My heart raced as I surveyed the scene, but it was too late to flee. My eyes darted to the robber standing in front of the bank teller. Something was wrong. He wore a red bandana and was leaning on the counter. But he wasn't any regular criminal.

He was a . . . dog?

Specifically, he was the super-glum dog parked outside Mel's convenience the previous night. And he was standing on his hind legs with his front paws on the counter.

Huh?

The cowering teller stopped cowering.

"Okay, Max. Down, boy," she said, then she gently pressed against the dog's head.

One of the hostages on the ground pulled a biscuit from her pocket and offered it to him. "Good boy, Max Newman," she said as she scratched the bloodhound behind his ears. "You're a fine robber."

I felt a tiny current of relief. So Max Newman was that depressed-looking bloodhound. Tara's blood-hound.

And in that instant, I stopped hating Max Newman.

Tara stepped away from a camera mounted on a tri-pod, her eyes flashing. "Thanks a lot for interrupting this take," she said.

"Sorry. But . . . um, the bank was open." Where was Kyle when I needed him?

"It's *nine o'clock*," she said. "It's not open yet."

My cheeks burned. There were six people in the bank, and all twelve eyes were fixed on me. Fourteen, if you included Max. The dog was sniffing my legs hard and licking my ankles.

"I don't know . . ." I swallowed. "Maybe . . . I could — I don't know — help with something?"

"I don't think so," she said. "Bye now."

"Okay, I'm really sorry." I turned to leave.

The bound man on the chair loosened the rope and lowered his fake gag. "Tara, maybe this boy can manage Max while you direct?"

Tara studied me, biting her lip, as she turned it over

in her mind. "Maybe," she finally said. "I mean, if you don't mess up, you could lure him with treats. Are you okay with dogs?"

I was never a fan of dogs.

"I'm a huge fan of dogs," I said.

"Well, I guess you could manage Max."

"I can manage Max!" I said.

She cast a confused look at me. "I just said that."

I swallowed.

Tara provided a rundown of the sequence during the take. Max would finish robbing the bank, then I'd entice him out of the building with a doggie treat. Max would follow me with a wad of money — romaine lettuce, actually — in his mouth while Tara filmed him in close-up.

"Won't he just eat the lettuce?" I asked.

She cast another confused look at me. "Why would anyone eat lettuce?"

"I guess."

"Okay, guys!" she said. "Let's do the take again one last time."

The two victims went back into character, cowering on the floor. The teller assumed a petrified pose, while the bound man in the chair started shaking. The atmosphere was laden with fake terror.

Tara dropped a biscuit on the counter, and Max jumped up on his hind legs and gobbled it. She placed a note in his mouth, then raced back to the camera.

"Camera rolling!"

Max Newman dropped the note on the counter, and the teller opened it up, her eyes wide with fear. She raised her hands and slowly turned around to open a small safe, then pulled out one, two, three, and four pieces of romaine lettuce. With shaking hands, she dropped the "loot" on the counter and backed away.

Max Newman clamped the lettuce in his mouth, then dropped back to all fours. I slowly backed out of the bank with the dog cookie. As Max Newman trailed me, the camera followed him in close-up. Once he was out of the bank, Tara called it a wrap. She waved at us, and Max and I trotted back inside.

"Okay, thanks so much, everyone!" she said. "I think we're good here. When it's edited, my dad will give you all copies."

"Great job!" one of the floor women said as she climbed to her feet.

"Thanks," Tara said. "You were all fabulous victims."

The bound man punched his fist in the air. "We're Queensport County's number-one victims!"

As the cast and extras unbound themselves, the security guard pointed to his watch. "Very impressive, but can you pack everything up in ten minutes? Your father told us one hour."

"Thanks, Mr. Fikar," Tara said, then she unfastened the camera from the tripod. Her four actors, completely unterrified now, said goodbye and filed out of the bank as she placed the camera in its case and started packing up the rest of her gear.

"I used to use a similar tripod," I offered as I collapsed it for her. I didn't really want to leave.

"You do movies?"

"I do stars."

She gazed at me like she was adding me up and trying to calculate my total. "I can't figure out if you're incredibly weird or incredibly interesting."

"Incredibly both. But mainly weird."

"Hmph." She bent down and snapped the metal latches on the camera case.

Max was licking my legs again.

"Is he, like, really thirsty or something?" I said as I stumbled back, evading his tongue.

She tugged his leash. Strings of slobber swayed from his mouth. Tara grabbed a bandana from her pocket and wiped him down.

"He can be kind of . . . wet," she said as we carried the gear out of the bank. The barking man I'd seen on my way in was still striding back and forth in the lot. Tara caught me looking at him.

"Don't worry, that's just my dad," she said. "He's harmless. He's the president of the bank." Her father waved at her as she started loading everything onto a wooden wagon. "So you have a telescope?"

"Yeah, it's okay. Not great," I said. "Not good enough."

She was definitely being polite to me. "Well, maybe you should get a better one, then."

I sighed. "I wish. My dad could really use one, but

they're expensive. That's why I came to the bank now — to figure out if I have enough money to buy one."

"Oh, so your dad likes astronomy too?"

"Well, sort of. He *did*." Back when he still liked things.

"Now you're being incredibly weird."

I shrugged. "I warned you."

"Is there a place you go to look at the sky?"

I shifted on my feet. "I went to a place last night." I glanced around and lowered my voice. "But some guy with a shotgun tried to scare me and my brother away. And then the police came to my house."

Her eyes widened. "Now you're incredibly interesting."

"My brother got me to go to this abandoned property that wasn't so abandoned."

"Where was it?"

"On King Road? It's an old empty house with a pond out front."

"The Graham estate? I know where that is. I'm pretty sure no one lives there now."

"I thought so too. Until the armed guy showed up."

She gnawed on her lower lip as her eyes fixed on me. "I think there might be a way to find out who it was."

"Really?"

"Yep. I have an idea."

I loved her idea.

I had no clue what her idea was.

"Oh yeah?" I said, trying to be all nonchalant.

Max Newman started going at my legs again. I stepped back, and Tara pulled him toward her.

"It's not like my legs are coated in peanut butter or something," I said.

"He likes you."

"My legs are flattered. So what's that idea?"

"Well, you can see that I make movies with Max Newman. Today he was a bank robber, but he's also been a cashier, a doctor, and a taxi driver."

"Wow, he's a pretty versatile dog."

"He's gifted."

"But he just looks so . . . *sad*. I mean he seriously seems to be permanently depressed."

"I know. It's great, isn't it?"

"Great that's he's sad?"

"Of course he's not sad. He's a bloodhound!"

My head was starting to spin. I could feel his tongue on my ankles again.

She grabbed the leash again and started pulling. But Max was glued to me.

"He really does seem to have a thing for your legs."

"I've always had delectable legs. So what's the idea?"

"Well, maybe you could help me make a movie about Max Newman as an astronomer."

"Like Max looking through a telescope?"

"Exactly. We could call it — I don't know — *Astronomax*!"

"*Astronomax*?"

"Yeah. He could be a professor of astronomy who goes out at night to look at the stars after going for a swim, and then someone shows up—"

"I think I know how this story ends."

"— with a gun."

"Exactly."

"But here's the exciting part: there's a film contest we can enter, and if we win, we'll split the money and you can buy your dad a telescope."

I blinked. "You want to make a movie with *me*?"

"Didn't I just say that?"

"Right. Okay, but where?"

"The Graham estate, obviously."

I stopped. "So . . . what? We go back to the property, and if we don't get shot at first, then we ask the shooter to be an extra?"

"Yeah," she said thoughtfully. "That could be a problem."

I could feel the project with Tara slipping through my fingers. "So you mean, Max would be one of those astronomy crime-fighter types who go around apprehending criminals?"

"One of those astronomy crime-fighter *dogs*."

"They're the best."

Tara was getting excited about this.

"You know what?" she said. "We could have a small production company. I'm the director, obviously, but you could be . . . hmm, let me think." She paused for a moment. "I know, you could be director of music and sound. I'll even let you name the company."

"You're telling me that I get to name a company I never actually joined?"

"Of course. Now that you're one of the directors."

Tara.

"Okay, let me think for a minute," I said.

She crossed her arms and tapped her foot. I wasn't really bursting with ideas for names of a company that shoots videos of bloodhounds who rob banks.

"Okay," I said with the first thing that popped into my mind. "How about . . . um, Messier Catalogue Productions?"

"What on *earth* is that?"

"The Messier Catalogue is a list of 110 of the most interesting astronomical objects in the northern hemisphere."

The catalogue, I explained, was compiled in the 1700s by a French dude named Charles Messier, and it's extremely popular with amateur astronomers.

She scratched Max's head. "You know what? I like it. We could call it Messier Productions, which sounds kind of rough and tumble. You know, it's *messier*."

"Messier Productions. I like it too."

I guess life is funny that way. A bloodhound robs a bank, and next thing you know, you end up with a new film company and a directorship.

And maybe, possibly, hopefully . . .

A friend.

Tara started wheeling the wagon to the sidewalk.

"I live at 66 Cold Spring Lane. Come over tomorrow and we'll discuss how Messier Productions is going to shoot *Astronomax*. And we'll figure out who your gunman is."

"Sure!"

She suddenly stopped.

"Oh, and one more thing," she said.

"Okay?"

"What's your name?"

S E V E N

It was nine o'clock in the morning and the air was already heavy, but I ignored the sun and donned a pair of thick jeans. It was nice that Max Newman savoured my legs and all, but he had way too much slobber on his hands. Or his tongue, as the case may be.

I gulped down some cereal, then grabbed my bike and headed for Cold Spring Lane. As I rode past Mel's convenience store, I slammed on my brakes and turned around. I felt like I owed Tara a Mars bar. I quickly purchased two chocolate bars, then steered my bike through an opening in a corroded and collapsing chain-link fence that surrounded a boarded-up school. I didn't really like to trespass, but I was hoping there might be a shortcut across the back lot.

It looked like someone had set up some makeshift

DIY skateboard park. I pedalled on until I heard a loud rolling sound just behind me.

Two skateboarders — the punks from outside the convenience store — surrounded my bike. I picked up speed, but they narrowed the gap.

Can you see why I'm so not into this planet? Any minute, one of us was going to fall and then we'd all topple to the concrete, a pile of wheels, spokes, metal, and blood.

The goon on my right, with the black knitted tuque, was elbowing me in the arm. My pulse roared in my ears and my legs felt like jelly. When did my legs become so unreliable? I hate unreliable legs.

The guy on my left slapped me on the back. Hard. I thought I was going to have a heart attack.

"Hey, what are you *doing*?" a voice bellowed from somewhere out of my field of vision. "Leave my brother alone."

We all screeched to a halt, narrowly avoiding a group tumble to the ground.

Kyle stood twenty feet away, his arms crossed, one foot on his skateboard.

"It was just a joke," said the boy with the tuque. Except it wasn't a boy — it was a girl.

What's the deal with jokes, anyway? Have you ever noticed that nobody tells jokes anymore? My grandfathers told jokes all the time. Even my father used to have a couple on hand. But now they're pretty much extinct.

Except for when "joke" is just another word for being mean.

"Some *joke*, O," Kyle said.

"It was no biggie," the other one said, as if the basic rule is that it's okay to be mean to people as long as the behaviour doesn't qualify as a "biggie."

"Yeah, dude. Chill," said tuque girl with a shrug. She had stringy black hair and thick strokes of black eyeliner contouring her eyes.

"No, thanks," he said to her. "I'm good." Then he turned to me. "You okay, Noah?"

I nodded.

"*Sunt fatui*," he said, pointing at them. They're idiots.

"*Videtur quod tu te iam bene fatuis.*" They're *your* idiots now.

It's impossible to explain how awesome it is talk in front of idiots who don't speak this non-idiot language.

"And how come O doesn't have a normal name?" I continued in Bad Latin. "Doesn't she feel she's worthy of more than one letter?"

"Her real name is Olivia, and she's okay." His eyes flicked at her. "She makes up in heart what she lacks in consonants."

"What are you guys talking about?" Mason asked. "Are you saying nasty things about us?"

"Obviously," Kyle said. He turned back to me. "They're really not that bad. You want to hang out with us?"

I shook my head. "I'm not really getting the appeal right now." I climbed back on the seat of my bike and started to pedal. The flat rails and wooden ramps they'd set up were obviously their secret skateboard park, and I'd encroached.

Within minutes, I'd reached the outskirts of Queensport. The town was so tiny it barely had its own skirts, never mind outskirts.

Tara lived in an old Ontario farmhouse. The front door wore a gable, like a pointy hat with gingerbread trim. I knocked and a woman with green eyes, alabaster skin, and a black ponytail answered.

She smiled. "Hello?"

"Hi, Mrs. Newman," I croaked nervously.

"Mrs. Newman?" Her face crinkled in confusion. "Oh, right! Max Newman. Actually, our name is Dhillon. Can I help you?"

"I'm here for Tara."

Her eyes widened. "Tara? *Really?*"

"Um, yeah."

Max Newman bounded down the stairs and started barking and sniffing at my pants. He looked crushed that my jeans were hiding such a delicious pair of legs.

"So . . . uh, yeah. She invited me to come by today? To work on a movie with her?"

Mrs. Dhillon's eyes lit up. "*Really?* That's *fantastic!*"

Mrs. Dhillon could not possibly have been more *joyous*. Tara, on the other hand — who had appeared next to her mother — could not have been more irritated. Her face was tight. "Mom, stop it!" she said in a low voice. "It's enough."

"Of *course*, honey," said Mrs. Dhillon, still unable to erase the elation from her face.

Max was now intensely fascinated with the two chocolate bars I was holding.

"Oh, I brought these for later," I said, holding them out.

"That is SO SWEET," Mrs. Dhillon said.

Tara's glare would have wiped every last molecule of elation off anyone else's face. But not Mrs. Dhillon's.

"Come on," Tara said, dragging me by my sleeve. "Let's go to the den."

"Let me know if you need anything!" Mrs. Dhillon trilled. "I'll be downstairs working."

Tara blushed and rolled her eyes as she led me and Max to the den. "Sorry about her," she said, closing the French doors. "I'm kind of . . . um, I just do my own thing. But she's so desperate, I wouldn't be surprised if she tried to pay you to be my friend. She didn't, did she?"

"Sadly, no."

We dropped onto the couch, and Max promptly jumped up next to me and laid his head on my lap.

"Wow, he really likes you," Tara said. "He's not usually this friendly."

"He's just using me for my legs."

"But you have *pants* on. That shows that for Max, it goes much deeper."

I stroked his head. "I just can't get over how depressed he looks."

"I know, right? Thanks."

"Um, you're welcome?"

"So about *Astronomax*," she said. "We'll shoot the whole thing at the Graham estate—"

"Where I almost bit the dust?"

She looked at me. "Where else would we film it?"

"How about anywhere without a shotgun-wielding lunatic?"

"You worry too much. We'll just speak to him and explain that we're making a movie."

I studied her for a moment. "You can't be serious."

There was a gleam in her eye. "Look, I got my dad to agree to *The Bank of Max*, I got a taxi driver to go along with *TaxiMax*, and I even shot a movie at Mel's convenience store last December. I'm *very* persuasive."

"You're actually kind of scary."

"I know, right?"

Tara.

"Look, the guy has a *gun*," I said. "Which he likes to use. On strangers."

Max didn't like that. He lifted his head off my lap for a moment and gazed at me. He shook his head, and some wayward slobber flew by, narrowly missing my face. That dog could generate drool like no mammal I'd ever seen. Or felt. Tara grabbed a rag and wiped down his mouth.

"Okay, how 'bout this?" she said. "We'll figure out

for sure who it was and then we'll apologize."

I gave her my best this-is-a-terrible-idea face, but I could tell I'd lost the argument. I didn't like the idea, but I didn't want to blow things with her. I'd barely met her and didn't want to lose her.

"Great!" She was so happy, she leaned over Max and gave his slobbery face a big kiss. "So let's take those binoculars of yours and scope the place! You'll see — it'll be great."

She was either crazy or an optimist, or maybe just a crazy optimist. But for some reason, I couldn't say no — even though I had a feeling this wasn't going to turn out well.

We spent the afternoon studying the raw footage of the bank robbery, fiddling around with Tara's editing program, and viewing her catalogue of previous movies. There was Max — Dr. Newman, I should say — performing CPR on a stuffed dog, serving stunned customers at Mel's convenience store, and picking up shocked passengers in a taxi. There were six movies in all.

"Aren't there any more?" I asked when she was done. "I'm kind of hooked on Max."

"Of *course*, you are. Max has animal magnetism."

Which I guess was rare in animals.

"They look really professional," I said. "You do the entire movies?"

"Yep."

"That's impressive. Alone, wow!"

I almost missed it, but her shoulders fell a tiny bit. "Yeah. I guess."

I suddenly felt like a jerk. I understood. Max was Tara's night sky.

The afternoon ended too quickly, and we made a plan to meet up on King Road near the Graham estate the following morning. I left the Dhillons' house before dinner and pedalled home, figuring that it was safe to cross Mason and O's secret skateboarding lot now that I was under Kyle's protection. It was empty, though.

When I got home, I found some cooked spaghetti and a bottle of tomato sauce on the kitchen counter. I stepped outside on the patio, where Dad was planted in his Muskoka chair. Darkness hadn't yet fallen, but I wondered if he was waiting for the night to wrap around him like an old familiar sweater.

"Hey, buddy," he said in a sleepy voice. "How are you?"

"I'm okay. Did you hear anything about the job?"

"Yep. I got it."

"That's *amazing*! What is it?"

His eyes drifted closed. "Oh, I'll be doing all kinds of work for the county."

"What kind of work?"

"Sort of maintaining some of their . . . uh, systems."

"Like their computer networks?"

"Partially. I still don't know all the details." He

opened his eyes and patted me on the arm. "Anyway, enough about me. How was *your* day?"

"It wasn't bad. I met this really interesting girl, Tara. She's pretty cool and her dog loves me."

"That's great," he said. He rubbed his temples.

"Are you okay?"

"Yeah, yeah, just a little headache. You were saying something about some guy you met?"

"Tara. A *girl*. I met her yesterday when she was filming a heist movie at the bank."

He went on pressing his temples.

"Dad, why don't you lie down? I'll tell you about it later."

"I'm listening. Go on."

I sighed. "Well, her dog's named Max Newman. He's a bloodhound."

"Hmm."

"And he's fallen in love with my ankles."

He kept working at his face, his eyes still closed.

"She has a thousand unicorns in her den," I said. "It's crazy."

"Interesting." His fingers were digging deeper into his forehead now, his face wincing in pain.

"One of them charged me when I opened a bag of Cheetos. Another stuck its horn in Tara's leg and the whole limb fell off. But it's okay because we attached a stick to her body and it turned into a brand-new leg like magic."

"That's so cool." He looked at me blankly. "Do you

want some soda water? I left you some dinner in the kitchen."

He was trying.

"I'm okay, but thanks. Hey, I'll be back in a second, okay?"

"Sure, buddy."

I raced to the stairs and climbed them two at a time, then grabbed my telescope and flew back down to the yard to set it up in front of the chairs.

Dad's eyes fluttered open, but when he saw the telescope, he grimaced. "Aw, my sweet Noah." He squeezed my wrist. "Not tonight, bud. I just need to relax. My head is splitting."

"Can I sit with you?"

"Sure," he said softly.

So we sat outside for hours, in silence but together, as the sun dissolved into the blackness, and someone turned on the stars in the sky.

TRUE FACT:
The sun loses four billion kilos of particles per second.

The next morning, Kyle and I left the house together — him with his skateboard and me with my binoculars. I arrived ten minutes early at a cluster of wild apple trees across from the Graham estate and hid myself under the branches, where Deranged Shotgun Guy couldn't see me.

The whole idea of filming a movie on this property was just plain wacky. And dangerous.

But Tara.

And . . . a telescope. A *good* telescope. There was no way Dad would reject it. I knew that winning the short film festival was a long shot, but it was the only way I could think to get the telescope, and the telescope was my only hope to get Dad back.

I wiped the hair off my sweaty forehead. The sun was

bearing down, and the cicadas droned in a single note like every last telephone wire in the county had been plucked by one enormous breeze. I gazed through the binoculars north on King Road and spotted two small figures in the distance. Tara was walking alongside the road with Max Newman. I wondered if her bike wasn't dog-friendly. Bloodhounds are big and heavy, but if Kyle and I could ride on my bike, couldn't hers handle the weight of Max Newman?

"Hey!" She waved hello when they finally arrived.

"Hey."

Max Newman bounded straight for my legs.

"Aww, I forgot to wear pants," I said as I tried to dodge the most determined tongue I'd ever encountered. Not that I'd encountered that many tongues.

"I thought you were just being sensitive to his needs," said Tara, tugging Max's leash.

"Gotta say, I'm a great fan of the leash."

"I'm not," she said, "but I have to. There's this really mean pit bull named Blade that roams around Queensport, and she'd tear Max apart if she could."

"Is that even allowed?" I asked. "A pit bull just running free?" I bet you could search the entire Triangulum Galaxy and not find one unleashed pit bull.

"I doubt it, but who's going to do anything about it?" She bent down and gave Max a sympathetic pat on the head. "So did you see anything on the property?"

"Nope. Everything looks exactly the same as the night Kyle and I were here."

I passed her the binoculars, and she peered through the lenses.

"Let's cross the street," she said.

"That's too close. The guy is obviously crazy."

"Crazy when you *trespassed*. We're staying on public property. Come on."

I didn't move.

She studied me for a moment. "We're not breaking any rules. It's *normal* to walk on the side of the road."

"I guess." I swallowed as I stepped out from under the trees. Traffic was sparse; this county was home to more cows than people. We scooted across the street to a ridge of gravel bordering a ditch, then ambled along while Tara peered through the binoculars.

She gasped.

"What is it?" I asked, trying to see into the distance.

Tara held up her finger. One minute.

She handed me the leash and climbed down into the ditch, then crept to the perimeter of the property. She promptly disappeared into the woods that bordered the road. I scratched Max's head, and he lay down and rolled onto his back, *right on the side of the road*. He had to be the least self-conscious dog I'd ever met.

Finally, Tara re-emerged.

"This is big," she said.

"What is it?"

"There's a car on the property. Did you notice it when you were here before?"

I scratched my head. "Yeah . . . I think a little Volkswagen, maybe? One of those old ones from the 1960s?"

"Exactly. It's a *pink* one, and it's been there for a while."

I didn't get it. "Why is that big?"

"Because I know who owns that car. I know the gunman."

TRUE FACT:
*It would take ninety thousand
years for light to travel across our
Milky Way Galaxy.*

"**S**o who *is* it?" I pressed.

"My surgeon, Dr. Ray. Raymond Penner."

"You have a *surgeon*?"

"Don't be too impressed. He just took out my tonsils. I haven't seen him in ages, but he always drove around town in a pink VW."

I drew a mental image of the elderly man with the aloha shirt. "Is he old with longish grey hair?"

Tara nodded vigorously. "Really old and really long-ish."

"Did he ever wear Hawaiian shirts?"

"Possibly. He's what my dad would call a character. He's really . . . *kooky*."

"Kooky? As in the kind of kook who shoots at you to get you off his property?"

"I mean, I guess I could see it. Maybe?" Tara said. "I didn't know he lived here, but it's probably best not to . . . um, startle him by banging on his front door. So let's look him up in the phone book and call him first."

"Okay," I said. I wasn't going to disagree with getting far away from that property. "Can you and Max fit on my bike?"

Tara laughed. "There aren't enough seats for all of us, and Max weighs a million pounds. Let's just walk to your house."

I gulped. "Why don't we leave my house out of this?"

"But it's closer than mine, and it's so hot out. What's the problem?"

"Let's just say, it's not a great" — I coughed — "*destination* house."

Tara shrugged as we strode along King Road under the beating sun.

When we arrived at my front yard, her eyes widened in surprise. I knew that eventually the lawn would get mowed and the garbage bins would be moved and the bicycle parts on the porch would be stored. But that was my *future* house. My present house didn't make a great first impression. In fact, it didn't make a great second, third, or fourth impression either.

"It's just me and my brother and father," I said, my cheeks burning. "So none of us are . . . on top of things."

"Oh. Where's your mother?"

I hesitated. This was a conversation I always tried to avoid, but I figured I had to get it over with. "She was sick and passed away when I was eight."

"Oh," Tara said quietly. "I'm really sorry about that."

I shrugged. I just wanted the conversation to end. "Maybe wait on the lawn and I'll run in for a minute?"

"Sure."

I darted into the kitchen and reached over the Leaning Tower of Pizza Boxes to the phone book. Sure enough, Raymond Penner lived at 1835 King Road. Or at least he *did* live at 1835 King Road. I checked the cover — the phone book was ten years old. Our house didn't have internet, so all I could do was scrawl the number on a piece of paper before charging back outside.

"Well, now we know where Dr. Ray lived in 1993," I said, waving the paper.

"That's ten years ago!" She sighed. "Okay, we're going to have to find him to talk to him."

My mouth felt dry. This was a gunman who knew his way around a tonsil, and I just wanted to be far away.

Tara studied me. "Our family kind of became friendly with him after my surgery because my dad was a patient of his too. He's nutty but nice." A nutty but nice gunman.

I wanted to call off the whole film project. But then I thought about my father and all those asteroids that still hovered above him, and I was pretty sure they were whispering for him to find them.

And then there was Tara. Tara with the green eyes.

I took a deep breath and trudged back into the house and dialled Dr. Ray's number. A message said it had been disconnected.

"Maybe we can find his new number on the computer at my place," Tara said when I returned to the front lawn.

But when we got there and searched for Dr. Penner, there was no listing. We parked ourselves in the den, and Max parked his head on my lap.

"Maybe we should just forget about Dr. Ray," I suggested. "It doesn't feel like we're meant to find him."

"We just have to figure out where he is," she replied. "I know!" She snapped her fingers. "We'll go see him at the hospital."

"The thing is, we could shoot *Astronomax* anywhere. The sky is *really* big, you know what I mean? You don't have to see it at this one little estate."

"It needs to be *authentic*."

I looked at her doubtfully, but did I have a choice?

"Look, do you want to win the contest or not? Judges want humour, they want science, they want an authentic storyline. *Astronomax* has it all."

I frowned. "Are you sure about the contest guidelines? Do they have examples of previous winners so we can figure out what style the judges want? I mean, maybe it doesn't really matter if we shoot this on the exact property."

"I'm sure I have that somewhere in my room. I'll look for it, but in the meantime, we should get moving."

"Okay, so where's the hospital?"

"He works at Unionside Hospital."

"Unionside? Where the community centre is? That's kind of far."

"Yeah, it's a bit of a distance."

"So can your mom take us?"

She shook her head. "She's preparing for a huge conference. There's no way she'd do it in the middle of the day."

"What about a bus?"

"There's almost no public transportation out here. There's like one bus at six in the morning or something. And forget a taxi. If you can get one, it's a *fortune*." She shook her head. "Maybe this whole *Astronomax* thing won't work. I'll only do it if we can film on the actual property. It's just not interesting otherwise."

Suddenly I was the one knocking down roadblocks. "It's not a big deal. We'll just have to bike to the hospital."

Her face froze. "No."

"But it won't take that long on our bikes."

"I don't want to."

Was this the end of *Astronomax*?

I knew it sounded crazy to go and track down this Dr. Ray, but I couldn't shake the feeling that this film was my only chance to help my dad. I worried that if he kept fading, his light would go out altogether. I needed to get him that telescope and bring him back to the world.

And I didn't want Tara to lose interest.

"A six o'clock bus is crazy. What's the problem with riding our bicycles?" I said.

Her face was tight. "I just . . . it's far."

"If it's a nice day, it'll be fun to ride."

Tara's cheeks turned pink and she looked away.

"Is it dangerous on the road or something?" I said.

She wasn't looking at me when she replied. "Yes. Right."

But I knew that made no sense. King was an empty rural road. "I don't get it. There's hardly any cars around."

Then the light bulb went on.

"Tara," I said slowly, "do you . . . do you know how to ride a bike?"

She bent over and scratched Max's ear.

I knew I was right. "You don't, do you?"

Her eyes glistened, and she shook her head.

"But that's not a problem," I said with relief. "I'll teach you!"

Her face was racked with misery. "I tried. My parents tried. I tried some more. I just couldn't learn."

"You're going to! Look, you're teaching me how to edit and put together movies. This is something I can teach *you*. It'll be easy, I promise!"

She shook her head and continued petting Max, her eyes averted.

"Let's make a deal," I said. "If I can't teach you to ride a bike, I'll take the bus with you to the hospital at six in the morning. But you have to really give it a try first."

"I don't know. When?"

"Now."

ELEVEN

TRUE FACT:
Stars don't twinkle — they just look like they're twinkling when their light passes through the earth's atmosphere.

Tara secured Max's leash to the fence and stared doubtfully at the bike. "You know you're just going to end up taking a bus with me to Unionside."

"You know you're just going to end up learning how to ride." I held the bike for her. "Come on, get on."

She nervously mounted the seat.

"It's pretty easy," I said. "Hang on to the bars, let the bike roll for a second, and cruise."

"I'm not a cruiser, Noah," she said, her voice rising. "I never was."

"Just keep your head up and scoot along with your feet until you feel okay moving the bike. You won't believe how easy it is. I'll steady the bike."

After a few false starts, she rolled the bike a few feet, but then abruptly stopped.

"You know, I'll just take the bus to the hospital myself. You don't have to come."

"Like that's going to work," a voice behind me sneered.

I swung around, and my stomach sank. Mason and O were standing with their skateboards, watching us.

"You don't know how to ride a bike?" Mason said to Tara.

Tara winced.

"You're doing it all wrong," O offered. "You have to pedal hard with your first roll to get momentum."

Tara swallowed and looked at me questioningly. I hated to admit it, but maybe those two morons weren't morons after all.

"Actually, I think they're right. The faster you go, the easier it will be to balance."

"You're almost there," O said encouragingly.

Mason nodded. "I gotta agree."

But Tara was spooked. She nervously pushed her glasses up her nose and adjusted one of her hairpins.

Skateboard wheels approached us, then came to a halt. Kyle was wielding a can of Mountain Dew.

"Hey," he said.

"Oh, great," Tara said. "Maybe the entire county can come out to watch me."

Kyle quickly figured out what was going on. "You got this," he said to Tara. Then he turned to his friends and added, "She's ready, right?"

"For sure!" Mason said.

O nodded. "I only learned to skateboard a year ago!"

They launched into a lively discussion and decided that Mason and Kyle would run on either side of her to provide reassurance.

"Um, do I have a say in this?" Tara asked.

"No," Mason and O chimed.

I knew she was struggling, but I also knew that the balance was inside her — she just had to let it out. I locked eyes with her and nodded.

She climbed on the bike and slowly started pedalling. Panic was written on her face, but it wasn't clear if she was more scared of the bike or the audience that had gathered.

Max started barking as Tara cycled a few strokes, each one with increasing weight and speed. Kyle and Mason stopped running alongside her.

And then it happened.

The moment of magic.

Tara's face had the light of a million suns as she soared across the concrete on wings of rubber wheels.

She reached the end of the lot and gently applied the brakes, and Kyle, Mason, O, Max, and I erupted in cheers and enveloped her in hugs. Tara beamed as we high-fived each other.

And in that moment, I think every one of us felt like we'd just ridden a bike for the very first time.

TWELVE

Kyle and I were still flying when we got home.

"Can you believe how quickly she learned to ride?" Kyle said as he poured a handful of kernels into the air popper.

"I'm not surprised at all," I said. "She's *really* good at a lot of things."

"It was pretty cool," he said. "Tara's pretty cool. And you see that Mason and O are okay."

I sighed. "I *guess*."

The bowl quickly filled with popcorn, then we wandered to the living room. I grabbed the remote and flicked on the TV.

"Ooh," we said in unison when a rerun of *Star Trek: Enterprise* appeared on channel 9. We'd already seen the "Breaking the Ice" episode twice, but we still loved watching the *Enterprise* explore a comet and find a rare mineral called eisilium. We settled onto the floor with the bowl between us, shouting at the TV when Ensign Sato considers leaving the *Enterprise*, and cheering when Captain Archer allows the Vulcan captain, Vanik, to save the *Enterprise*'s shuttlepod.

"Great episode," Kyle said when it was over. He clicked the remote, and suddenly we were watching Vanessa Carlton sing "A Thousand Miles." The song was constantly on the radio and everywhere you went.

"I know what we should do," Kyle said. "Let's translate this into Latin!"

"Bad Latin!"

We burst out laughing, and Kyle grabbed a scratch pad and a pencil.

We got to my favourite lines in the song:

```
If I could fall into the sky,
Do you think time would pass me by?
```

I scrawled out some Latin words, trying to make our crazy translations fit:

```
Si posset in caelum cadere,
Putas me tempus futurum?
```

Vanessa Carlton sang on:

'Cause you know I'd walk a thousand miles
If I could just see you . . .

Suddenly, an achy feeling tingled inside me, like this song somehow meant something that it wasn't supposed to.

I thought of my mother and how I really would crawl a thousand miles if I could see her again. I put down the pencil and stared off into the distance, trying to bite back the ache that was ruining the moment.

"Hey, bro," Kyle said quietly. "You're thinking of her, aren't you?"

I nodded. "Do *you* ever think about her?"

"Yeah. A lot."

The room stood still. We never discussed our mother, but as we sat there in silence, both of us lost in our thoughts, an understanding passed between us.

Finally, Kyle turned to me with a small smile and playfully socked me in the arm. "I could never *be* Mom, but I can still bug you to do things and *annoy* you."

"Yeah, like the *anti*-Mom," I said as I leaned over and body-checked him.

Laughing, he shoved me back. "You know I'm never going to stop bugging you and annoying you."

I paused for a moment. "Promise?" I said in a small voice.

He nodded, his face serious. "Promise."

"Then you pay!" Next thing I knew, we were rolling on the worn carpet, wrestling each other and giggling.

Until we both heard the cough.

Our eyes flew up to Dad, who was standing at the entrance of the living room in complete Zombie attire: rumpled clothes, face unshaven. Kyle's body tensed. He scrambled to his feet and stormed up to his room, slamming the door behind him.

I followed Dad out to the patio, trying over and over again, but I couldn't get him to tell me anything about his new job. Finally, I just started talking about how Tara had learned to ride a bike.

"Buddy, that's amazing!" he said.

"It was pretty cool. And it didn't take her very long at all."

"But she wouldn't have done it without you." He reached over and squeezed my arm. "You're something."

"Nah."

"Yah."

"Nah."

We traded a grin, but the conversation quickly ran out of gas. Finally, I went off to get the old telescope and set up the tripod. Dad patted my shoulders and smiled bleakly. He must have felt another headache coming on because soon he had his eyes closed.

I studied the sky, but it just seemed all wrong. I mean, when you have Vesta and Polaris and Capricornus waving down at you, it feels almost disrespectful to ignore them.

THIRTEEN

TRUE FACT:
*The moon gets farther away from
us every year.*

The next morning, Mrs. Dhillon answered the door, her face radiating gratitude. Max bounded down the stairs, barking and jumping on me.

"Noah!" Mrs. Dhillon wrapped me in a hug. "Thank you *so* much. Thank you."

Tara appeared next to her and tapped her on the shoulder. "*Mom*!" she said, her jaw set in a tight line.

Mrs. Dhillon finally let me go, but she still had my arms in her grip. "I'm *so* glad that you found Tara."

"I'm glad too," I said.

I felt bad for Tara, but I understood what Mrs. Dhillon was saying, even though she wasn't actually saying it. If you take any two stars in the sky, there's almost no chance that they'll ever collide. It's about a 250-quadrillion-to-one shot. And if it happens, it's a miracle. I think Mrs. Dhillon was saying that Tara and I were like that — two stars that had bumped into each other despite the crazy odds.

"Let's get out of here," Tara said, tugging my arm. "My mom is letting me use her bike and her helmet."

We escaped the house, and Tara exhaled a deep breath. "It's like she's completely stunned that I can finally ride a bike. And that I have a friend. As if you're doing me a favour."

"But of course I am," I said.

Tara rolled her eyes and slugged my shoulder, then pulled open the garage door.

We strapped on our helmets and grabbed our bikes. Tara sucked in a deep breath and pedalled off the driveway, a bit shaky at first, but quickly riding like a pro.

The sun was blazing and the air was heavy and wet; gravity was pressing down on us a little harder that day. Tara and I panted as we rode past the Graham estate and the neighbouring farm, its fields fallow and choked with weeds. It seemed a bit odd. It was August, and the fields should have been brimming with huge corn stalks and other mature crops.

We continued on the gravel-lined shoulder, past apple orchards, pasturelands, and acres of bush beans. After what felt like an eternity, we finally approached Unionside Community Centre, a facility that serviced the many small towns of the county.

Tara brought her bicycle to a halt and turned to me.

"It's *boiling* — we should have brought more water with us."

"Aren't we almost at the hospital?"

"We still have a bit farther to go." She pointed to the community centre. "Let's go inside and fill up at the water fountain."

We dropped our bikes near the sliding doors and stepped into a blast of chlorine and air conditioning.

"I think the water fountain is down that hall," she said, indicating a narrow corridor past the indoor pool.

As we started in that direction, we heard an angry voice.

"How many times do I have to tell you not to leave the corners?! They're *filthy*!"

The mumbled response was difficult to hear.

"How complicated is it to mop a *stupid* floor?"

We turned the corner, and I cringed at the sight of the poor janitor hunched over his bucket, mop in hand.

"I can't stay on top of you all day," the supervisor bellowed.

As we scurried to the water fountain, desperate to get our water and get out of there, the stooped man looked up and our eyes met.

I felt my stomach drop.

It was Dad.

FOURTEEN

TRUE FACT:
Venus spins in the opposite direction of every other planet in our solar system.

I gaped at my father, speechless.

I thought he was maintaining computer systems . . . not *floors*.

"Noah," he whispered, glancing nervously at the monster behind him. "We'll talk about this at home, okay?"

I nodded, my hands trembling, Tara wordlessly watched the exchange. We forgot about the water and scrambled out of the community centre.

I grabbed my bike and swung my leg over the bar, my hands gripping the handlebars so tight it felt like the veins would pop. A roaring ache throbbed in my chest. Disbelief. *Dad was washing floors?* It was all wrong. Dad was a *scientist*. It didn't make sense.

I felt like I was going to pass out.

Tara lightly touched my arm. "Was that your dad?"

I nodded. "I'm . . . it's okay. I just didn't know he was working *here*."

She nodded.

My head was spinning. *Get a grip*, I thought. *This can be fixed.*

And I was going to fix it.

I took a deep breath and felt more determined than ever. I *had* to get him that telescope. To help him get a job he'd be good at, to make use of all that information in his brain, all that education he'd attained. To help him round up some wonder from the celestial world and bring it to this one.

"You sure you're okay?" Tara asked.

"I actually am. Let's go."

We pushed off on our bikes and continued along King Road until we finally arrived at Unionside Hospital.

"Do you remember where Dr. Ray's office is?" I said as we stepped through the revolving door.

Tara shook her head and pointed to the information desk. An elderly woman was drinking from a plaid coffee thermos.

"Excuse me," Tara said. "Where could we find Dr. Raymond Penner?"

The woman leaned into a big binder and scanned the pages. Finally, she said, "Fourth floor in the D wing, room 471. Just follow the yellow lines on the floor."

"Thanks!"

We tracked the dotted yellow line until it brought us to the elevator. Everything smelled like bleach and hospital. We rode to the fourth floor in silence. Tara's head was probably jammed with memories, and mine was jammed with Dad.

The elevator doors opened, and we followed the numbers until we arrived at a door marked 471. But it didn't look like an office. It seemed more like a patient room.

"Something's not right," I said, but Tara was already halfway through the door. I followed her cautiously.

Yup, it was a patient room all right. It was filled with monitors and IV stands and a hospital bed with metal guards on each side. And at the centre of the bed lay a pale and shrunken man, unmoving under thin sheets.

Tara's smile faltered.

"Is this Dr. Ray?" I asked.

"I can't *believe* this," she murmured. "What happened?"

I studied Ray Penner. Something wasn't right, but I knew one thing for sure.

He was *not* the man who had released that shot into the night sky.

TRUE FACT:
Uranus holds the record for the
coldest temperature of any planet
in the solar system.

It might have been dark that night, but I knew for certain that the man with the Hawaiian shirt was not this person lying in the hospital bed.

Dr. Ray was *not* the gunman.

His eyes fluttered open. He studied Tara for a moment, then his mouth stretched into a grin.

"Tara Dhillon!" he said. "I'm *delighted* that you barged in!"

Tara sucked in a breath. "I'm really sorry, Dr. Ray. I thought this was your office—"

"No worries. I was actually in the mood for a good barging." Then his eyes turned to me. "And who are you, young man? You, too, look like a fine intruder."

I gulped. Did he know that I really *was* an intruder? "I'm Noah Cooper. Tara's friend."

"Clearly." He pushed a button and shifted his bed into a sitting position. "These beds can do everything. I think they even chop tomatoes."

"Are you . . . okay?" Tara asked.

He curled his finger and beckoned us closer. When we were practically on top of him, he peered around the room, as if looking for spies.

"It's the *Jell-O*," he said, with a look of disgust. "They're *killing* me with raspberry Jell-O. Now sit down, the two of you."

We slid into the chairs next to his bed. Tara had said that Dr. Ray was colourful, but I could see now that she *really* meant it.

"I've missed you and your family, young lady," Dr. Ray said. "But you were a fine patient, which means that I've been very happy *not* to see you."

"I kind of can't believe you remember each other," I said. It sounded like the Dhillons hadn't had contact with him for years.

"I remember *all* my patients. Particularly the special ones." He smiled at Tara. "Now, tell me what you're doing here. Have you come for me to operate on you? I'm always up for removing something, although I'm maybe *not* so much in the mood right at the moment."

Tara shook her head. "I didn't realize you were a patient here. Are you . . . are you okay, Dr. Ray?"

"You keep asking me that, young lady. I'm clearly not *that* okay if I'm in this joint. But I'll be fine. Especially after I complete this course of raspberry Jell-O."

"Have you been here awhile? I mean, as a patient?"

He sighed. "Three long weeks. But I'm going to be discharged in the next day or two."

A nurse walked into the room and squeezed past Tara to adjust a monitor behind Dr. Ray's head. As she straightened up his blankets and pillows, I could see a look of understanding cross Tara's face.

"Three weeks?" she mouthed to me as the nurse fiddled with the IV pole. "That means —"

I nodded. "It's not the same person," I said quietly.

"I don't get it."

"Are you sure he even owns the Graham estate?" I whispered. "Maybe he just keeps his old car there?"

The nurse slipped out of the room, and Dr. Ray loudly cleared his throat. "The answer is yes," he said.

"Yes?" we said.

"Yes," he said. "The Graham house and its surrounding property belong to me, since you weren't asking."

"It's a really beautiful estate," I said. "I mean, the house looks really old — like it has a story."

Dr. Ray studied me for a moment. "That's an astute insight," he said. "It was built in 1837 by my great-great-great-grandfather William Graham. He was a prosperous landowner who operated a gristmill on the Tanahassee River. He essentially established the county of Queensport."

"Wow, so it's historic," I said. "That's pretty cool."

"Yes, but not everyone around here values *history*," he said tightly. "I'm glad you do."

"I recognized your pink car," Tara said.

"Young lady, have you been *spying* on my car? Because my car can be very sensitive, you know."

"No, it's just that I have a dog, a bloodhound," she said. "And I make movies of him doing all kinds of things in different places, and since you have the pond, we were wondering —"

"Say no more," he said, holding up a hand. "You can make a movie of your bloodhound driving my pink Beetle around the county."

"Actually, it's not that."

"Well, why don't you just come out and say what it is? What's *taking* you so long?"

Tara looked at me and tried to suppress a giggle. Dr. Ray was grinning, so I guess he was in on his own joke.

"Dr. Ray, can we please shoot a little movie about my dog, Max, at the Graham estate?" she asked politely.

He nodded slowly. "I'm open."

Tara gestured to me. "It's kind of a . . . *personal* story for Noah."

"Do tell," he said.

"So . . . um —" I coughed. "So . . . I —"

"Just say it, son. I'm dying of boredom here. I'm also literally dying, and at the rate you're going, I might not even be around by the time you finish this story."

Tara and I went still.

Dr. Ray glanced at both of us and waved a hand. "Now, now, not to worry. I'll be my usual chipper self in a day or two."

What did that even mean? Was he dying or was he chipper? It would have helped if he was slightly more specific. I decided just to press ahead.

"Okay, so the thing is that Tara has this idea to shoot a movie of her dog, Max Newman, as an astronomer on the Graham estate."

"Sounds cute. But why is it personal to you, son?"

I shifted in my seat. "Well, you see, we're new in Queensport. And my brother and I assumed that nobody lived in that house. And it's been really hot, and Kyle and I thought no one would care if we went swimming in the little pond out front."

Dr. Ray's face froze.

"I'm really sorry," I said quickly. "We thought the house was abandoned. I had no idea that you lived there."

"I don't."

"You don't?"

"I don't. It's too hard for me to keep up the house in my condition. It's empty."

"But someone came out and fired a gun into the air."

Dr. Ray's jaw tightened. "What did he look like?"

"I mean, he kinda looked like you. He was older with silver hair, and he was wearing a Hawaiian shirt. Why did he do that?"

His eyes narrowed in concentration. "Let's just say that there are people who want my property and have been making trouble. I have my suspicions, since I know all the knuckleheads in the county, but this person doesn't sound familiar. It could have been a hired henchman."

"That's *awful*," Tara murmured.

"Okay, start again," he said, "and this time, tell me exactly what happened."

I told the story in more detail — about me and Kyle sneaking in, about swimming, about the binoculars. But Dr. Ray wanted to know more about Kyle and Dad and why we'd moved to Queensport.

"What's your father's name, son?" he asked.

"James. Jim Cooper."

"Ahh, I remember Patricia and John's boy, Jim. He was the brainy kid who was going to be a great scientist one day."

"I think he thought so too."

Dr. Ray and Tara watched me, waiting.

I sighed. "So he was working on a PhD in astronomy and was married to my mom, and me and my brother, Kyle, were born." I cleared my throat. "But my mother got sick, and she died five years ago."

"I'm sorry," Dr. Ray murmured.

I swallowed, hoping he wouldn't ask too many questions about her.

"So my dad dropped out of his program and started a science supply business, but I think he was struggling with missing my mom and being a single father and trying to make a living."

"I can only imagine," Dr. Ray said. "It sounds like a nightmare."

"He hasn't been doing very well," I admitted. "Anyway, we were living in Alberta and Dad's business went under, so he decided to move here so we could live in his childhood home."

Dr. Ray nodded. "John and Patricia were good people. I know that house has been empty for a while. May I ask what your father is doing now?"

That dull ache resurfaced. Tara and I exchanged a knowing glance about what we'd just seen at the community centre.

"He's a part-time janitor at the community centre," I murmured. In less than ten minutes, Dr. Ray had gotten Dad's entire story arc — from minor to astronomer to janitor.

He nodded slowly, and the conversation went still.

"Well," he finally said, "if some armed psycho is roaming my property, that's all the more reason for me to get out of this joint." He waved his hand at the machines next to his bed. "This place is awful. I don't know how anyone can even work at a place like this."

"Wait a minute," I said. "Aren't you a surgeon?"

"Well, yes, but if I had a choice, I'd rather operate somewhere cozy, like my den at home. It would be less intimidating for patients. What do you think?"

Tara and I gaped at him. Was he joking or serious? Was this dying talk or chipper talk? It was so hard to know with this man.

"So you're saying you two want to make a movie there, huh?"

"Yeah. And we want to recreate that scene with the shooter too," Tara explained.

He laughed. "Maybe I can be a stand-in for him. I'm sure whoever was lurking there wouldn't dare show up if I'm around. I can wave a hockey stick at the sky for you. Does that work?"

Tara beamed. "Perfect!" Then she turned to me. "You'll see. We're going to make an *amazing* movie, and we'll win enough money for you to buy that telescope."

Dr. Ray crossed his arms and narrowed his eyes. "Hold on a second. You trespassed on my property, which you had no right to do. So here's the deal: I'm going to give you permission to make your movie at my place, but it comes with a price."

I blinked. "A price?"

"A price."

"What is it?" Tara said.

"You'll find out when you get there. Wednesday afternoon at one. And bring as many rotting apples as possible."

TRUE FACT:
After the sun, the closest star to us is Proxima Centauri. It would take more than six thousand years to get there with our fastest spacecraft.

After a barbecue dinner with the Dhillons, I rode home under a sky that was changing its clothes, shedding layers of daylight for a fresh cloak of black.

When I arrived home, I trudged past the kitchen with its forest of grimy pots, encrusted dishes, and empty cereal boxes and found Dad on the patio, unmoving. It seemed as if the thick air had fused his listless body to the Muskoka chair. I took the seat next to him, and he glanced at me with a look of sorrow.

"I'm so sorry about supper, buddy," he said. "I can make you some macaroni, if you want."

"It's okay, Dad."

Silence. There was a conversation wafting somewhere in the air between us, but I wasn't sure how to find it. A pounding soreness throbbed in my ears. My father was supposed to be an astronomer, a physicist, a professor of *something*. There was an entire universe inside of his head, but it was slowly getting scrubbed away by a cocktail of bleach and ammonia.

"Dad —"

"Noah, don't."

Don't talk? Don't ask me anything? Don't feel bad for me?

"I just —"

"It's okay," he said quietly.

More silence.

"There's no shame in an honest day's work," he said at last.

"I know, I know."

"And if we're careful, it's basically a living," he said in a soft voice.

"I . . . I guess."

More quiet channelled between us until he finally spoke again. "Remember the morning we found out about the *Columbia* disaster?"

I nodded. And once again I was reminded of that Saturday in February when the space shuttle re-entered earth's atmosphere thirty-eight miles above the Pacific Ocean. The unimaginable happened. The spacecraft exploded.

The shuttle plummeted to earth across Texas and Louisiana, leaving a trail of debris that was filled with the broken hearts of every child, sibling, partner, and parent of the seven doomed crew members.

We'd watched TV all day in a cloud of shock. And for a brief couple of days after, Dad wasn't a zombie, and together we tried to process that horrible event. We speculated and grieved, then we re-speculated and re-grieved all over again.

"Noah, you don't think that NASA should give up exploring space, do you?" Dad said now.

"No, of course not."

"But you understand that they've completely stopped the space shuttle flights and halted construction of the International Space Station?"

"Yeah, but . . . not forever, right?"

"No. Not forever. There's too much to learn and to explore, too much knowledge that's out there and needs to be brought back. They're not going to stop wanting all that." He turned to look at me. "The thing is, there are *mistakes* and *errors* and things that go wrong in life." He seemed to gather himself, as if trying to contain something that threatened to leak out. "What I'm trying to tell you is that in life, sometimes things crash."

"I know," I said, my voice breaking. "But maybe one day they'll be fixed again?"

"But not in the same way. Life goes on, but it's different. It changes. Things evolve."

"Dad," I said, "I know bad things happened to you, and I know there's honour in work — in every honest job, and this is an honest job — but you trained so many years for something else. Something that you were so good at, and that you loved."

He reached out and squeezed my shoulder, but his voice kept shrinking. "I'm so sorry about this, but you need to accept that this is the way it is. Maybe not forever, but for now."

"Can't you at least teach a course as well?"

He shook his head no, and I wanted to howl in frustration.

"That's not going to happen," he said. "But I want you to do me a favour, okay?"

I exhaled. "Anything."

"I don't want to discuss it anymore. I need you to do that for me."

I didn't want to, but I knew I had to agree. I leaned over and hugged him, and he hugged me back.

For the next two hours, I sat next to him under a whole slew of stars, beneath light that had spent years travelling unimaginable distances to reach us, only to miss Dad by a few inches.

And I knew that if it was the last thing I ever did, I had to fix that.

SEVENTEEN

TRUE FACT:
Since it was discovered in 1846,
Neptune has orbited around the
sun only once.

It wasn't just a few rotten apples.

Dr. Ray wanted a *lot* of them.

On Wednesday morning, Mrs. Dhillon insisted on driving Tara and me to the Graham estate for our mysterious rendezvous. Given the amount of fruit we'd been instructed to bring, I was happy to get a ride. Tara, on the other hand, was not.

"But don't you have that huge presentation you're working on?" she said as her mother grabbed her car keys from the front hall. "We can ride our bikes—"

Tara froze, immediately recognizing her mistake.

Mrs. Dhillon heaved a typhoon-grade sigh. She clutched her chest as if she could smother the torrent of gratitude that was about to explode out of her.

"Noah, I am *so grateful*," she said breathlessly. "To

think that Tara rides a bike now! I can't . . . there are no words."

I could see Tara cringing, but I thought it was kind of nice. Having a parent who cared enough to gush seemed pretty cool to me. The gush-free life isn't everything it's cracked up to be.

"Mom! We need to *go*," Tara said, edging toward the door. "Noah and I can ride."

"Well, I'd like to say hello to Dr. Ray. It's been a while. Besides, how are you planning to take a bushel of windfall apples on your bikes?"

Tara sighed. Defeated.

We loaded our bikes and an empty bushel basket into the minivan.

"Do you think he wants you to help him make applesauce?" Mrs. Dhillon said as we climbed into the vehicle. "Or maybe he wants you to mow his lawn or clean up his property. Or compost. I mean, why did he want you to dress in old clothes?"

"We'll find out soon enough," Tara said as she rolled down her window.

Max and I settled into the bench behind her and her mother. Deterred by the lack of access to my legs, he started coming at my face. I recoiled nervously. That tongue of his was like a guided missile.

Tara threw a rag into my lap, grinning. "He *really* likes you."

"He likes everyone. He's a bloodhound."

She shook her head. "He really doesn't. He gets

bored once the novelty of a new person's smell wears off."

"It's true," Mrs. Dhillon said.

"Max is basically a scent snob," Tara said.

"I'm honoured that I have such an appealing smell — to a dog."

Mrs. Dhillon laughed as she brought the van to a stop on the shoulder of King Road, across from the entrance to the Graham estate.

Tara and I tumbled out of the car to a cluster of wild fruit trees heavy with ripening McIntosh apples. Mushy windfall apples lay in heaps on the ground. We gathered piles of them, swatting away flies and wasps as we tossed the fruit into the bushel.

When it was filled, we wedged the basket into the van, far from Max's eager chompers. Then Mrs. Dhillon motored under the canopy of trees that towered over the driveway to Dr. Ray's property, and I shivered at the memory.

Last time I was there, I'd been running for my life.

Next time, I'd be shooting a movie.

This time, I'd be making . . .

. . . applesauce?

But if I had to spend eight hours making applesauce to be able to shoot Tara's movie, I'd do it. Heck, if I had to spend *eighty* hours, I'd do it.

Sometimes when you're desperate for a telescope, applesauce is your only hope.

As we pulled up to the stately house, we spied

Dr. Ray sprawled on a lawn chair on the porch.

"Welcome! Welcome!" he bellowed as he rose to his feet. He was looking a lot more robust than he had in the hospital.

We climbed out of the car. Max bounded up for a brief sniff and then trotted back to me. Scent snob, indeed.

"Ray!"

Mrs. Dhillon and Dr. Ray embraced each other. While they caught up, Tara and I unloaded the van. As soon as we were done, Mrs. Dhillon announced that she had to get back to work.

"I want to hear all about this project when you get home!" she called as she keyed the ignition and headed off down the long driveway. Max was bobbing his head out the window, barking with joy. Joy-bobbing was an excellent distraction for someone as solemn as Max; it seemed to lift the weight of the world from his furry shoulders.

When the van was out of view, Tara and I turned back to Dr. Ray, but he was gone.

"Come here!" he yelled. "Up here!"

We scanned the bricks of the Georgian house and the leaded windows with their black shutters.

"Um . . . Dr. Ray? Where are you?"

"What part of 'up here' don't you understand?" he said. "Look *up*."

My eyes travelled past the second storey to the roof. It sloped up from the front and rear of the house to a horizontal landing that spanned the width of the building. Dr. Ray was there, one foot propped up on a short wrought-iron fence.

"What are you waiting for?" he yelled down at us. "I'm going to have to nap soon. I'm still recovering from all that Jell-O."

I looked at Tara curiously.

She shrugged. "Sorry, I don't get it."

Maybe Dr. Ray was legitimately crazy.

"Go inside and take the stairs in the back bedroom to the attic," he shouted. "Follow the white painter's tarp on the floor through a small door to the widow's walk."

"What's a widow's walk?" I hollered up to the roof.

"Would you just get *up* here?" he shouted back. "I'm dying here. Literally. And bring the apples with you."

Tara and I grabbed the bushel basket and hoisted it through the front door. The house was empty inside; all the furniture and paintings and carpets had been removed.

We dragged the basket up the stairs and climbed out to the roof.

And suddenly we were on top of Queensport.

I blinked, then did a full rotation. The Tanahassee River carved a ribbon to the east, through an old-growth forest. Everywhere else, the ground was quilted with a patchwork of pastures, orchards, and browning fields.

Looming on the edge of the horizon, far beyond the abandoned field that abutted the property on the south, were the crowns of city skyscrapers jutting from the earth like angry fists trying to punch the stars out of the sky.

Dr. Ray was surrounded by three open cans of red paint and two baskets of rotting tomatoes. With all the decaying produce, it felt like some bizarre rooftop rot-fest.

"What *took* you two so long?" he said, which I assumed meant that he was once again minutes from dying. "Let's get moving. You ready for an art project?"

He pointed to the back of the house, where we could see huge rolls of brown packing paper unfurled on the grass.

"We're going to do a mixed-media project," he explained. "Paint and tomatoes and rotten apples. Dip and toss — it's very simple. Elegant, really."

"But won't the paint ruin the bricks?" Tara said.

Dr. Ray heaved a deep sigh. "My dear children, this is *art*. Would you argue with Michelangelo? Or van Gogh? Just grab a tomato. You too, Noah."

We gaped at him, dumbfounded.

"Look I've *always* wanted to do this, ever since I was a little kid. I've got people coming in first thing on Friday to start doing renovations, so it's now or never."

Tara stiffened.

"Come on, you two," he said. "I don't have time to waste."

Tara and I scooped up a couple of tomatoes and gingerly dipped them into the paint.

"No, no, no!" he barked. "Put it all the way in. Like *this*." He grabbed our hands and shoved them deep inside the paint cans.

A tiny squeal escaped my mouth. You see, there's wet, and then there's *unnatural* wet. And when you submerge your entire hand in a bucket of slimy latex paint, you're talking about completely gross wet.

Tara grimaced and I felt myself groaning as we pulled out our hands, soaking and dripping bright red paint. And at that moment I had to wonder if this was really what a normal person had to do to get a telescope.

"Can't we just make some applesauce?" I said.

Dr. Ray looked at me strangely. Then he grabbed two tomatoes and plunged his own hands into the paint. He leaned over the roof railing, dripping red paint, and dropped the tomatoes onto the paper two storeys below.

"Now you two," he insisted.

Tara slung a tomato over the edge of the roof. It landed with a minor explosion that shot out rays of tomato guts. I hurled two paint-soaked apples like they were boiling lava rocks, then Tara drove a dripping tomato overhanded like she was pitching a baseball.

And then we got going.

We juggled, dumped, tossed, and slammed painted produce all over the paper — and ourselves. Sprays of paint flew everywhere.

We were soon drenched in tomato innards and rotten apple slime. We whooped as our arms, our faces, our hair, our T-shirts were streaked with red paint, tomatoes, and apple flesh.

It was a world gone red.

"We are making art history, my friends!" Dr. Ray said. "The first artists to work in tomatoes!"

I wasn't so sure we were making *art* history. But we were probably making *tomato* history.

And then suddenly we reached the bottom of the basket, and it was all over. Too soon.

The three of us peered at each other, quietly sharing a grin.

Dr. Ray grabbed the empty baskets and cans of paint and heaved them over the side of the roof. "You look frightening, the two of you," he said. But he was beaming. As if sending us out into Queensport looking like two bloody corpses was the highlight of his day

Tara and I followed him down the stairs and to the front of the house, where our bicycles waited.

"Dr. Ray," I said quickly, "we can definitely come back, right? To film the movie?"

He studied me for a moment. "You really want this for your dad, don't you?"

And for the second time in as many days, he insisted that I recount the story of Dad — but in even more detail this time. He was getting so schooled in my father's biography, he was fast becoming a Dad historian.

"And you think you have a shot of winning this

contest?" asked Dr. Ray, a flicker of doubt in his eyes.

"We're for sure going to try," Tara said. "I mean, how many dogs can do astronomy?"

"None, actually," he said. "But I've no doubt that Max fellow of yours is a rare canine intellect."

E I G H T E E N

TRUE FACT:
If you flew a plane to Pluto, it would take you more than eight hundred years to get there.

Dr. Ray's moment of doubt shone a spotlight on my own. I suddenly realized that I had no idea who had sponsored this film contest or how many people might enter. Was it local, national, international? Were there age categories for entrants? And most importantly, did we *really* have a shot at winning? Was I wasting precious time while Dad drifted further away?

As Tara and I strapped on our helmets and picked up our bikes, we took a good look at each other. We were pretty ugly — in the most spectacular way, like we'd been slashed and were oozing blood from every pore.

"We really are scary," Tara said, surveying her ruined clothes. "Like there was a zombie attack—" She froze. "Sorry! I know that zombies are a sensitive topic for you."

My mind raced. How much detail had I shared about Zombie Dad?

"Seriously, Tara. Like I'm triggered by zombies?" I said. "Anyway, I'm not even sure if we're the zombies or the victims." I glanced at my T-shirt and jeans.

"Both."

We got on our bikes and rode out to King Road, but once we'd crossed the street, I stopped.

"So what exactly is this contest we're entering? I've never really asked you."

"Right," she said, a weak smile on her face. "About that."

We were standing at the edge of the same orchard where we'd gathered apples a few hours earlier. Tara couldn't seem to meet my eye. She stared at the heaps of apples that still covered the ground.

I elbowed her in the ribs. "Um, what's going on? You're making me nervous, partner. Is there even a contest?"

"Well, of *course* there's a contest."

"Oh," I said, relieved. "Great."

"But the thing is" — she cleared her throat — "I haven't actually *found* it yet."

"What do you mean you haven't found it yet?" I was genuinely puzzled. "You told me you had the guidelines, remember? You said the judges wanted humour and an authentic storyline." I was starting to feel anxious. "Did you just make the whole thing up?"

"Well, I mean . . . sort of?"

I gaped at her. "You convinced me to waste time tracking down this crazy doctor and climbing up on his roof to do this nutty art project all covered in paint — and it was for *nothing*?" I couldn't believe what I was hearing.

"Not for *nothing*, exactly. You had fun, didn't you? And I'm sure that *somewhere* out there, there's a contest for kids who make films about dogs who like stars."

My mouth dropped. I'd been bamboozled.

I crossed my arms and glared at her, but she looked back at me with a shrug and a smile, which made me feel even more upset.

"How could you do this?" I said. "You *lied* to me."

The smile disappeared from her lips.

"Okay, here's the thing," she began. "I really did think at first that I could find us a contest to enter. But when I started to look around, I wasn't coming up with anything. By then, we were planning out what to do and trying to find Dr. Ray, and we were having so much fun that I didn't think the contest really mattered. But after you told your dad's story to Dr. Ray in the hospital, I started to realize that it did matter to you. Like, really a lot. And then I just couldn't tell you I'd messed up so badly."

I turned away.

Under a vivid blue sky and a brilliant sun, surrounded by trees laden with ripening apples, I felt like all the colour had drained out of the world.

How could she have done this? I'd trusted her,

and she'd made me feel like a fool.

"You know what, Tara?" I said as I turned back to face her. "It's worse to have a fake friend than no friend at all."

NINETEEN

TRUE FACT:
It takes 230 million years for our solar system to orbit the Milky Way.

The paint and rotting produce were curdling on my skin.

It's true I'd had fun doing the project, but the whole effort was based on an illusion. And the problem with illusions is that once you see them, they're gone. I was no closer to getting Dad a decent optical aid.

I grabbed my bicycle, desperate to get home and wash off the remnants of the bogus project, for a bogus film, with a bogus friend.

What was I going to do now? Dad was dying inside. And I suddenly had no plan. Tara kept calling after me, but I climbed on my back and pedalled furiously away.

When I got home, I stormed through the front door and charged up the stairs to my bedroom, slamming the door shut behind me. I shed the filthy clothing and stuffed the physical evidence of Tara's betrayal into a plastic bag. Maybe I'd burn them all.

I threw on a T-shirt and shorts and dropped onto my bed, my heart thundering in my ears. *Maybe the lesson is that you really can't trust anyone*, I thought.

Your mother dies, your father disappears, your best friend lies to you. What's left in the end? Just the stars in the sky, those dependable suns that have been around for millions of years? And Kyle.

There was a soft knock on the door.

I ignored it. I didn't want to speak to anyone now.

"Hey, Noah," Kyle said. "Are you okay?"

"I'm *fine*. Please leave me alone."

"You sure?"

"Yes!"

It was late in the day, and Dad wouldn't even notice if I skipped dinner. I didn't want to eat anyway. I turned over on my bed and replayed the day's scenes: gathering the apples, hefting the basket to the roof, tossing the rotted fruit to the ground. All those pleasant memories soured when I thought about how Tara had played me for a fool. I'd put all my hopes in her and her contest, and I'd trusted her with my friendship. I'd wanted the connection so badly that maybe I hadn't been careful enough.

I visualized the day over and over, and each time, a fresh wave of anger was released. But eventually, my fury subsided and turned into pain. The grief was exhausting, and after a few hours, I fell asleep.

It was dark out when I heard the door to my room creak. My eyes fluttered open, and I saw the outline of Kyle carrying a quilt. I turned over and watched him settle in for the night on the floor next to my bed.

He lay on his side, and our eyes met under a pale beam of moonlight that shone through my window.

"Hey, bro," Kyle said. "Did something happen?"

I swallowed hard. I didn't want to talk about it.

Kyle's face hardened. "Let me guess," he snarled. "It was *Dad*, right? What did he do this time? I swear—"

"No, no, no. It's not Dad."

He hesitated. "So what was . . . oh, wait a minute. Was it *Tara*?"

I blinked. "Yeah."

"Oh boy. What happened?"

"She *lied* to me, Kyle." And once again, I felt overcome with sadness. "She pretended that there was a film contest and said that if we won, I'd have enough money to buy Dad a telescope. She made it all up. She was just *using* me."

"Hmm," Kyle said. He turned onto his back and stared at the ceiling. "So are you saying she couldn't have done this film without you?"

"Well, I don't know about that."

"Didn't you tell me she's made other films?"

"Yeah, six. So what's your point?"

Kyle sat up. "If she's made other films on her own, maybe she wasn't really using you to help her."

"So what was she using me for, then?"

"Maybe she wasn't." Kyle shrugged. "Maybe she just wanted to be your friend."

I thought about that.

"You know, Mason and O can be a bit jerky — like when they chased you on their boards, right?"

"That's for sure."

"But maybe" — he pursed his lips — "maybe the thing is that if you hold out for perfection, you can end up with nothing. You know what I mean?"

"But she did it on *purpose*," I protested.

"I know, but why? Maybe she did it because she wanted to be friends and didn't know how else to go about it. The point is that people make mistakes, and if you can never forgive them, then you'll be pretty lonely in the end."

"I guess." I thought about it for a moment, then blurted, "But wait a minute, Kyle — I don't see you forgiving Dad."

His eyes flashed, and I instantly regretted my comment.

"Tara wants to be a friend, Noah," he said angrily. "Dad doesn't want to be a father. There's a huge difference."

"I guess so," I murmured.

"Do you really want to lose your friend?"

I shook my head miserably. No, no, no.

"Sleep on it, bro. You'll know what to do."

TWENTY

TRUE FACT:
When you look at the night sky with your naked eye, every star you see is part of our own Milky Way Galaxy.

I woke up the next morning with the sun streaming through my window and the sound of Kyle snoring softly on the floor.

I didn't know why, but it felt like the world was a bit less dark.

I tiptoed over Kyle and was heading quietly down the stairs for some cereal when I heard a soft knock at the front door.

Tara stood in front of me, her eyes red. "Noah, I'm *really* sorry."

I shrugged.

"Come on," she said softly as she pushed up her glasses and nervously rearranged one of her hairclips. "Please give me a chance. I feel *awful*."

"You just spent the last week basically lying to me."

"I know. It's just—"

She swallowed hard and stared at her feet.

I waited. Because even not interacting with Tara was still interacting with her.

"I guess . . . I really wanted you to do my movie with me, and I sort of . . . I mean, I just haven't had so many people to hang out with. I don't really connect with most kids in my class, so I'm kind of on my own around here. You probably can't understand that."

If she only knew. "I do."

"No, you probably had loads of friends back in Alberta. I'm a bit of a weirdo geek. You don't know what it's like."

"To be a weirdo geek? Or have no friends? Because I'm not exactly a stranger to either of those things." I could feel the anger ebbing away. "I have Kyle and I have my stars, and that's about it. I don't even have my dad anymore, and I probably won't even have Kyle much longer once school starts. The stars better not ditch me, too, because then I'll have nothing."

"I won't ditch you," Tara said quietly. "Just give me another chance, okay? I'm really sorry, and I swear I'll never lie to you again. I'm going to do whatever it takes to help you get that telescope."

"Oh, yeah?"

"Just do me a favour and punish me, okay? It'll make me feel better. Throw a rotten apple. Throw ten, if you want."

I thought about her offer.

"Look, I have to eat and get dressed now," I said. "But if you want, I'll meet you across from Graham estate in an hour."

Her eyes lit up. "Really? How come there?"

I shrugged. "Take it or leave it. That's all I've got."

TWENTY-ONE

TRUE FACT:
Stars can live millions or even trillions of years.

I quickly ate breakfast, dressed, and pedalled out to where we'd gathered the windfall apples for Dr. Ray's art project the day before. I kept glancing at my watch as I gathered fruit. Finally, when an hour had passed, I hid behind a bush, waiting for Tara to arrive.

She soon approached and dismounted her bicycle. I scooped four rotting apples from my pile and lobbed them at her in rapid succession. The fourth one hit her sneaker in a pudding of apple mush.

She jumped back, a huge grin on her face. "How about you accept my apology, I accept your punishment, and we'll call it a day?"

"Sorry, I don't believe in day," I said, grabbing another apple. "So I can't call it one."

"Day! Day!" she said with a giggle as she leapt away

from me. She scrambled to the next tree and snatched three apples from the dirt, flinging one at my chest. It shot right past my arm, missing me by a good foot.

I stopped and watched it sail to the ground. "Now that was just sad."

"Sad? *Sad*?"

She drove another apple at my arm and a second that landed on my foot. I pitched an apple at her own foot, and it thudded on her knee. And then it was just an all-out apple war. There was an endless supply of ammunition on the ground, and we were nowhere near done. Tara landed a particularly squishy apple squarely on my mouth. I shook my head, spit out bits of apple chunks, and chased her into the orchard, where she tumbled and landed in a pile of rotting apples. I dove down next to her, but she scrambled to her feet and bolted back to the edge of the road, with me in hot pursuit.

Just then, a white Lincoln glided to a stop in front of us, and Tara and I immediately froze. It looked a bit like a cop car. Had we broken a law? Were there laws about throwing apples on the side of a county road?

Tara must have read my mind because she whispered, "You're seriously a cop magnet."

A man in a crisp white linen suit emerged from the driver's side of the car. He was tall and slender, around my dad's age, with high cheekbones, black hair, and an air of importance. He was definitely a Somebody.

Tara's mouth dropped.

"Ahh," the man said, taking her in. "You're Jay and Leigh-Ann's daughter, aren't you?"

She nodded, tongue-tied.

He pulled a business card from his suit pocket and handed it to me:

GORDON FONTANA
HIS WORSHIP, THE HONOURABLE MAYOR OF QUEENSPORT COUNTY

I'd never met a mayor before. Were we supposed to actually worship him?

Or maybe just adore him a little?

"Now, what's your name, son?" Mayor Fontana asked.

I gulped. "Noah Cooper."

"Hmmm, Cooper? Why does that sound familiar?"

"My dad grew up in Queensport. We just moved back this summer."

"Ahh, a native son. Would that be that James Cooper, by any chance?"

"Yes, that's my dad!"

"Sure, sure. I grew up with Jim. Good guy. Super brainy. He's a scientist, right?"

I coughed. "Yeah, well, that didn't quite work out."

"Oh. Sorry to hear that. What does he do now?"

"He's a . . . um, caretaker at the community centre in Unionside."

"Ah, so *he's* the new hire," he said, but not in an unkind way. "Well, that's solid work. Good guy. Please send him my best. But you two? You look like you just survived the Battle of the Somme."

"The Battle of the what?" I said. "It was . . . just an apple fight."

"I see." He glanced around the orchard. "Wait a minute! Didn't I see you here yesterday morning, gathering apples and loading them into a van?"

I cleared my throat. I was back to feeling like we'd broken some mysterious law. "We were doing an art project with Dr. Ray."

Mr. Fontana nodded slowly and stroked his chin.

Finally, Tara seemed to come out of her shock. "We're going to be shooting a movie on his estate," she said.

"Oh, with your dog? I heard about the film you made at the bank."

She smiled. "Yeah, Max Newman."

"What kind of movie?"

"It's just a short film," Tara said. Then she offered a quick overview of *Astronomax*.

"It sounds like a great local story, a *Queensport* story. I love to see our young people engaged with our history! And what are you going to do with this movie when it's done?"

"We're . . . um, going to try to enter it into a film contest," I said. "One that has a cash prize." Then I elbowed Tara in the waist and added, "If we can *find* one."

She shot me a sheepish look.

"Nice. Prize money. And what would a pair of kids like you purchase with that?"

"I'm trying to buy a telescope so my dad can teach a course at the community centre."

The mayor stared off at the orchard. "Interesting," he finally said.

But who was I kidding? How were Tara and I ever going to find an appropriate film contest for *Astronomax*? I needed a new idea — and maybe I'd just hatched one.

"Mayor Fontana, the Graham estate is historically significant, right?"

"Absolutely."

"And you mentioned that you're interested in engaging young people, right?"

He eyed me curiously. "Okay, where are you going with this?"

"Well, maybe the city could buy the rights to our movie. You can put it on your website. Maybe it will make people want to visit Queensport!"

Mayor Fontana released a sharp laugh. "Buy your movie for our website? It would have to be pretty darned good for that to happen."

"Tara's produced, written, and edited a number of films, and they're all really polished and professional."

"I *only* do pretty darned good," she said. "Except when I do pretty darned *great*."

Mayor Fontana fixed us with a stare as he mulled it over.

"It's playful and fun," Tara said coaxingly. "It has a dog, but it also gives a really fresh and interesting take on the property. It's *youthful*. It's nothing like a boring old documentary."

"Hmm, I'd have to see if the town has any budget for this sort of thing," said the mayor, nodding slowly. "But you know what? I'll consider it. We could play it at our council meeting, then possibly buy the rights for our website. If it's *really* good."

I felt my heart swell a little.

"Why don't you two come visit me at my office early tomorrow morning. How about seven thirty, before I start my workday?"

Tara and I inwardly groaned. That was a bit early for an August morning, but this opportunity was too good to pass up.

"We'll see if we can work something out," he was saying. "This really might be a great way to promote the town and preserve our heritage properties."

Tara nodded vigorously. "We're *really* into preserving heritage properties."

"Yes!"

"Great!" I put out my filthy hand, and he eyed it but quickly changed his mind. "I'll see you two tomorrow," he said with a friendly wave.

Then he climbed back into his car and drove off.

Tara slapped me on the back. "This might be an even better opportunity than a fake film contest. I knew all along that Max would come through for you."

"Of course you did."

It *was* an amazing opportunity, but also an urgent one. Dr. Ray's renovations started on Friday morning and it was already Wednesday. That meant we had very little time to shoot a perfect film the next evening. We'd have to take lots of footage, and we couldn't make mistakes.

Basically, everything had to be perfect.

"We have to clean up," Tara said, eyeing me. "We really do look kind of crime-sceneish."

"Agreed."

We both jumped on our bikes and sped off for home, trying to evade more unwanted attention. When I arrived, Kyle was sitting at the kitchen table with Mason and O.

The three of them gaped at me.

"Noah, who *did* this to you?" Kyle demanded.

"Nobody did this."

Mason stood up and playfully punched my arm. "Dude, you are *bad*. I *like* bad. Was it a fight? I don't know what it was, but I love it!"

I rolled my eyes. "Why is being in a fight so impressive to your friends?" I said to Kyle.

"I'm not going to lie," he replied. "You're looking kind of tough right now."

"Maybe I was attacked by coyotes. Is that impressive?"

"Kind of. I mean, if it was chipmunks, you'd definitely go down a notch or two."

"It was an *apple fight*," I said with exasperation.

"Well, that's cool," Kyle said. "But I also saw that bag of bloody clothes from the art project. Now *that* was impressive."

"Bloody clothes?" Mason said, all excited.

"It wasn't blood. We just used a ton of red paint," I said.

Mason clapped his hands together. "*Information*! I don't know what kind of crazy art project you're up to, but I'm in."

"We did an art project at the Graham estate," I explained.

O's eyes bulged. "That place with the *gunman*?"

"Sorry to break it to you, Kyle," Mason said, "but I'm officially switching brothers."

TRUE FACT:
When we look up at the night sky, we can see light that's more than thirteen billion years old.

We stepped into the town hall lobby at seven twenty-five the next morning and quickly located Mayor Fontana's office. His secretary, Doris, ushered us into two plastic seats in front of his desk. When the mayor saw us, he abruptly slammed down his phone and cleared his throat.

"Welcome! You made it!" he said as he slid a bowl of Hershey's Kisses across his desk. "I want to hear more about this movie."

While Tara provided a detailed description of the film's storyline again, Mr. Fontana listened raptly, nodding at her throughout. When she finished recounting our plans for the film, he leaned back in his seat and steepled his fingers.

"It does sound like a lot of fun."

"A fun way to promote our community," I said. "By two local kids!"

He raised a brow. "You're quite the salesman."

"Well, it's quite the movie! And we can even film our version without anyone getting shot," I added.

Mr. Fontana laughed. "Definitely no guns. Look, I'm sorry that happened. I can only assume Dr. Penner hired an off-duty police officer to keep an eye on his place, since he can't live there anymore. Or maybe it was a random troublemaker. Either way, the police are going to have to investigate. There's been a number of incidents — people trespassing, vandalism, causing problems. Dr. Penner's extremely nervous about securing the property, and he's asked me to provide protection a number of times."

"He never mentioned that to us," I said. "He just told us that people want his house."

"I don't get why," Tara said.

Mr. Fontana shook his head. "They want his *land*. And they're desperate. They'll do *anything* to get it."

"Desperate?" Tara said. "Why?"

"We've had a lot of problems with that property," he replied. "There are people who would take a wrecking ball to it in a minute if they could. But the house has historical significance and is protected by the government. That's a problem for some bad people with big plans."

I was really starting to loathe bad people with big plans. They shoot guns into the air, call the police when you forget a binocular case, and try to steal a man's property.

"Let me explain on the map," the mayor said. We followed him to the rear wall of the office. It was covered with a huge map of the county, including Queensport and the adjoining towns of Unionside, Bedford, Fraser, and Noble.

"See how few people live here, right?" he said. "It's mostly family farms."

We nodded.

"Now look just a bit to the south and you'll see that the land is divided into streets packed with rows of houses. Those neighbourhoods are moving north and will eventually encroach on our county. Developers see an opportunity here, and they want to build lots of new neighbourhoods with thousands of homes."

"They're going to turn this place into a *city*?" I said.

"Not *really* a city," he replied. "More like a suburb — a place where people who work in the city can live. Now, it's true that people need places to live, like houses, townhouses, and apartments. The population is growing. But there's a smart way to develop, and that isn't it." He winced. "At least the cars will like this plan."

Tara's face clouded. "But what about all the farms?"

He shook his head sadly. "Gone. They'll build houses, malls, and lots of roads in their place."

"Where will our food come from?" Tara said.

"From far away. And again, I recognize that people need housing, but the way they're building these places . . ." He shook his head in exasperation. "It's going to be mainly roads and houses. The streets will be hostile to pedestrians, the parks will be hidden by houses, and don't get me started about the animals. They don't leave areas for wild animals to live on, and once they've built these subdivisions, residents start complaining about skunks and coyotes and foxes."

I had to turn away. I felt like that map was sticking its tongue out at me. So many houses — so many buildings. The fact is that every time you build a new house, another star goes out in the sky.

"Now look at the Graham estate." Mr. Fontana pointed at the spot where the Tanahassee River flowed to the east of Dr. Ray's land. "This is where they want to build a road — right through Raymond Penner's property."

"But it's been there since 1837!" Tara said. "And there's going to be so much traffic."

"I know," Mr. Fontana said. "We've been waging a battle for years to preserve our county and all the family farms. You can't imagine the pressure I've been under. Members of council too. But these guys have deep pockets, and some of them aren't very nice."

I limped backwards and collapsed into the chair. My head was reeling at what was at stake. You can have a city full of lights or a sky full of stars, but you can't have both. That's just the way light pollution works.

What was the point of getting Dad a telescope if there would be nothing left to see on the other end?

"You okay?" Tara said to me.

"Yeah," I mumbled.

Mr. Fontana peered at me for a moment. "You know what?" he said. "If you guys come up with a great little movie, maybe people will rally around Dr. Penner and help save his property."

Could Tara and I really help save the property? It seemed a bit far-fetched, but I guess that was better than nothing.

Now that he was done with the map, Mr. Fontana invited us to join him for a tour of the chambers where the mayor and councillors met every month. He led us to a room where several chairs were arrayed behind a huge desk on a semi-circular stage.

"Look at this," he said proudly, pointing to a large screen that hung behind the desk. "We're installing a fantastic new audiovisual system so that when townspeople speak at meetings or the councillors need to see information, we can project it on the screen. No promises, but if you finish your film and it's as good as you say it's going to be, we could show it here and invite the whole town to see it!"

"That would be amazing!" Tara said.

"When you do this movie, try to get in as many shots as possible of the estate," Mr. Fontana was saying.

"Wait, so does that mean you're actually offering to buy it?" I said.

He raised his palms. "No commitment yet. Let's see what kind of job you do. Our budget is extremely tight right now."

"Mr. Fontana," I said, "do you have anything about the history of Dr. Ray's house here? Maybe some old pictures or some documents?"

"Absolutely. Would you like to visit the town archives?"

"Sure!" Tara and I said in unison.

The mayor set off and led us through a long corridor and down a set of concrete steps to the basement. We passed an open door at the end of a narrow hall and peeked inside. It was a storage room packed with rows of metal shelves crammed with boxes and tools, microscopes and fax machines, coffee makers, wires, circuits, and nails.

"This is all surplus from the county's schools, community centres, and municipal offices," Mayor Fontana explained. "I don't know if there's anything here you can use in your movie, but feel free to take a look around."

"Yes, please!" Tara said.

As we wandered the aisles, I saw something jammed in a corner. One potential grand prize.

A telescope.

I took a sharp breath as I stepped closer. It was an Orion with a wide aperture. A really good telescope. The kind that could let you see deep into space and find meteors, comets, and stars. It was so much more powerful than any telescope we had ever owned. When you looked through it, you couldn't *not* see some serious stars.

"Mr. Fontana," I said, "couldn't my dad use this telescope to teach a course at the community centre?"

"Unfortunately, we have a very complicated insurance policy. It's a real pain, but the equipment can't be used unless it's sold or offloaded."

"But can't you offload it on us?"

"I can't just give you an expensive telescope, kid. I could possibly help you out with a ladder or a kettle, maybe."

My mind crackled with an idea.

"Could we maybe *barter*? I mean, if this telescope is surplus anyway. We'll give you the movie in exchange for the telescope!"

Tara gave me the thumbs-up.

Mr. Fontana looked at me with a trace of a smile on his lips. "How about you put together a great little movie. Make it fun and humorous and showcase the rich history of Queensport, with lots of footage of the Graham house. Then I'll find out if we can sell off this bit of surplus for a very reasonable price."

"*Seriously?*"

"Seriously. But this movie *has* to be good. Professional-quality good. Polished and engaging. And charming. Can you do charming?"

Tara rolled her eyes. "I am the *queen* of charming."

"I really like the dog angle," Mr. Fontana said.

"Make it less than two minutes, with tight editing, strong sound, dramatic camera angles. The works. Can you do that?"

Tara and I nodded vigorously.

Someone in the hall called out to Mr. Fontana, and he strode out of the room.

I turned to Tara. "It's up to you now," I said. "Queen of Charming."

TWENTY-THREE

TRUE FACT:
There is a huge amount of water
on a number of moons.

We filed out to the narrow hallway and followed Mr. Fontana to a room where a young man with white gloves sat at a table. When he caught sight of us, he waved.

"Hi, Adam," Mayor Fontana said.

"Hey, Mr. Mayor."

"Why is he wearing white gloves?" Tara asked.

"Adam Beretta is an archivist, and this is where we store the historic documents from the county of Queensport. The local history is preserved in this room."

Adam beckoned us inside. "Do you guys want to come in and take a look?"

"For sure," Tara said.

"Excellent! I'm going to say goodbye, then," Mr. Fontana said, reaching out to shake Tara's hand, then mine. "I've got county business to look after, but Adam here will take care of you. There's some amazing stuff!"

We stepped into the archive room. The shelves were crammed with books, file folders, maps, and boxes. Two huge tables occupied most of the room. One of them had a neat pile of papers covered with a very old-fashioned curly script.

"What are those?" Tara asked.

"Those are the bylaws from when the town of Queensport was incorporated in 1848," Adam said.

Tara lifted her glasses and peered at the papers. "These are handwritten?"

"Yep. The script is called copperplate. If you guys want to put on some gloves, I'll let you take a look at them," Adam said. "You'll have to be super careful, though, because the paper is so fragile."

Tara grinned. "Maybe we can use some of this material for the movie about Max as the *mayor* of Queensport."

"Wait a minute!" I said. "Besides Max the tomato painter, there's going to be *another* movie?"

"It's going to be a busy August."

Adam pulled two stools up to the table and handed each of us a pair of white cotton gloves. "Hold the documents *very* gently. Here's the first bylaw. It's from 1848."

We donned the gloves and studied the ornate script. The papers were so thin, you could practically see through them. The script looped, curled, and thickened with the hand of the scribe.

As we searched through them, Adam identified some of the letters, and we gradually started to decipher the words.

"Look at bylaw 2!" Tara said.

Adam nodded. "That was still 1848."

I read over her shoulder. "This bylaw shall prevent, restrain, or regulate exhibition in the Township that no proprietor or persons in charge of any wax figures, puppet shows, or other exhibitions shall exhibit such wax figures, puppet shows, live dancing, circus riding, or any other *idle* acts. Circus riders, jugglers, and other travelling performers must obtain permission to perform from the Town receiver or counsellor for the Township or must pay a fine."

"You needed a licence to make a puppet show in 1848," Tara said. "Who knew?"

"I bet the jails were full of illegal jugglers and circus riders," I said.

"We missed all the fun."

We spent the next hour combing through the bylaws, searching for any tidbit that might improve our film. We didn't really discover anything usable, but we did learn that it was illegal to let your swine be at large, and your pig was required to wear a nose ring.

"Look at this," I said. "Large dogs weren't allowed to run free, and the local inn wasn't permitted to host dice, card, and shuffleboard games."

So many rules.

It's not that I thought that Queensport was a particularly interesting place, but if you couldn't even let your swine roam the streets in 1848, life must have been *unbearable*.

TWENTY-FOUR

TRUE FACT:
*Every day, approximately
275 million new stars are
formed in the universe.*

It wasn't quite nine in the morning when we arrived back at Tara's house, leaving us most of the day to prepare for the shoot at the Graham estate. I peeked at the clouds every few minutes, willing them not to open up. So much was riding on this film shoot: the telescope, the sky, Dad. If it rained, everything would be rinsed away.

We spent the day blocking the scenes and plotting our shots. We rehearsed Max in endless positions around the tripod and telescope. He was a classic method actor who would instantly go into character at the first sign of a cookie.

At three forty-five, Tara, Max, and I took a break to put an old Star Trek movie into the videocassette recorder. But half an hour into the film, the television went dark and the digital clock above the VCR blinked 12:00 in neon blue.

"Blackout," Tara said.

With no power, we decided to pack up all the gear for the shoot and practise more shots with Max. But half an hour later, the electricity still hadn't come back on.

Mrs. Dhillon emerged from her basement office. "I heard that this is a *big* power outage," she said. "It's not just Ontario — it's across a whole slew of states, like Maryland, Ohio, and Connecticut. Eight all together!"

Just then, Mr. Dhillon came through the front door. "They closed the bank," he said. "This blackout is *gigantic*."

A tiny strand of fear knotted in my stomach. "We have to start shooting soon," I said.

"I don't know that you should be out in this, Tara," said Mr. Dhillon.

"This is *Queensport*," she said. "Nothing dangerous ever happens around here. In fact, *nothing* ever happens around here."

If you didn't count people vandalizing Dr. Ray's property.

"But it will be dark later, and if the power isn't restored, things could get iffy," Mrs. Dhillon said.

What was iffy about the dark? I wondered. And if it was already dark, did a blackout make things iffier?

Mr. Dhillon turned to me. "Is your father okay with this?"

My cheeks reddened. "Yeah, no problem."

"Dad, it's our last chance to shoot this film!" Tara said. "Dr. Ray's renovations start tomorrow, and this movie is important! Mayor Fontana really wants it!"

Her parents looked unconvinced.

"We might have to stay with Grandma and Grandpa in Bedford tonight if the power stays out," Mrs. Dhillon said. "I understand this film means a lot, but your safety is more important."

Tara swung to me, and our eyes locked in panic.

"Mom, we have to go! Dr. Ray is expecting us!"

"I'm sure he'll understand," Mrs. Dhillon said. "You can always shoot this movie on another day." She had been inching closer to an outright refusal, and it looked like she'd just about crossed the finish line.

A ball of panic bounced hard in my belly. I had to *do* something. The time had finally arrived for me to harvest all of that gratitude Mrs. Dhillon felt toward me and craft it into a deal.

"The thing is, Mrs. Dhillon, I *really* need to make this movie before they start the renovations. I *have* to get the telescope from the mayor," I said. "It's now or never for me."

Mrs. Dhillon looked at me sympathetically — and with a hint of gratitude, of course.

"It's more important than you can imagine," I said. "It's not just for me — it's for my dad."

She tilted her head slightly and bit her lip.

"Maybe Mr. Dhillon could come by the Graham

estate at around ten and pick up Tara," I suggested. I had to close the deal. The time to beg had arrived. *"Please?* It's *really a very* big deal for me." I even threw in a slight tremor in my voice for good measure.

Mr. and Mrs. Dhillon turned to each other, and their eyes had a discussion.

"I guess that might be okay," Mrs. Dhillon said hesitantly. "I mean, you'll be with Dr. Ray the whole time, right?"

"Yes! This is still the safest place in the world!" I heaved a sigh of relief.

We loaded up the minivan with Tara's gear, Max Newman, and some fruit and cookies for Dr. Ray.

"I still need to get my astronomy equipment for the shoot," I said as Mrs. Dhillon pulled open the door to the passenger seat.

She glanced at her watch, clearly anxious to get to her parents' house.

"Why don't you drop this stuff off with Dr. Ray, Mom, while I help Noah get the rest of the gear?" Tara suggested. "Then you can head out to Bedford."

When her parents left, she turned to me with a smile. "Does this mean I finally get to take a look at your house?"

"Just don't take a *good* look."

"I promise, it'll be a bad look."

TWENTY-FIVE

TRUE FACT:
A sunset on Mars would look blue.

We climbed on our bikes and quickly cycled home. I took a deep breath as I led Tara into the kitchen, where Kyle was wolfing down a slice of cold pizza.

Her eyes widened as she surveyed the empty pizza boxes, the dirty pots, and the overflowing recycle bin.

"You promised not to see," I said.

"I'm completely not-seeing."

"Can you believe this power outage?" Kyle said. "It's across the northeast of the US too."

"I know," I said. "I'm getting my binoculars and the old telescope," I said. "We have to go to the Graham estate right now."

His eyes widened. "*Seriously?*"

"Dr. Ray's letting us shoot the astronomy movie

right now. He's even going to play the part of the guy with the gun."

"I'm coming." Kyle wiped his mouth and jumped to his feet.

"Where's Dad?" I said.

"Where do you think?" he said in a hard voice as he tossed his crust into an empty pizza box. "Doing his *usual*."

Even though Dad and Kyle technically lived in the same house, I sometimes wondered if they actually existed in two different galaxies.

I stepped out to the patio. Dad was slumped in his chair, unshaven, lost somewhere inside his baggy work clothes. I was pretty sure he was shrinking. A phone was clamped to his ear, and I could hear a torrent of bellowing. I recognized the voice — it was the man from the community centre. My father's boss.

Dad looked at me, mortified.

I waved, then darted back into the house and scooted upstairs to my bedroom. I stuffed my telescope, binoculars, and tripod into two backpacks, then headed back down. The sky was clear, so I knew a decent number of stars would be waiting for us later. I charged out of the house and pushed one of the backpacks into Kyle's hands, then the three of us jumped onto our bikes and set out for the Graham estate.

King Road was deserted, and we rode in single file to a late-summer soundtrack of chirping crickets and a gentle breeze that ruffled the surrounding orchards.

Soon enough, we were at Dr. Ray's, crunching over the pebbled stretch of driveway, which was darkened by the canopy of trees.

As we neared the house, we spotted Dr. Ray lounging in a lawn chair, drinking a bottle of water. He looked paler and even more frail than yesterday. Tara's camera gear was stacked in cases next to him, and Max lay at his feet gnawing on a bone.

"Welcome! Welcome!" Dr. Ray said, then he gazed at Kyle. "Well, well. Might you be the *other* hooligan who trespassed on my property last week?"

Kyle froze as Tara and I glanced nervously at each other. Then he bowed and extended his hand to Dr. Ray.

"I might be the *other* hooligan, but I'm no second-rate hooligan."

Dr. Ray took Kyle's hand, and his lips curled in a smile. "I see. So you're more of an *alpha* hooligan, is that right? You take pride in this?"

"Absolutely." Kyle laughed. "I mean, why *not* be the best darn hooligan you can be?"

Dr. Ray pulled himself to his feet and slapped Kyle on the back. "Always strive for excellence. You're okay, kid. But don't sneak onto my property again."

"Yes, sir."

"I've got people who are making trouble for me. They're doing all kinds of tricks to try to take away my land."

"Yes, sir."

We had to get moving. Tara, Kyle, and I unpacked the equipment so we could set up the scenes. We started with establishing shots of the house, the pond, and the grand driveway.

As it grew darker, it was time for our star actor. The first shot was going to be the most difficult — Max looking through a telescope. We arranged that shot next to the pond, where a clearing in the trees let in the sky. I dropped the tripod to its lowest height, and Kyle helped me bury the three legs in the ground while Tara positioned her camera on a separate tripod a few feet away.

The sun finally set, and it was time to actually start shooting Max. Tara pulled out a doggie treat from her fanny pack, and we brought him to the telescope in a begging position. Max was loving it; he performed beyond our expectations, even laying his paw on the back of the tripod. Tara pulled back the treat, and Max leaned into the telescope like he was looking at the stars.

He must have been an astronomer in a previous life. Maybe even Galileo himself, the great sixteenth-century astronomer who, for the crime of teaching that the earth revolved around the sun, was placed under house arrest for nine years.

Which would definitely explain why Max looked so depressed all the time.

Dr. Ray followed the activity from his lawn chair, while Kyle and I posed Max in a variety of positions, offering him a steady supply of treats. After running through multiple takes of Max trotting up the driveway, Max opening the telescope case, and Max racing away from the pond, it was time to get Max swimming.

With Tara's camera focused on the pond, Kyle threw a ball into the water. Max dove in after the ball and paddled back to us. A perfect performance captured in the very first take.

The last shot involved Dr. Ray. He removed his sweater, revealing an aloha shirt underneath.

"See?" he said. "I even brought a Hawaiian shirt for the movie! Am I not a credible gunman?"

"Very authentic," Kyle said.

Dr. Ray pulled himself up from the chair, limped to the side of the house, held up the hockey stick, and pointed it at Polaris.

When we were finally done, I felt the tension release from my shoulders. Tara, Kyle, Dr. Ray, and I high-fived each other in celebration. Max had cooperated, the weather had complied, and we'd got some excellent footage. With some quality editing and sound, we had a fantastic opportunity to cut a deal with the mayor.

By this time, it was dark on the property, with the only light coming from a gibbous moon that was more than half visible. The blackout was still showing no signs of receding, and the sky was bigger and more crowded than usual. I grabbed my binoculars and scanned the star-flecked sky.

"So that's why you came that night," Dr. Ray said.

"There's so much up there," I said.

Tara tapped me on the shoulder. "I want to know what you're seeing."

"Me too," Kyle said.

"Me too," Dr. Ray said.

The sky was generous that night, offering many gifts, and I was like a human planetarium.

"Okay, look up at that bright orange ball," I said, pointing at the sky. "You don't even need the telescope to see it."

They followed the direction of my finger. "Oh, my God," Tara said with a start. "Is that *Mars*?"

"Yep, you're seeing Mars in Aquarius," I said.

"It's so bright!" Dr. Ray said.

"It is," I agreed. "Can you believe that this very month, Mars is reaching its closest point to earth in *sixty thousand years*?!"

"Wow," said Kyle. "What a perfect night for a black-out."

"What night isn't?" I said.

Tara grabbed the binoculars. "I want to see more, Noah. What's going on up there?"

I took the telescope and positioned it. "It's like an all-you-can-drink-in buffet. You want to see some variable stars? Chi Cygni and T Cephei?"

"I want to see it all," she said.

"I *love* variable stars," Kyle said.

Dr. Ray glanced at him. "I'm impressed."

I rolled my eyes. "He has no idea what a variable star is."

"But I still adore them, dude," Kyle said.

We gazed in silence at a meteor shower, then caught a comet.

It felt like someone had pulled back the curtains, revealing a spectacular pageant glittering across the universe.

The Milky Way.

I drank it in, memorizing the imagery, because maybe the only way to preserve it was in my mind. And at that moment, I thought that if I somehow could, I'd gather the nebulae, comets, and planets, and stash them in one gigantic bucket of stars that would always be safe from any building or highway or city they could foist on us.

That ache started pulsing in me again, because if those maps in Mayor Fontana's office told the future, it wouldn't be long before we'd run out of sky.

"They want to tear down my house," Dr. Ray said, as if he'd wiretapped my brain.

"That's awful," Kyle said.

Dr. Ray told him pretty much the same things Mr. Fontana had revealed to us in his office.

"They can take me out in a box!" he thundered. "I may not be able to live here any longer, but there's no way they're going to take away my land."

"Wait a minute," Kyle said. "If they're going to build over the whole town, does that mean they're going to pave the skateboard park in front of the old school?"

"Condominiums," Dr. Ray said.

Kyle gasped. "*Seriously*? It's the only good place in this stupid town!"

I lowered my binoculars. I didn't want to hear any more. What if it was too late for my father? By the time Dad came around, there might not be any stars left.

I wandered over to the pond, where a thousand stars floated on the water. I pulled off my sneakers and my socks and dipped my feet in the cool water, then lay back on the grass. A minute later, I heard the sound of footsteps crushing on gravel. Kyle ripped off his shoes and socks and was soon lying on the grass next to me. Then Tara joined us, and soon Dr. Ray was next to her. Max settled in beside me with a snort and nuzzled his head on my chest.

It was a night of asteroids, comets, stars, and planets. And for the next hour, it was just the four of us and a gazillion miles of twinkling sky.

TWENTY-SIX

TRUE FACT:
The most distant object
visible to the naked eye is the
Triangulum Galaxy, which is
2.7 million light years away.

"It's been fun, kids." Dr. Ray groaned as he rolled over and painfully climbed to his feet. He was breathing heavily. There didn't seem to be an ounce of tomato-tossing energy left in the man. "I've got to check on my sister and call it a night."

It was almost ten, and Mr. Dhillon would be back at any minute. There was still no power, but the sky was alive. I had to go home and see Dad. We packed up the equipment and said goodnight to Dr. Ray.

"You did good," Dr. Ray said as he pulled open the door to his pink Volkswagen Beetle.

Soon after, Mr. Dhillon arrived and we quickly loaded up the van. Tara was shutting the rear door when she noticed Dr. Ray's aloha shirt strewn on the lawn chair.

"I'll take it home and get it back to him," Tara said.

"So we'll edit tomorrow?" I said as she climbed into the passenger seat.

"First thing."

When the van disappeared into the black driveway, Kyle and I strapped on our backpacks and picked up our bikes. I started pedalling, but almost immediately my bike caught on a rock and toppled onto the grass. I clambered back on and bore down on the pedal, but the bike fell over again.

"Maybe Tara can give you a lesson," Kyle suggested.

"This is actually weird," I said as I pulled a flashlight out of my backpack and directed it over the bike's frame. "Look at this."

The rear tire was completely flat.

"When did that happen?" Kyle said. "Your bike was fine on the way here."

I shrugged. "Probably some sharp pebbles on the driveway."

I trained the flashlight on the rest of the bike and noticed that the front tire was also completely out of air.

"Great," I muttered.

"We've got two backpacks and two people," Kyle said. "How do you feel about walking your bike home?"

"I don't."

It was too far, and Dad might be in bed by the time we got back. There were too many stars to squander tonight.

He sighed and glanced at me, then at the two back-packs. "I guess we're doing a double double."

"Do you mind?" I said. "Maybe Dad can pick up the bike tomorrow."

"Sure, you can always count on good old Dad."

I loaded Kyle's backpack into the basket and perched on the seat. Kyle climbed in front of me, grabbed the handlebars, and took the pedals.

There was still no sign of power anywhere. I wrapped my arms around my brother as he strained against the pedals, and we sailed down King Road under star-sprayed darkness that looked like glitter pasted to the top of the world.

Kyle started to sing:

```
If I could fall into the sky,
Do you think time would pass me by?
```

I joined him, and soon we were belting out to the moon, the stars, and the rest of their neighbours in our awful Latin:

```
Si posset in caelum cadere,
Putas me tempus futurum?
```

I didn't know how much longer this glorious black-out would last. I wanted to shout to Kyle to get us home faster, but I also wanted him to slow down.

There were only two and a half weeks of summer

left. Kyle was going to a regional high school, Tara was heading back to the middle school at her mom's university, and I'd be on my own once again. I didn't want the summer to end, and I didn't want to start a new school, and I didn't want this farmland to get paved over, and I didn't want my dad and the sky to disappear.

You could wish all you want for nothing to change, but when you live on a planet that never stops spinning, in the end it will.

It always will.

TWENTY-SEVEN

TRUE FACT:
A supernova occurs at the end of a star's life, when it runs out of fuel, collapses, and explodes.

Our house was completely dark. I pulled the flashlight out again and flicked it on. Kyle promptly disappeared to his bedroom.

I stepped out to the patio, and sure enough, there he was in his Muskoka chair.

"Dad?"

He turned to me with a smile. "Hey, bud. I was wondering about you. Are you okay? It's kind of late."

I'd tell you that I did a double take if I was sure what a double take was. It was ten thirty on the night of a spectacular blackout, and *Dad had actually noticed we were gone.*

Not that he'd made an effort to find us, of course. He was the complete opposite of Tara's parents.

"I was out with Kyle and Tara."

"Hmm, some blackout, huh? It's not just in Ontario — it's across the northeast of the US."

"And it's a *great* night to see stars, Dad."

"It's a fine sky."

But the night was too good and the sky too awesome to let the opportunity pass. I sat next to him, unpacked the telescope, and set it up in front of the chair.

And there it was. That big, unfathomable, beautiful sky. A still life in darkness.

"Hmmm, Mars is shining in Aquarius," I said.

"It's not like you need an optical aid to see Mars, Noah."

My arms prickled. "But look how much more awesome it is with the telescope. It's so bright tonight, and so orange."

I nudged the tripod in front of Dad, and my heart skipped a beat when he leaned over and gazed into the eyepiece.

"Should I get a star chart?" I said.

And he didn't say no.

I raced up the stairs two at a time and snatched the worn map from my bedroom closet.

When I got back to the patio, he was leaning back in his chair, his eyes trained at the sky. *Like he was looking*. I pulled out my binoculars, handed him the chart, and shone my flashlight on it. He studied the map.

"How about we try for Uranus?" he said. "You interested in another planet?"

"Always."

He raised the tripod to its full height and carried it out to the middle of the yard, then rotated it and peered into the lens. We took turns studying the map and adjusting the telescope until finally he said, "I found it. Come take a look."

And there it was. Uranus for the win.

"What are the chances we see Neptune?" he said.

"With an aid, of course."

It's like the planets were musical notes arranged in a song.

"There she is," my father said as he peered through the eyepiece. "Pretty good for the farthest planet in the solar system."

Kyle suddenly appeared on the patio, his mouth hanging open.

"Pretty good," I parroted. "Isn't it so crazy to think that some of those stars are eighty light years away?"

"It is," Dad said. "It's like you're looking at the past."

"They're so distant, I'm not even convinced they really have names for numbers that high."

My father laughed. "Gosh, I wish I had a better telescope right now," he said.

Kyle's eyes met mine. *Is this Dad?*

I nodded.

Crazy.

Unbelievable.

Maybe that's all it takes to bring a father back to the living: a couple of planets, a few thousand stars, and fifty million people with no power.

But we were far from finished.

Eventually, Dad and I settled into the garden chairs with the map and the telescope and two sets of binoculars. We traced the stars with our fingers, and Dad pointed out asteroids, a meteor shower, and a comet shedding dust debris like they were old friends.

And Kyle didn't leave.

In fact, we stayed up all night, drinking it in before the rising sun wiped away every last celestial object. We gorged on stars, comets, and a few satellites, and by the time the sky started turning pale pink, I had conked out in my chair.

I felt my eyes flutter open a few times as the sky turned brighter, and I was pretty sure I wasn't dreaming.

On a small metal table between them, Dad and Kyle were playing a game of chess.

TWENTY-EIGHT

TRUE FACT:
*Stars range in colour from red to
blue depending on how hot they are.*

Unfortunately, the moral of the story is that the sun always ruins everything.

I woke up at nine o'clock the next morning to a world ablaze in sunshine and electricity. And to slamming and banging in the kitchen. Dad wasn't much of a slammer or banger, so I knew something was wrong. I mean, something was *more* wrong.

My head throbbed as I climbed to my feet and crept past Kyle, who was still fast asleep on his own lawn chair. I stumbled into the kitchen, where Dad was pouring a cup of coffee into an old thermos.

"Hey, Dad," I said. "That was pretty amazing last night, wasn't it?"

He slapped his pants pockets, then rummaged inside his jacket.

"I mean, could you believe the night sky?"

He looked up at me distractedly. "Sorry, bud. I can't find my keys, and I'm late for work. I really can't be late for work," he said, his voice rising.

"Oh," I said. "Can I help you look?"

Without replying, he raced to the front hall with his thermos, yanked open the drawer in the console table, and found the keys.

"Dad," I tried again. "Wasn't it magical?"

"Yeah, I guess," he muttered. "Maybe I shouldn't have stayed up so late." He pocketed the keys and yanked open the door. "Have a good day, bud. See you later."

And just like that, the stars disappeared for the second time in a few hours.

Was it really okay that Dad was so nervous about getting to work five minutes late? I felt like I had to do something. Tara and I had to finish *Astronomax* as soon as possible.

Everything about the shoot last night had felt perfect, but was it? Until I actually *saw* the footage, I wouldn't know if the lighting was correct or the angles were right or the framing looked decent. What if nothing had come out?

What if we didn't have a movie?

I grabbed a bottle of milk from the fridge just as Kyle appeared, his eyes still full of sleep. He scratched his head. "What was that commotion all about?"

"Dad slept in and couldn't find his car keys," I said.

"He was pretty upset."

Kyle shook his head. "I heard his boss talking to him on the phone on Sunday, and boy, that man can yell."

"Where's a meteor to land on a nasty boss when you need it?" I dumped a mound of Honey Nut Cheerios into a bowl.

"So you guys editing today?"

I nodded.

"Oh no!" I said suddenly. "My bike. It's at the Graham estate — resting in peace."

"And you want mine."

"You're probably just using your skateboard anyway, right?"

He squinted and cocked his head to the side. "And what's in it for me?"

"Um, a way to save your skateboard park? The mayor thinks that the film may help rally people around the house, and if that happens, the builders might back off."

He turned it over in his mind. "Let me think about it."

"Come on, Kyle!"

"Okay, we're on."

I strode to the sink and rinsed out my bowl.

"Oh, and just so you know," he said as he pulled a granola bar from the pantry, "I would have given you my bike anyway."

"I know."

Ten minutes later, I was knocking at the door on Cold Spring Lane. Max went into convulsions of joy at the sight of my legs. Or the smell. Or maybe the taste.

Tara led the way to the den and slid into a chair in front of the computer. I dropped into the one next to her and drummed my fingers on the desk as she popped her camera's SD card into the proper slot.

"Can we make a copy right away?" I said, my heart fluttering.

She studied me. "I did last night."

Which wouldn't help if the footage was lousy, but at least there was backup. Max stood next to me and rested his head on my knees. I swallowed hard as Tara opened the editing program and started playing the takes from last night.

And the footage was *good*.

A huge surge of relief warmed me as we watched different angles of Max trotting along the driveway to the estate. The lighting, the framing, and the angles were all perfect.

Tara was *good*.

We watched Dr. Ray shoot at the sky with his hockey stick. Then we played takes of Max circling the house, setting up his telescope, gazing at the stars, swimming, and running away.

Max was *good*.

"Okay, can we start editing?" I said, my leg tapping the floor. It wasn't just the telescope at this point. Who knew how fast things would change in Queensport?

Who knew how much sky would soon be left?

Tara placed her hand on my arm. "We *are*."

Tara.

We spent the next few hours choosing the best takes and putting them in the correct order. We stopped briefly for lunch, then worked another few hours on the movie until we had a basic rough cut that flowed perfectly.

Tara high-fived me. "We nailed it."

I nodded. "I think so too. It's pretty nailed, right? I mean, would you say that of all your movies?

She studied me. "Of course. It's the nailiest. Now, are you calm enough to take a break?"

"Me? Not calm?"

"Uh-huh."

We grabbed our bikes and sped to Mel's convenience store, arriving there a few minutes later covered in sweat and dust. Tara shuddered as we passed a growling pit bull tied to a lamppost in front of the store.

We sauntered in, and I headed straight for the chocolate aisle in search of Mars bars while Tara went to the rear of the store to grab a Popsicle.

As I scanned the shelves, I could hear the store clerk chatting away. He was facing the other direction, and I recognized the person he was talking to: Mitchell Conti. Mitchell was the mean dude who was at Mel's the night Kyle and I fled the Graham estate. Neither of them had seen us enter.

The clerk could barely contain his shock as he told Mitchell the news that was flying around town. My heart lashed against my chest as I listened in.

The Graham estate . . .

The beautiful Georgian house that belonged to Dr. Ray . . .

The one we had visited just last night to make our movie . . .

There'd been a huge fire during the night.

The house had burned down.

TWENTY-NINE

I staggered backwards and hit a row of hanging bags of peanuts. Horror. The thought of a fire wrapped itself around me, choking out the air.

"Apparently there were some kids there last night," the clerk was saying. "Somebody saw them leaving, right before the fire started."

I thought I was going to throw up.

"I'd *heard* there were problems with the Graham estate," Mitchell said. "A cop told me that some kid snuck onto the property just last week."

"The same one?"

Tara staggered toward me, her face white.

You heard? I mouthed to her.

She nodded. *I'm in shock.*

I glanced at Mitchell and the clerk. They were now

chatting with a third person, so deep in conversation that none of them realized we were in the store.

We bent down, pretending to examine some bags of chips on a low shelf.

"My dad said he'd heard that it might be those new kids around here," Mitchell said. "Apparently, one of them hangs out with the Dhillon girl. You know, the one who makes the movies."

"Wait, *Tara*?" the clerk said. "No way."

A swelling panic seared my brain.

Did I burn down the house?

Did I accidentally leave something flammable?

Did I do something flammable?

Calm down.

Okay, my memory can be terrible, but not *that* terrible. I mean, I don't have short-term memory loss, as far as I know. Unless I do but forgot. Okay, maybe not. And it's not like I could ignite a fire in my sleep, right?

Or could I? Was I a sleep-igniter?

I couldn't think straight.

Why were they even assuming that the fire was intentional? Did they know something?

Obviously, I didn't burn down the house. But I suddenly felt self-conscious. What if Mitchell remembered me?

Meanwhile, Tara's eyes were bulging. "We have to get out of here," she whispered urgently.

"Shh," I said, pointing at Mitchell and the two others.

"Hey, I want to get a lottery ticket," Mitchell was saying.

"They're in the back," the clerk replied. He started for the rear of the store, and Mitchell followed him.

Tara and I peered at each other, then quickly tiptoed outside.

When we got to the parking lot, we sprinted past the pit bull, grabbed our bikes, and pedalled furiously until we were safely out of sight.

"This is *ridiculous*," Tara said. "Didn't Dr. Ray tell us that there are people who are desperate to get hold of his property?"

"I know, but right now it sounds like I'm all the evidence they've got. I'm the weird new kid who was caught sneaking into the property."

"Jeez. Hey, I'm wondering . . . um, do you think . . . I mean, probably not. But is it possible that Dr. Ray did it? Maybe after we left?"

"Why would he burn down his own house? He loved it. He said he'd never sell it."

"I don't know. Maybe he wanted insurance money? You know, if your property gets destroyed, you get paid a lot of money by the insurance company. Or maybe he knows they'll take it from him anyway, so he burned it down?"

"No way," I said. "Dr. Ray is kooky but not sick."

"Well, he *is* sick, but not that kind of sick. But maybe that affected his thinking?"

"That's crazy."

"I know, I know. I guess I'm trying to think of some other reason because it's almost like someone is — I don't know — trying to set you up or something."

"Maybe, but —" My eyes went wide.

"What is it?" she said.

"Dr. Ray! Do you think he's okay? Maybe whoever did this did it when he was in the house."

"But we saw him leave."

"What if he went back to get his aloha shirt?"

We gaped at each other in horror.

"We have to find out," I said.

"Like, *now*."

We flew on our bicycles to Tara's house, charged into the den with Max on my heels, and closed the French doors behind us.

Tara grabbed the scrap paper with Dr. Ray's phone number and dialled. There was no answer.

"We need to figure out who did this," Tara said. "But where do we start? I don't think we can go back to his property like criminals returning to the scene of the crime. But we have to make sure he's okay." She paced back and forth. "He's okay, right?"

"I'm *sure* he's fine. We saw him leave and drive to his sister's place."

"Right! His sister! We should try to call him there. We just have to figure out her name," she said, still pacing. "We really need to find out what happened last night. There was no electricity in that house, and buildings don't just spontaneously combust."

"But we know someone was targeting the property."
I shook my head. "One thing at a time. Would your
mom have his sister's number?"

"Good point." She tore down the stairs to her mother's office, and I took over the pacing.

How could things seem so hopeful and then so suddenly despairing?

Tara reappeared in the den. "She gave me Dr. Ray's
sister's number. Her name's Sheila McIvor."

I dialled, but there was no answer. "I can't stand
this," I said. "I feel like we have to *do* something, and I
don't know what!"

"Okay, it's actually not that complicated. We'll call
again tonight, and if necessary in the morning. In the
meantime, we need to get to the bottom of the fire.
Trust me on this. If we haven't figured anything out by
tomorrow, we move to plan B."

Knowing Tara, I had to ask the question. "And is
there a plan B?"

"Not really."

Just then, Tara's mother popped her head into the
den. "Sorry, Tara, but we have to leave for your aunt's
now."

"*Already*? Okay, give me a minute," Tara said.

"We *really* have to go."

"Mom, please can I —"

Mrs. Dhillon shook her head. "I'm sorry, but the answer is no."

Tara turned to me. "Look, I have a kernel of an idea.

Come here first thing tomorrow, and we'll try to figure something out."

Disappointed, I said goodbye and rode home on Kyle's bike.

When I pulled onto our street, I knew right away that something was wrong.

A police cruiser was parked on our driveway.

My father stood at the door of the house as an officer climbed the stairs to the porch. Kyle hovered in the entryway behind Dad.

I would have fled, but my father spotted me and gestured for me to join them.

A cold chill snaked up my spine. Was this news about Dr. Ray?

"You're Noah Cooper?"

I swallowed. "Is Dr. Ray . . . er, I mean Dr. Penner okay, Officer?"

He blinked. "As far as I know. Nobody has reported him missing, and there were no signs he was at the house."

I heaved a tiny sigh of relief. That was encouraging.

"Is there a problem with my son?"

"I'm afraid so." The police officer crooked a finger at me. "I think we have something of yours."

We followed him to the cruiser, and he popped open the trunk. Lying there, mangled and charred, were the remains of my bicycle. And what really remained was my name, Noah Cooper, where I'd etched it on the back fender.

My eyes met Kyle's.

"Would you care to explain why your bicycle was at the Graham estate? Firefighters found it at the edge of the pond."

THIRTY

TRUE FACT:
One of the largest known stars is VY Canis Majoris. It could fit nearly three billion suns inside it.

"Dad, there's a reason—" I started to say as soon as the officer had left.

Dad turned and walked away.

Kyle's eyebrows drew together.

I followed Dad out to the patio, where he dropped into his wooden chair and ran his fingers through his hair.

"Can I explain?"

He gazed at me for a moment. "Noah, you really don't have to explain anything. Don't you see? This is all *my* fault."

"What's your fault?"

"We should never have moved here. I thought the house would make life affordable, but this place has been one disaster after another. I . . . I've failed you and

Kyle." His voice caught. "I've obviously done a rotten job, and that's why you keep getting into trouble." He leaned back in his chair and closed his eyes. "I've made so many mistakes."

I felt like I'd been punched in the belly.

"Dad, you're assuming I was somehow involved in this fire. I wasn't. *I'm not guilty*."

"This town is an awful place," he said as if he hadn't even heard me. "This county is an awful place."

"It might be, but I didn't do anything awful. Or illegal or destructive or immoral."

He peered at me. "I don't know what to think anymore."

Something dark licked at my insides. "Really? That's your answer? How could you believe I would do anything like start a fire?"

"I hope you wouldn't get caught up in anything that bad."

"And I didn't. And not everyone here is bad either. There are lots of good people. People we can turn to."

He scoffed. "They won't care. The cop was telling me that they think the fire was intentionally set. I don't even think they'll care what Dr. Penner tells them because you *were* caught there last week."

"Dad," I growled, "I didn't do anything. Why won't you believe me?"

He looked at me with watery eyes. "I want to believe you. I think I believe you."

I felt my body tremble. "You *think*? You *think* I

burned down someone's property and endangered people's lives? Is that what you *think*?" I wanted to grab him by the shoulders and shake every last absurd doubt out of him. Did he even *know* me?

His face crumpled. "I'm sorry, Noah. Nothing makes sense to me anymore."

"I heard that it was only a matter of time until something like that happened," I said. "Someone's been trying to buy that property so they can build a road through it."

Dad's eyes narrowed. "You up on municipal politics in Queensport now?"

"Mayor Fontana told Tara and me."

He blinked. "You *talked* to Gord Fontana?"

"Sure. We happened to meet him, and he invited us to his office. He's a really nice guy."

Dad's nostrils flared. "Gord Fontana is *not* a nice guy. He's *everything* that's wrong with this place."

"Are we talking about the same person?" I couldn't understand Dad's reaction. "He knows you. He said you were really smart."

Dad's jaw tightened. "Yeah, he knows me. He was a rotten kid and a rotten teen, and he'll always be a rotten human being. He's a completely two-faced man with no integrity whatsoever."

"But —"

"Noah, do me a favour and don't go near Gord Fontana. I really don't want you to have anything to do with him."

So there it was. My dream of getting a telescope, bringing Dad back, and saving the Graham property was over because Mayor Fontana was supposedly a mean kid.

And maybe that was the thing with Dad. The past seemed to flow through his arteries and had somehow hardened his heart.

THIRTY-ONE

TRUE FACT:
A million earths could fit in the sun.

All night, I was haunted by images of the house burning, of Dr. Ray, and of the police officer. But try as I might, I couldn't think who could have set the fire.

The next morning, Tara and I went straight to work in her den. The problem was that we had no idea what work to do.

"The mayor knows you were invited there," Tara said. "Couldn't he put in a good word for you?"

"But I still could have set the fire, and the police have my bike as proof."

"Well, we just have to find Dr. Ray."

"Let's try his sister again," I said.

I dialled the number, and this time an elderly lady with a spindly voice answered.

"Um, is Dr. Ray there?"

She hesitated. "I'm sorry. I can't help you."

"Do you know where I might be able to find him?"

"Oh no, no. I really have to get off," she said, then she abruptly ended the call.

Tara had already read my face. "He's not okay, is he?"

Something felt wrong, and Tara knew it too. What had happened to Dr. Ray? And what would happen to me if we couldn't find him?

"Okay, do you really have a plan B?"

There was a trace of a smile on her lips. "I have an idea."

"Whatever it is, let's do it."

Tara's eyes widened. "*Really*? You agree? That's great!"

Her enthusiasm cancelled mine. "On second thought, no." Now wasn't the time to get into more trouble.

"Look, something not okay happened at Dr. Ray's house after we left," she said. "We need to find out if the fire was set on purpose, who did it, and why they're trying to blame you. Also, where on earth is Dr. Ray?" She looked at me inquiringly. "How did you know he was staying with his sister? He only said he was going to check up on her when we finished filming."

I swallowed. "The police told me that they didn't find any remains in the fire."

"*What*?"

"They came last night."

"*What*?! You didn't tell me!"

"I'm telling you now."

"It's like the police are *addicted* to you."

I told her what happened when the police officer showed up with what was left of my bicycle.

"Wow," she said softly. "We *really* have to find him and figure this out."

That sick feeling did another flip in my stomach. "I know. Especially if Dr. Ray can't talk. But I *really* don't want to get into any more trouble."

"I think the point is to get you *out* of trouble. Let's go to the Graham estate. We'll take your binoculars and just look at the property from the next farm. The field is empty and hilly, so we can get a good angle."

I eyed her suspiciously. "So plan B is to trespass on *someone else's* property? Because I haven't really done so well with trespassing, if you know what I mean. In fact, I'm not doing so well with not trespassing either."

She waved her hand in the air. "Nothing's going to happen. We just have to solve this."

"I also found out last night that my father hates the mayor from when they were kids. He doesn't want me to have anything to do with him."

She paused. "So what does that mean?"

"I don't know. It just seems like any time I try to solve my problems, I create more of them."

I didn't want to admit to Tara how nervous I was. Of the police, of my father, of every effort turning sour.

"I get it." She nodded. "But we're *not* giving up now."

"But giving up would be so easy."

She shook her head. "Look, no one will know if we spend a few minutes taking a peek at the Graham estate. The neighbouring field is overgrown — my dad complains about it every time we drive by. We used to buy broccoli there."

"So you want us to sneak onto someone's *broccoli* field?" That somehow made it worse.

"It's more like someone's *ex*-broccoli field."

I thought about that. Walking across a fallow field shouldn't be intimidating, but trouble seemed to follow me all over Queensport.

She jumped to her feet. "Come on, let's just go right now." She grabbed Max's leash. "But first, we need to get your binoculars."

"You want to take *Max*? Why?

"He hears things and smells things. So maybe he can let us know if there's something or someone to watch out for."

I wasn't convinced.

"I know it's unlikely, but it's possible that Max will smell some information or something. I'm sure Dr. Ray didn't go back, but I think we should do a complete investigation. Maybe I can even use this!" She reached next to the computer desk and pulled out the plastic bag with Dr. Ray's aloha shirt inside.

"What, you want him to sniff out Dr. Ray? He drove off in a car, Tara!"

"I don't know! But we need to resolve this mess once

and for all. It's ridiculous, and I frankly don't think the police know what they're doing. Every time they investigate, the only thing they find is *you*. We need to work this out on our own."

"I'll go along with this, but it's pretty clear you're grasping at straws here. This plan is a very, very, very long shot."

"It doesn't matter. Let's just try."

I *really* didn't like breaking rules, but somehow it felt like the rules in Queensport were breaking me.

THIRTY-TWO

TRUE FACT:
*When you look at the sun, you're
seeing how it looked eight and a half
minutes ago. Sirius looks the way it
did more than eight years ago.*

"Why are you packing your camera?" I said as Tara
nestled the case at the bottom of her backpack.

She shrugged. "Maybe I'll get some footage."

"*Footage*? Of the burned house?"

She hesitated. "It's just . . . even if the house is gone,
that's part of the story in some ways. Even if it's the end
of the story."

But I wasn't ready for this to be the end of the story.

We set out for my house on foot, grabbed both binoculars, then trekked to the farm. Tara's backpack was
loaded with a canine crisis kit of water and doggie
cookies in case Max started yammering in the broccoli
field.

When we passed the Graham estate, I stopped mid-
stride, my throat tightening. A huge chunk of the

woods along the driveway had been reduced to charred stumps jutting from the ground like a graveyard of trees. I pulled out my binoculars. A few stubborn trees had survived and loomed over the house like they were trying to guard what was left of it.

We continued to the next field and strode onto rolling stretches of dirt and scrub. Not one stalk of broccoli in sight — which made it a bit of a safe space for me. Tara yanked Dr. Ray's shirt from her backpack and placed it under Max's nose, then held his leash as he sniffed the ground. But I knew he wasn't necessarily sniffing for Dr. Ray. He was a bloodhound, after all. They exist to sniff. Besides, it's not like Dr. Ray would have been traipsing over this farm.

"Who owns this place?" I said as we crunched over a bed of burrs and thistles. "And why would a farmer leave a field empty?"

"I don't know who it belongs to, but now that you mention it, I think a bunch of fields around here have been empty lately."

Our eyes met.

"I also noticed that when we were on Dr. Ray's roof," I said. "There are so many fields around here that have gone to weed."

"Someone's obviously buying up the land."

"All in preparation for one horrible county-wide pave craze."

We climbed a slope until we reached the crest of a hill where a stand of maple trees circled an abandoned sugar shack. A dirt road wound away from the shack through a meadow and down to the main road.

We settled into a patch of clover with a view of Dr. Ray's property. Tara poured some water into a bowl, and Max slurped it up. When he finished, he sprawled next to us and promptly fell asleep with a loud snort.

I took the second binoculars from my backpack and handed them to her.

We peered into the Graham estate, past the charred and singed trees, to the rear of Dr. Ray's former home. I couldn't believe it when I caught sight of the long ribbons of police tape that wrapped the house. There's nothing ambiguous about police tape — it bellows bad news in yellow.

Suddenly, it felt like the same fire that had consumed the house was also inside of me. I gaped at the damage in horror. The roof had collapsed, the bricks were charred, and the windows were blown out. Part of the upper floor had crumbled, and there were still traces of smoke rising from the house.

Was it even possible to repair this much ruin? Who could afford to fix it? Wherever Dr. Ray was right now, he had to be devastated.

But then I spotted something else. A truck was bumping down the driveway.

The white vehicle with a green ball atop the antenna pulled up, and I zeroed on the logo on its side.

CONTI-BILD Conti Construction.

Conti?

Did this have something to do with Mitchell Conti, the bully in Mel's convenience store? What was *he* doing there? Wasn't this a crime scene?

We put down our binoculars and exchanged a confused glance.

"Maybe they're trying to figure out if they can repair the old house?" Tara suggested. She pulled out her camera and started to film the property.

"Mayor Fontana did say that this house is like the soul of Queensport with all its history," I said. "Maybe they have to protect it from the rain."

But something bothered me.

It was still smouldering, so it was too soon to rebuild, or even secure the place.

We peered again at the truck and watched someone climb out of the driver's seat. I recognized Mitchell's father from that night at Mel's.

He surveyed the property, then pulled a cellphone from his pocket. Circling his truck, he leaned against the door, facing in our direction. He was gesturing at the pond and the remains of the house. As he spoke, he waved his arm in excitement.

"What's *he* doing there?" Tara whispered.

"I'm dying to know what he's saying."

Max seemed to be curious too. He rose to all fours and shook his head and licked my cheek. I nudged him away, then scooped up the binoculars and studied the estate. Max apparently didn't like that because he started barking. I scratched his head, but his bark quickly exploded into a howl.

Tara searched her backpack and yanked out a doggie bone. He champed it with his mouth, flopped onto his belly, and gnawed his new treat.

"Close call," I said to Tara, my heart still thumping.

"I don't know what got him all worked up. He's really not much of a non-essential barker."

But Max wasn't finished making trouble. He dropped the bone, rose up again, looked around, and barked once more.

Then he took off.

Tara gasped as I lunged toward his leash. But Max was a few strides ahead of me, nose to the ground. By the time I'd scrambled to my feet, he was in full gallop.

In the direction of the Graham estate.

And Mr. Conti.

Who was now chatting with a man in the van's passenger seat.

I scooped up the backpack and charged after the dog. Tara raced next to me, waving a cookie in her hand. But at that point, it would have taken a whole lot more to stop Max.

We barrelled down the hill behind him as he bounded closer to Dr. Ray's property. He zipped through a cluster of trees and juniper bushes, then slowed down and suddenly dropped to the ground. An old shoe was nestled in the dirt — clearly a yummy-smelling shoe, by bloodhound standards.

We dropped behind him, panting and sweating. Tara grabbed the leash, and we crouched under the cover of the bushes.

We were only a few feet from the rear of the house, but we had a full view of Mr. Conti. And now we could also hear him. Sort of.

It was difficult to make out what he was saying, but we caught some words as he talked to the man in the passenger seat. Words like "paving," "concrete," "highway," and "fire."

Tara's camera was pointed at Mr. Conti — she was filming even though his voice was hard to hear. When he was done, he ambled to the front of the house.

My mind was spinning. "You know what this means?" I said in a tiny whisper.

Tara nodded, a furious look on her face. "Mr. *Conti* burned down the house."

My body was starting to load up on anger when something unexpected happened.

And that something completely changed everything.

Max burped.

And it was no garden-variety burp. This was a noisy, ear-splitting belch. It was a burp of historic proportions. A burp that seemed destined to change the course of Queensport history.

Within seconds, a shadow was over us.

Standing in front of us, his arms on his hips and his eyes flashing . . .

Mr. Conti.

THIRTY-THREE

TRUE FACT:
The nuclear reaction that takes place in a hydrogen bomb is the same reaction that fuels stars.

Tara and I scrambled to our feet. As we rose, she deftly concealed her camera behind her back.

Mr. Conti's eyes locked on mine for one of those moments that take an eternity to pass. He nodded at Tara and growled, "I want the camera."

She glared at him. "No."

We stood in a tense circle, and the world suddenly went silent. The birds and crickets and even the breeze seemed to back off, as if they didn't want to stick around for what was about to go down.

Mr. Conti was practically on top of us, his glare like a laser. We didn't dare breathe.

"This place is secured and off limits," he spat. "Didn't you see the sign at the road? It explicitly says no trespassing."

I gulped. "I'm sorry. I didn't notice a sign."

"What exactly are you doing here?" His eyes narrowed. "It's a crime scene."

Tara blanched.

"We just . . . um, we went for a walk with the dog," I said.

"Yes, I know. I heard the dog. Nice of him to let me know you were here. But I also saw your camera. You were filming me."

"We just wanted to see what happened," Tara said tightly.

"We were shocked when we heard about the fire," I added.

"What's your name?"

I grimaced. Was I obligated to tell him? It's not like he was an officer of the law. Besides, what was so suspicious about wanting to see the remains of a house after a huge fire?

"I'm waiting," he said, his eyes wild with rage. I thought he was going to have a seizure.

Out of nowhere, he reached behind Tara and snatched her camera from her hands.

A cry escaped her lips.

"You're the Dhillon girl, aren't you? You look like your parents."

I couldn't let her be in trouble alone. "Noah Cooper," I blurted.

"Ahh, I see." Recognition altered the pitch of his voice. "Well, Noah Cooper, don't think I don't know that you've been sneaking onto this property. The law will take care of you soon enough."

And with that, he swung around and sauntered back to his truck. I gazed at the passenger in the van. He was wearing a Hawaiian shirt and had long silver hair. For a second, I thought it was Dr. Ray. But then the penny dropped.

It was the gunman.

The gunman was working for Mr. Conti.

I felt utterly defeated. We had the proof, but now it was gone. How would we ever convince anyone that Mr. Conti was behind the fire?

It all seemed so hopeless, so frustrating, so *wrong*. At that moment, I just wanted to go home, curl up in bed, and take a long nap — maybe for a hundred years or so.

Just then, from the corner of my eye, I noticed Tara's mouth curl up in a smirk. I turned to face her.

In her outstretched hand, she held the camera's SD card.

THIRTY-FOUR

TRUE FACT:
Every year the moon gets farther away.

Max, Tara, and I burst into my house, flying high on Tara's clever idea to remove the SD card. We were itching to find out what was on it.

We charged into the living room, but stopped short when we saw Kyle playing a video game with Mason and O.

"Hey, it's Queensport's favourite baddies," Mason said.

With all the trouble I kept stirring up, I sadly kept getting better at earning Mason's approval.

"What's up, dude?" Kyle said.

"We might have *really* explosive footage," Tara said, waving the SD card. "Actual *proof* that Mr. Conti burned down Dr. Ray's house!"

Mason's eyes went wide. "Bruce Conti did it?"

They listened intently as we described what we'd just seen and our interaction with Mr. Conti.

"Why am I not surprised?" O said. "That man completely gives me the creeps."

"So do his son and his dog," Tara said with a shudder.

"I swear, every time I go to Mel's, Mitchell is there with Blade," O said. "I'm convinced that dog is frothing at the mouth, just dying to put me in Unionside Hospital."

"Probably Mitchell is too," Tara said.

Kyle snapped his fingers. "Focus, guys! Let's see what's on the card!"

Tara fumbled with the card and set up the image on the screen as I gathered two more chairs next to the monitor. The five of us watched as a long view of the Graham estate came on the screen, followed by a shot of Dr. Penner's house that was taken from the adjoining field. Mason and O gasped as they viewed the damage to the house.

The next image was taken when we'd chased Max to the actual estate and Tara had panned across the house and the burned forest. Then we saw Bruce Conti babbling excitedly on his BlackBerry.

All five of us leaned in. Tara ratcheted the volume up to maximum, but we couldn't make out much more than what we'd heard when we were at the estate. The same ugly words: "paving," "concrete," "highway," and "fire."

The rest was too unclear, almost garbled.

"I'm sorry, Noah," Tara said softly.

All I could say back was, "Great. Just *great*."

On top of all the damage he'd done, Mr. Conti *stole* Tara's camera. Mr. Conti. *He* burned down Dr. Ray's house, had his goon shoot at me and Kyle, likely put those holes in my bicycle tires, and was tramping around the Graham estate like he owned the place. That's why he was so threatened by me and Tara. His plan was so obvious: get rid of the historic house, and you've got yourself a highway.

The Graham estate was going to be Mr. Conti's show, and the house was the cost of admission.

I stomped into the kitchen, threw open the pantry, and pulled out some cereal, slamming cupboard doors and banging the cutlery drawer.

Kyle piled into the kitchen with O, Tara, and Mason. "Whoa!" he said. "We'll figure it out."

I blinked back tears.

"All this time, *I* was getting into trouble when it was Mr. *Conti*. Gathering evidence, building a case, and setting *me* up to take the fall for his destruction of the house. He obviously punctured my bike's tires."

Kyle sat on the counter, glowering. "What a complete weasel," he said darkly.

"Mitchell is one too," O said. "Even their dog, Blade, is a weasel dog."

"I guess there must be a lot of money in construction," Mason said.

More money than a night sky. That was free.

"Wait a minute!" Kyle said. "Why don't you call the mayor and *tell* him what you saw? He's going to be just as upset about this as we are."

Tara and Mason nodded in agreement. "He obviously likes you," Mason said. "Maybe he'll listen."

I shook my head. "Mr. Fontana might listen to me, but he has no reason to believe me. Besides, he's not the police. He's just a politician."

"But why wouldn't he believe you? It's not like Bruce Conti is a *secret* weasel," O said. "He's got a reputation around here."

"The town councillors obviously know all about him," I said, feeling defeated. "I'm pretty sure he's been pressuring them for years. And the bottom line is that *I'm* the one who kept sneaking onto the property."

Gloom billowed through the kitchen. If the police believed I was causing mischief, they had lots of proof.

"Maybe I could do a presentation at the town council's monthly meeting?" I said weakly.

Mason raised an eyebrow. "You think that's going to do anything?"

"Not really."

"But they just put in a huge screen for presentations," Tara said.

"This footage proves nothing," I said. "And it's not like we can shoot more."

Tara winced. "How am I ever going to get my camera back?"

A collective slump reverberated across the room. If gloom had a sound, that was it.

I thought about how there are three kinds of people on this planet: the ones who build things, the ones who buy things, and the ones who steal things. Whether it was a camera, a historic house, a county, or a vista of stars, there was almost nothing someone like Bruce Conti wouldn't take. When it came to plunder, the sky literally was the limit.

I grabbed the cordless phone and dialled Mr. Fontana's number. I knew that Dad had bad memories of him, but these days, Dad seemed to have bad memories of everything. He was stuck at the crossroads of loss and failure, and he just couldn't seem to decide which way to go next.

I somehow got the mayor on the phone immediately. His voice was warm and sad at the same time.

"Thank goodness you got that footage for *Astronomax*. The fire—" He choked up and had to pause to collect himself. "It's devastating. That beautiful historic house . . . the loss for our town is unimaginable."

"I know. That's why I'm calling."

"Oh?"

"I think I know who set the fire. It was Bruce Conti — I just saw him at the estate."

Mr. Fontana drew in a sharp breath. I quickly replayed the scene at Dr. Ray's property.

The mayor was quiet for a moment, then he said, "Look, Noah, I know Mr. Conti's a bit intimidating, but accusing him of this sort of crime is going to require proof. *Hard* proof."

"Didn't you say that council has been facing a challenge for years? Was it from Bruce Conti?"

"Let's just say there's been pressure from a number of business interests whose main concern isn't the community." He hesitated. "But I also say that what you're telling me doesn't exactly come as a shock."

"Can we do something?"

"I'll alert the police and the municipal manager and ask them to investigate. But until there's actual proof connecting Bruce Conti to the fire, I'm not sure what they can do."

"It's so unfair," I muttered.

"Where are you with *Astronomax*?"

"We'll be finished soon."

"Good. I look forward to seeing it at the council meeting. It'll be a nice tribute to an important part of our history."

"I guess," I murmured.

"I think everyone will appreciate it. And it'll be a nice break from sewage lines and property tax codes."

"Mr. Fontana," I said, "do you know where Dr. Penner is?"

"I heard he was with his sister, but I'm not sure he's doing well."

More bad news for a perfectly awful day.

I thanked the mayor for his time, then hung up the phone and sagged into the chair.

"So that's it?" Kyle said. "He can't help?"

I shook my head. "Not really."

Kyle squeezed my shoulder. "If Mr. Conti actually set Dr. Ray's house on fire, he'll never get away with it."

"But they've been collecting all this fake proof that it was me! Even if Dr. Ray says he gave me permission to be there, they can still claim I was making trouble! Kyle, what if no one believes me?"

"I believe you," he said. "We all do. We all know you're telling the truth."

O had been quiet for quite a while, but now she suddenly spoke up. "I have an idea."

"I'll try anything," I said miserably.

"My father works with computers. Let me see if he can do something to boost the sound on the SD card."

"Would he be able to?"

She shrugged. "We'll find out."

And then I had an idea of my own.

I knew how to stop Bruce Conti.

THIRTY-FIVE

TRUE FACT:
Sagittarius A, a black hole at the centre of the Milky Way, was once a supermassive star with a mass of approximately 4.3 million suns.

When I showed up at Tara's house early the next morning, she appeared at the door in her pyjamas, her eyes still sleepy.

"So here's the thing," I said as I marched past her to the den, "while we're waiting to see if O's father can do anything with the footage, let's work on a backup plan."

"Okay, but what are our options?"

"Mayor Fontana said we'd need proof that Mr. Conti has done something illegal. So let's find some."

"Like frame him or something?

"No, no. We'll just expose him breaking a law, and the penalty will be so great that it'll slow him down and give us time to build opposition to his plans!"

Her eyebrows rose. "So we wait until he robs a bank or something?"

I shook my head. "What if he's *already* broken the law? Remember when we went to the city archives and read through those crazy bylaws from more than a hundred years ago?"

"Yeah . . ."

"I bet we can find some that were never repealed. Then we can go to the police and have them press charges or fine him — or even arrest him!"

She blinked, then she rose to her feet.

"Where are you going?

"Back to bed. I'm really sorry, but I'm pretty sure I'm still sleeping. You wouldn't believe this wacko dream I'm having right now."

I grabbed her hand and pulled her back down to the couch. "I'm serious about this. You remember how crazy some of those bylaws were. I'm sure we can find at least one that he's broken."

"Riigght. Like maybe something about swine." She snapped her fingers and gazed at the ceiling. "What was it? If he's letting his swine roam free, he needs to be held accountable!" She shot me a fierce sarcastic look. "Someone's got to stop the swine."

"Don't look at me for disagreement."

"Look, I can guarantee that Bruce Conti is swine-free and this idea is nuts. But the bigger problem is that he's evil and your idea is a pretty direct attack. I think all it will do is enrage him."

I jumped to my feet and paced in front of the couch. "I really think it could work. There are other bylaws, and he's like a one-man crime spree. He stole your camera, he's setting me up, he burned down a house, and he'll tear apart this community."

And the night sky.

He wanted to wipe it out. I knew that wasn't an argument. It never seemed to be a reason to do anything — to build cities or not build them, to pave over farms or not pave them — but still, it mattered. And nobody even talked about it.

"You actually think this could work?" Tara asked.

"Why not?" I said. "Even if he just gets a fine — a hugely upsetting and gigantic fine — maybe it would be enough to slow him down."

She pressed her lips together. "They're not going to arrest someone based on a law that's 170 years old."

"Why wouldn't they? A law is a law." But I could see from the look on her face that she wasn't convinced. "We have to try something. I noticed there were bylaws repealing bylaws, but I didn't see one super-bylaw that struck all of them off the books, so maybe they missed a couple. I'm calling Adam from the archives."

She threw her hands up in the air.

I grabbed the Dhillons' phone book and dialled the town hall switchboard. When I got Adam on the landline, I explained what I was looking for.

"I can't tell you offhand," he said, "but you're more than welcome to come back and go through them again."

"Like . . . *now*?"

"No problem. I just got in."

I turned to Tara. "You ready?"

She sighed heavily. "Fine. But I really think that relying on the police is useless. I know you hate breaking rules, but maybe it's time to think outside the box."

"Hello? I'm trying to solve this with wandering she-goats. Are there any she-goats inside that box?"

"Okay, I'll do it, but I think this might make things worse."

I had to wonder: maybe the problem was that I really *was* locked inside a box. Both Kyle and Tara had pointed out that I never break rules. And where had that got me?

I knew there wasn't a whole lot we could do to change events in our sleepy little hamlet, and I wasn't sure if Conti could get away with what he'd done. But I still felt that I had to do *something*, that maybe one day when I looked back at a time before this county turned into a city, I'd wonder if I could have tried something more.

THIRTY-SIX

TRUE FACT:
Shooting stars are made up of space junk like rocks, dust particles, and ice pieces that heat up as the stars enter earth's atmosphere.

"Hey," Adam said as we stepped into the county archives room.

"Thanks for letting us come so quickly."

"Are you kidding? You two brought down the age of my average visitor by around forty years!"

"We do that," Tara said.

Adam handed us each a pair of white gloves. "So you're looking for bylaws that were never revoked, correct?

"Exactly."

"You should probably keep a running list and write down every bylaw that nullifies previous ones, and then you'll be able to figure out which ones were omitted. Use a pencil, but not near the original documents, okay?"

Tara and I nodded, then we carefully divided the pile of fragile papers and set to work, jotting down the contents. It took us a couple of hours just to get to 1900. By then the laws were longer, more boring, and increasingly complicated.

Tara was carefully reviewing the list when she suddenly clapped her hands in excitement.

"Pay dirt!" she called. "Bylaw number six from 1849 was never repealed."

"Which one was that?" I asked.

"It says no female dogs can run loose around the township." I must have looked puzzled because she quickly added, "Blade!"

The Contis' weasel dog.

"Oh boy," Adam said. "That pit bull is terrifying. There are days I'm afraid to ride my bike to work because of her."

"Blade is a demon dog," Tara said with a grimace.

"But I actually haven't seen her for a couple of months," Adam said.

"Oh no," I said. "What if Blade's dead? We need her not to be dead!"

"Calm down," Tara said. "Are you forgetting that we saw her chained up outside Mel's just the other day?"

I punched the air. "Yes! The dog isn't dead!"

Still, it all seemed pretty iffy. Was the future of Queensport — and maybe the night sky itself — resting in the paws of one grumpy pooch? I had to be sure.

"So do you agree that according to this bylaw from 1849, Bruce Conti's stupid pit bull is breaking the law?" I asked Adam.

"Yes. Although I have to say that this is the wackiest thing I've ever heard of. But if you guys pull it off, a lot of people are going to be pretty grateful."

Tara looked doubtful. "I don't know, Noah. I'm not sure how much of a punishment Bruce Conti will get."

"Well, it doesn't hurt to see what the penalty was." Adam bent down and studied the bylaw. "According to this, the owner would initially have to pay twenty shillings to the pound keeper. And then the penalty went up each day."

"What's a shilling?" Tara said.

"It's an old kind of currency." Adam strode to his computer. "Maybe it would be worth, say, five dollars in today's money."

"This is crazy," Tara said to me. "I don't have a good feeling about it."

"But this is what law enforcement is supposed to do," I argued. "Besides, are there any other ideas?"

"Of course there are!"

But knowing Tara, I had to ask.

"And you have those ideas *now*?"

"Well, not *yet*," she said. "But we should think about it some more."

"No time for thinking." I jotted down numbers on my piece of paper. "Okay, so there are 365 days in the year. How long has that dog been roaming around?"

"What do you think?" Adam said to Tara. "Five years at least?"

She pushed her glasses up her nose. "That demon dog has been terrorizing me and Max since I was a little kid. Say, grade two?"

"Okay, so six years? If we multiply 365 by 6, that's 2,190 days." I calculated the numbers on the paper. "And then you multiply that by twenty shillings. No, wait! According to the bylaw, twenty shillings was just the first day. Then it went up to thirty and forty and so on."

"This is crazy," Tara said.

"I know. The math's too hard and I can't begin to calculate what he'd owe, but it's got to be at least two hundred thousand shillings!"

Adam nodded. "And maybe he'd have to pay in equivalent dollars. He might even owe the town a million dollars."

"So what do we do now?" Tara said. "Go to the police and demand they make him pay?"

"Why not? How can they not enforce their own law?"

"Because it's really old. And because everyone knows that Bruce Conti is as much of a monster as his dog."

"I do think the police have some discretion about which laws to enforce," Adam said. "You'll have to be quite convincing to get them to make a move."

"But maybe this finally gives them the ability to deal

with Blade," I said. "I bet the councillors were too in-timidated by Bruce Conti to do anything, even though that dog has terrorized the whole town. Now they have a law that's already on the books."

Tara crossed her arms. Tara was not on board.

Adam could see that Tara was not on board.

"I will be very curious to see what happens," he said. "They'll probably call an emergency council meeting where they repeal all laws from before 1950 or some-thing."

"Then we still have time."

"Bruce Conti is a nasty guy," Tara warned. "He'll try to punish you for this."

"We have to *try*. We can't just give up. He wants me to pay for his crimes!"

I knew I had no choice. I had to see this through.

Because when you live in a world where nobody takes a stand, you end up with nothing left to stand for.

THIRTY-SEVEN

TRUE FACT:
All the stars that make up the Milky Way revolve around the centre of the galaxy once every two hundred million years or so.

The police officer behind the reception desk listened intently as I offered a lengthy explanation of Mr. Conti's crime. Tara had gone home to finish up work on *Astronomax*, so it was up to me to convince him to press charges.

"Let me get this straight," he said. "You want me to *arrest* Bruce Conti for letting his dog roam unleashed?"

"Well, that would be ideal, but I think a gigantic financial penalty would also do. I'll be happy with either one."

"You will, will you?"

"Look, that dog has terrified a lot of people for a long time," I said.

"The dog is a bit . . . intimidating," he admitted.

"Aha! See?"

"So if I can't arrest him, you want me to fine him a million dollars for letting his dog loose?"

"Give or take."

A tiny smile started to escape the officer's mouth, but he quickly caught it. "Based on a law that's 170 years old?"

"It was a good law then, and it was never repealed." I handed him a photocopy of the original bylaw.

He peered at it. "It's hard to read this script. It's so . . . *curly*."

"You could get Adam from the archives to go over it with you."

"No, no. I believe you."

"So can you do something?"

He crossed his arms as he mulled it over. "I'll make some phone calls. But I have a feeling we won't be able to do much. Bruce Conti is a highly respected member of our local chamber of commerce."

Which was confusing. Did that mean laws *don't* apply to highly respected members of the local chamber of commerce?

"I can wait while you call," I said, pointing at the phone on his desk.

"That's all right. You've done your part — leave the rest to me." He tilted his head to the side and considered me carefully. "Are you *sure* you want me to go ahead with this?"

"A hundred percent."

"Fine, I'll do it. But I have to warn you that I really

don't know how this will end."

With my mission at the local precinct accomplished, I headed over to Tara's house and we settled in at her computer.

"Do I really want to know what the police said?" she asked.

"He agreed that Blade is scary."

"Really? That could be good."

"He said he'd make some calls."

"That could be very good."

"He warned me he didn't know how this would end."

"That could be very bad."

But what could I do? I understood why Tara was nervous about going directly after Bruce Conti. And maybe she and Kyle were right that I should break more rules. But it's not like she had any brilliant rule-breaking ideas to offer.

With Bruce Conti's arrest — or at least a crippling fine — imminent, it was time to figure out where Dr. Ray was. Maybe he was just as scared as Tara was and was trying to keep a low profile. We were clearly dealing with very bad people. I picked up the phone and dialled his sister again, but this time I was determined not to take no for an answer.

"Mrs. McIvor," I blurted out as soon as she picked up, "I'm Noah Cooper, and I'm a friend of your brother's. Please tell me what's happening. I'm really worried about him."

She sighed.

"Is he okay?" I said.

"Oh, I don't know," she said in a trembling voice. "He's not doing well, and he's unable to talk."

I felt my throat catch. "I'm so sorry. Is it . . . because of what happened?"

"No, no. Ray is not a well man, and his health has been deteriorating for some time. I don't want to put any stress on him."

"I understand. If you can, will you give him my best wishes?"

"I will. If you want, you can try calling again later in the afternoon. Maybe he'll be a bit more energetic then."

"I hope so," I said.

I got off the phone and recounted the call to Tara.

"At least we know where he is now," she said. "And for sure we have to call him back later."

We spent the afternoon fine-tuning *Astronomax*, which was turning out to be an impressive little movie. Too impressive for Mr. Fontana to turn down. I just knew he was going to love it. Despite Dad's dislike of the mayor, he was offering something that I couldn't get anywhere else. And I was more determined than ever to stop Bruce Conti and get that telescope for Dad.

When Tara and I took a break, I dialled the phone on the computer desk. Dr. Ray's sister answered right away.

"Hi, this is Noah Cooper again."

"Oh, Noah! Let me see if he's up to speaking to you."

She muffled the receiver, and a few seconds later, Dr. Ray came on the phone.

"Noah?" he said in a raspy voice.

"Dr. Ray! How are you?"

I could hear his laboured breathing over the phone. "Oh, I'm fine. My sister is doing an excellent job of taking care of me, which isn't easy. I'm a very difficult patient. And how are *you*?"

"I'm okay, but Tara and I were devastated to hear about your house. And we think we know who did it!"

There was silence on the line. "Noah, you have to be careful."

"It was Bruce Conti!" I blurted out. "We went to the farm next door, and we saw him—"

"Stop!" Dr. Ray said, cutting me off. "Don't say any more."

"But—"

"Noah." He was gasping for breath. "You must trust me on this and say nothing to anyone."

"But it's not *right*."

"I understand. Listen, son, can you get someone to drive you to my sister's tomorrow? You and Tara come together, and I'll explain more when I see you. Just call first to make sure I'm up to it."

"Sure." I hesitated but decided to plow ahead. "Dr. Ray? Um . . . they're blaming me for the fire. I know it's hard for you, but do you think you could maybe talk to the police?"

"It's beyond the police now. But I'll try."

It was something.

Tara was on board with going to visit him, as I knew she would be, but we would need a ride. Naturally, I was the designated asker, since Mrs. Dhillon would never say no to me. I was still riding the gratitude train, which sometimes came in handy.

We had almost finished the final cut of *Astronomax* when I said goodbye and cycled home for dinner. Which meant either bad macaroni, bad pizza, or bad Chinese food.

But when I stepped into the house, I could feel that something wasn't right. Dad was sitting at the kitchen table, his eyes trained on the floor, motionless.

"Are you okay?" I asked.

He seemed to be in some sort of trance.

"Dad?"

He looked up at me with watery eyes. "Oh, hey." He squeezed my arm, and a ripple of alarm coursed through me.

"Did something happen?" I said.

He swallowed. Almost like he was holding back tears. "Oh, the superintendent . . . uh, he just showed up at the community centre an hour ago and told me that they're restructuring city staff. He said that my position is redundant."

"'Redundant'? What does that mean?"

"It means I just lost my job. I was fired."

THIRTY-EIGHT

TRUE FACT:
The observable universe is estimated to be ninety-three billion light years in diameter.

I toppled into the chair next to him. "I don't understand!" I blathered. "All of a sudden they restructured the staff? They just hired you a few weeks ago!"

His face was ashen. "They didn't explain," he said in a barely audible voice.

"Was it your boss?"

"I think it came from higher up."

I flinched. "I don't understand. There was no explanation?"

"Nothing more than that." He looked up at me with broken eyes. "It doesn't even make sense because a few days ago, my boss told me they were looking to hire me full time."

I gripped the table with both hands. I thought I was going to keel over. I'd been warned by the police officer. On the day I tried to get Bruce Conti punished, my father lost his job.

He shook his head, dazed. "The whole thing came out of left field. He apologized but said it was effective immediately."

I choked back tears. I couldn't believe I'd gotten Dad fired.

Do I tell him?

No. Not now.

"Dad, I know you didn't like Gordon Fontana when he was a kid, but he's been really nice to me and maybe I can speak to him—"

His face crumpled, like the last bits of glue holding him together were coming undone.

"Gord Fontana? You want to ask *him* to help *me*?"

I thought I was offering a solution, but I could see that I'd insulted him instead. Now it was too late for me to take back my words.

"Even if he's awful," I stammered, "maybe he has the power to do something?"

"Noah." It came out as a gasp. "He's a . . . *very* bad guy."

"Just because of when he was a kid?"

"I *knew* Gord." He squeezed his eyes shut. "I can't explain it to you, but you have to trust me when I say he's never changed. He's a mean, vindictive bully who enjoys controlling people and hurting them. He's not going to do anything to help me."

"But that was twenty-five years—"

"Don't, Noah."

"Isn't there something I can do?" I said, choking back tears. "*Anything?*"

He rested his hand on my shoulder. "Don't worry," he said quietly. "I'll figure it out, I promise. I've done a bad job, but I'll get it together. Don't give up on me, okay?"

We sat in silence, the kitchen clock ticking away the minutes. Finally, he rose to his feet with a groan and shuffled out to the patio.

I went in the other direction, climbing the stairs to Kyle's bedroom. He was on his back, tapping at his Nintendo Game Boy Advance.

"*Quid agis?*" he said.

"*Horribilis.*" I perched on the edge of his bed.

He sat up and gazed at me. "What the heck is going on, dude?"

I heaved a sigh.

He tapped my arm. "Come on. This is my life too."

I swallowed back tears. "Dad just lost his job."

"*What?*"

I nodded glumly.

"Great," he said, kicking the leg of his bed. "There goes Jim Cooper again."

"No, it's all my fault. I tried to get Bruce Conti arrested, and because of that, they fired Dad."

"Wait a minute." Kyle grabbed both of my arms and locked eyes with me. "You're telling me that you tried to get Mitchell Conti's father *arrested?*"

"I guess it was kind of dumb."

Tara was right. *What had I been thinking?*

I told Kyle about my idea to use the really old by-laws. "The police officer said he'd make some phone calls, but he warned me that Bruce Conti is well connected. Kyle, he really hates me. I bet you he's trying to drive us out of town."

How does it happen that when you try to save something, you end up losing everything? When we'd packed up and moved to Queensport, it had taken the last few morsels of Dad to make the change. It felt like there was a festering hole inside my father, and all the talent, and brains and potential were draining out of him. And somehow I'd pushed out the tiny bit that was left.

"What will Dad do?" I murmured.

Kyle shrugged. "He'll figure it out," he said with a snort. "Doesn't Jim Cooper always save the day?"

"Should I tell him that *I* got him fired?"

Kyle cocked his head as he turned my question over in his mind. "No," he said softly. "One day you'll tell him that you did this really cool and amazing thing to try to help him. And he's going to swell with pride. But not yet."

"Are you sure?" I said, my voice catching.

He nodded slowly. "I'm sure."

I gulped. "Thanks, bro."

The room was still as we sat on the bed, both of us lost in our thoughts.

"Hey, Kyle?" I said at last.

"Yeah?"

"Do you want to play a game of chess?"

The trace of a smile crossed his lips.

We stretched out on the floor, the chessboard between us. And for a couple of hours, the world was
nothing but me and my brother and a game of chess.
We played until the sky finally pushed the sun over the
edge of the horizon.

When darkness descended, I padded down the stairs
and out to the patio. Dad was still reclining in his chair
like he was floating in the sky. I sat next to him and he
nodded at me.

"I'm sorry," I said softly.

He stared at me with an odd look. "What do you
have to be sorry about?"

I held the answer for the future. We sat wordlessly
under the stars, his hand on my arm, until I heard him
snoring softly in his chair.

THIRTY-NINE

Tara and I finished our work on *Astronomax* the next day, but my heart wasn't in it anymore. I didn't have the stomach to tell her that Dad had been fired. Or that we'd probably have to move. There was a tiny part of me that believed if I didn't say it out loud, it wouldn't come true. Tara had opposed my bylaw strategy. I was wrong, and she was right. What would I do without her?

But what did any of it matter anymore? I just wanted to go back home and sleep.

Was I turning into my father? I mean, ordinarily you should probably first lose a wife, drop out of graduate school, lose a business, and get fired from your job before despairing. But why waste time like that when you can advance to despair without any fuss?

Tara snapped her fingers. "Noah, we can't give up now! We're lucky to have footage of the Graham house. You're really close to getting that telescope — I can feel it."

I forced a smile onto my face.

Where would Dad, Kyle, and I end up? Probably in a crowded city, a place that regularly trades stars for jobs.

"Look, I know it's horrible that the house was damaged," Tara said. "But Dr. Ray wasn't hurt. And we know who was responsible for the fire. The situation isn't really that bad."

But it *was* that bad.

Bruce Conti had gotten my father fired, was framing me for arson, and was driving us out of town. Where would we go next? And what would Dad do for a living? How was he going to put food on the table?

Or frozen pizza, anyway.

At two thirty, Mrs. Dhillon emerged from the basement. We climbed into the minivan and cruised down King Road, then turned onto Concession Road 14. We arrived in Noble fifteen minutes later and pulled up in front of a low-rise apartment building. Mrs. Dhillon was going to go a nearby farmer's market and would pick us up in an hour.

Tara and I piled into the lobby and buzzed Sheila McIvor.

"Come on up," the reedy voice said.

When we got to her apartment, the tiny woman

pulled back the door and showed us into the living room.

I froze.

Dr. Ray was lost somewhere inside his pyjamas, half lying in a padded recliner, his face waxen. Was this the same person who just a week earlier had stood on a roof heaving tomatoes? How did this happen so quickly?

A middle-aged man in a suit sat on a loveseat with a computer open on his lap. He smiled at us.

"Sorry," Dr. Ray said in a laboured voice. "Things . . . took a turn for the worse in the last few days."

Tara and I stood awkwardly on the shag carpet. What were we supposed to say?

"Kids, this is my good friend Will Banner. Will, meet Tara and Noah — both excellent artists," Dr. Ray said with a wink.

"Have a seat," Will said, pointing to the couch.

"So what's new, kids?" Dr. Ray asked. "I see that you got the filming done just in time."

"We're so sorry about your house," I said.

His jaw tightened. "I suppose I should be *happy* that I'm never going to see what they did to it."

Tara and I eyed each other nervously. I couldn't stand the way he'd used the word "never."

"Did you edit your film yet?" Dr. Ray said.

"We finished," Tara said. "Can we come back to show it to you soon?"

"Soon is the key word," said he replied. "I don't know how much soon I've got left."

Dr. Ray was always joking that he was on the verge of dying, but this time there was no humour in his voice.

He lowered the leg rest, turned the lever, and pulled his chair into a sitting position. "Let me explain why I wanted to talk in person," he said. "Call me paranoid, but how on earth did you come to Bruce Conti?"

I told him about the empty broccoli field and our confrontation with Conti at the house. But when I mentioned the old bylaw and going to the police, Dr. Ray and Will Banner traded a worried glance.

"What sort of bylaw?" Will said. "I'm a lawyer."

"In 1849, it was illegal to let your female dog roam free," I explained. "The Contis' dog, Blade, is often unleashed, and the bylaw was never repealed. So we told the police that he'd owe about a million dollars in fines."

Will burst out laughing. "I don't know if you're amazingly courageous or —"

"Amazingly stupid?" I squeaked.

"You took the words out of my mouth," he said. "It drives me crazy that the Contis refuse to leash that evil dog, and she's terrified my kids a number of times. But you tried to get him *arrested*?"

"That's why I called you here," Dr. Ray said, his eyebrows furrowed with concern. "You absolutely must stay away from Bruce Conti. He is a powerful and nasty man who is connected to *everybody*. But you know that already, don't you?"

A sick feeling roiled my stomach.

"What happened?" Will said. "Because there's no way Bruce Conti took this lying down."

Tara watched me intently. They all did.

I swallowed hard. "Yesterday, my father was fired from his job."

Tara's eyes went wide. "He was *fired*?"

I nodded, then looked at Dr. Ray miserably. "And now we'll have to leave Queensport."

She gaped at me. "*What*?"

"Not the kind of news you want to share."

She crossed her arms, her face drawn in anger.

"I'm sorry," Dr. Ray said. "But I'm sure something will come up. Your father is a very clever man."

My father was gone.

Dr. Ray's energy was draining out of him, but once again he convinced me to tell him the Story of Dad, like it was a song that wouldn't let him go.

"Do you have a ride?" Will finally said, our cue to leave Dr. Ray to rest.

I rose to my feet and shook my friend's hand. He pulled me down and hugged me and whispered in my ear, "It really will be all right."

But I knew it wouldn't be. It never was.

FORTY

TRUE FACT:
When smaller stars like red dwarfs use up all their fuel, they become white dwarf stars and emit white light until they finally darken into black dwarfs.

We stood on the sidewalk waiting for Mrs. Dhillon, but Tara wouldn't look at me. I tapped her on the shoulder and she spun away.

"I shouldn't have gone to the police," I said. "You were right."

She crossed her arms and glared at me. Glaring was progress.

"I don't care about being right," she finally said.

"I never meant for any of this to happen."

"I know," she said miserably. "This whole thing is awful. But at least we know who's framing you. I was up all night trying to come up with ideas."

"Don't take this the wrong way, but your ideas tend to get me into trouble."

"Well, look at you. You always stick to the rules, and

208

that *also* gets you into trouble!"

"You're right. Everything does."

Tara's eyes misted. "It's not fair."

"What's not fair?"

She swallowed. "All of it."

She wiped her eyes and held my gaze for a moment. There was an entire book inside Tara's eyes, and I could read every word.

And it *wasn't* fair. Because when every star in your sky aligns, you might end up with a father who can see you and a friend who can keep you and a home you can stay in and a system you can depend on.

But the sky is so big. *Really* big. There are more than a hundred billion galaxies in the observable universe, and our own Milky Way is home to over three hundred billion stars. Seventy billion trillion stars in the universe, and we're so small. *Really* small.

And when you're nothing more than a speck of cosmic dust, maybe things are too big to repair and too small to let go.

"You don't understand," Tara choked out. "You can't just go away."

I gulped and thought of Dad. And when I looked at Tara, I knew that she could read the book in my eyes too because even though the details were different, we shared the same story.

And that's what it is to have a friend.

"Don't leave."

"I hate it," I said. "I don't want to go."

Tara.

"I'm not giving up on you. I swear I'm not letting your family leave." She playfully punched my arm. "*Semper fidelis*," she said quietly.

I blinked. My faithful friend. My loyal friend.

She'd said it in Latin.

"*Semper fidelis*," I murmured.

We stood on the sidewalk, lost in the moment.

"I just wish there weren't such awful people in this town," I finally said.

"There are some bad people in Queensport, but there are some really good ones too. Look at the mayor. And O. Even Mason's not so bad. And Adam — he's great."

I hadn't thought of Adam since my failed attempt to levy the shilling fine on Conti. And that's when a new idea flashed through my head. Tara was right. I felt my lips curl into a smile.

"Let's break some rules."

FORTY-ONE

TRUE FACT:
Saturn could float on water.

The first step was to deliver the film to the mayor. I was possibly promised a telescope, and I wanted my telescope.

And if while I was in the mayor's office, I happened to mention my father's plight by accident . . .

Okay, not by accident. I was going full-on rule-breaking, which you have to do once in a while if you need to save someone's life.

Dad had forbidden me from reaching out to the mayor because of a childhood grudge against a former bully. But shouldn't grudges have expiration dates? Wouldn't twenty-five years do the trick?

And what would I have to lose by asking Mr. Fontana for his help? What would *Dad* have to lose? And at that point *did* either of us have nothing to lose?

Exactly.

The next morning I set out to Mr. Fontana's office on Kyle's bike. When I arrived at the municipal building, Doris offered a generous smile.

"Noah! What brings you here?"

I explained that I had the finished film for the mayor, but she told me he was out for two hours.

I would have waited twenty-two hours if I knew it would help. I didn't want to let another day disappear before the despair completely consumed Dad's entire being. I mean, if it hadn't already.

I went looking for Adam in the archives.

"Hey," I said, "you have a camera here, right?"

"We do. Because we record things here. We preserve our history, and sometimes that involves modern photography. We have really good audiovisual equipment here."

I hung out with Adam for a little while, then returned to Doris's waiting area.

"You can go in now," she said. "He's in his office."

As soon as the mayor saw me, he slammed down the phone. "Um . . . hi, Noah!" he said, flustered. "Now isn't a great time."

"Sorry, Mr. Fontana. I brought your movie."

His expression changed and he clapped his hands together.

"Fantastic! I can't wait to watch it." Then he lowered his voice. "I'm so relieved that you got that footage before that obscene fire."

"I know. Do you have some time to talk?"

He glanced at his watch. "I have something in five minutes. Is that enough?"

"Sure. So here's the thing," I said, swallowing. "You know that my father is a city employee, right? The custodian at the Unionside Community Centre?"

"Of course. Always one of the smartest and nicest people I ever knew."

"Thanks. Well, he was just fired yesterday."

Mr. Fontana made a tsking sound as he leaned back in the seat. "I am *so* sorry. We had to restructure the county's workforce, but the manager carried out the details, so I didn't know who was affected. I'm incredibly sorry that your father had to bear the brunt of our financial problems."

"The thing is, Mayor Fontana, my dad has had a really, really rough ride the last few years."

"I'm sorry to hear that, Noah."

"Do you think there's anything you could do?" I was pleading now. "I mean, if this was all a restructuring, could you maybe — I don't know — re-restructure? I feel like it was my fault somehow."

"*Your* fault? How on earth could this possibly be your fault?"

I told him about Blade and the bylaw.

"*Blade*?" he said, confused. "What does a *dog* have to do with the county's finances?"

It did seem kind of extreme when he put it that way. "So it wasn't my fault my dad got fired?"

"We have a new budget. It had nothing to do with him — or you."

"I just . . . do you think there's anything that can be done to save his job?"

"I'd love to be able to help you and your father. You're both assets to our community. The problem is that I don't have a lot of say in this situation. But if you want, I'll try making some phone calls."

I think we already know what you end up with when someone promises to make phone calls.

A bunch of phone calls.

He glanced at his watch and rose to his feet. "I'm really sorry, Noah, but I'm looking forward to tomorrow's council meeting and the world premiere of *Astronomax*. Who knows, maybe that will rally the town against all this proposed development?"

"I hope so."

My heart swelled a bit, because he clearly trusted Tara and me to produce a quality film that was worthy of being screened at the council meeting.

We said goodbye and I started to leave, but I stopped at the door. "Mr. Fontana, we're probably going to have to move so my dad can find a new job. But do you think the county is going to turn into a crowded city?"

"Not on my watch, Noah. My family has farmed here for generations. I live in the same house as my great-grandparents did. None of us want the bulldozers."

I felt another light bulb turn on in my head.

I didn't know what the mayor had in mind and I wasn't sure how he'd prevent the bulldozers from moving in, but now *I* had a strong idea of how to stop it.

The plan I'd hatched could be very, very good.

Or very, very bad.

FORTY-TWO

TRUE FACT:
At the centre of the Milky Way Galaxy is a black hole so big it could fit over thirty thousand suns inside.

The next day, Tara and I visited Adam for a little last-minute audiovisual help. The future of our town and a whole way of life was at stake.

I didn't know if I'd end up being charged. Or if my father would be furious. Or if council would be enraged. Or if I'd pay an unimagined price for breaking the rules in a big way.

But I'd started out with almost nothing.

And I was left with nothing.

And I had to do something.

And if it was the last thing I did before leaving Queensport, I was going to make sure that whoever had burned down Dr. Ray's house and tried to make me take the fall was punished.

But first, I had to get Dad and Kyle to the municipal

hall for *Astronomax*'s big debut. I could hear Kyle root-
ing around for his shoes in his bedroom upstairs, so I
headed out to the patio to corral Dad.

"Hey," I said, gently patting him on the back, "we
have to go now."

He looked at me blankly from his Muskoka chair. I
could have been Sirius sitting right on his head, but as
far as he was concerned, the Dog Star wasn't even in
the sky anymore.

"Remember? We're showing *Astronomax* at the
council meeting tonight."

He just stared.

My heart was racing. I had to get him out of the
house. "Dad!"

He glanced at me with a pained expression. "Buddy,
I can't. I don't really want to see all those people right
now."

And I'm sure he also didn't want to be seen by all
those people.

"I know," I said quietly. "But we really need you to
be there. *I* need you, Dad."

He leaned back in the chair. "I'm so sorry."

I got it. The mayor who had once been cruel to him,
the boss who had bullied him, the county manager
who had fired him, the police officers who had visited
him — it was a huge cauldron of failure and humilia-
tion.

"I know there are going to be a lot of people who
have made your life miserable. But I'm asking you,

please, to put that aside just this one time. I'll never ask you again. But this is my night."

There was a kernel of anger growing in me, and I battled to keep it out of my voice because once it escaped me, it might end up in a scream.

Just get on with your life.

He fixed me with a sad stare that banished my anger and left me with a rush of sympathy. I wouldn't want to go either. I headed off to join Kyle in the kitchen.

"You already dropped off the film, right?" he asked.

I nodded.

He glanced at his watch. "Is Dad ready?"

"He said he's not going," I said miserably.

His neck muscle tightened. "Are you *serious*?"

"Come on, we'll just go ourselves."

"No, we *won't*," he said, his face contorted with fury.

He marched out to the patio and stood in front of our father.

"I don't *believe* you!" he said, his eyes flashing. "You're seriously going to miss Noah's big night?"

My father recoiled in his chair, then answered in a weak voice, "Now, Kyle, you don't understand—"

"Oh, I understand. I understand *exactly* what's going on. Your problem is that you're *selfish*. You just stew in self-pity and you don't even care about me or Noah. He *needs* you, and you just *ignore* him. *You're not a father*."

"Kyle, you can't even imagine," Dad said in a pleading voice. He sounded like he'd been punched in the gut. "You're being harsh."

"I'm being *honest*."

It was unbearable. I felt my hands shaking. There was so much pain and anger in that yard that you could probably see it from outer space.

"I've been dealt a rough hand," my father bleated. "I'm sorry, but I'll get it together and make it up to you both."

"You *chose* despair and you *chose* collapse," Kyle roared. "You couldn't even wait until Noah grew up before you checked out. You indulge your misery and completely abandon your responsibilities. You know what? I'm not going to waste my time anymore. Let's get out of here, Noah," he called to me. "You can ride on my handlebars."

As soon as we got outside, he sucked in a deep breath and tried to calm himself down.

"We'll be okay," he murmured, but I wasn't sure if he was saying to himself or to me.

"Thanks, Kyle," I said as we climbed onto the bike.

He shrugged, and we didn't speak again until we arrived at the municipal building. I led the way to the chambers, where the four councillors were getting seated on the podium. Mayor Fontana was working the crowd, shaking hands and slapping backs as he made his way to the dais. Doris settled into a desk in front of the stage, ready to take notes. I darted over to her.

"Noah!" she said. "Rob in audiovisual has your film all cued up." Then she leaned over. "I hope it knocks some sense into these clowns on the stage and puts a stop to those crazy plans."

"I hope so too."

My eyes met Gordon Fontana's, and we waved at each other. Then Kyle and I shuffled to the third row and waited for the meeting to begin.

My stomach churned with fear. Kyle poked me as Tara entered with her parents. She grinned when she saw me.

"Hang on for the ride," she said.

I forced a smile, but I was starting to feel a little ill.

Adam was there, as was the police officer who'd come by our house, in regular clothing now, and the other officer who'd made those helpful calls on my behalf. Who knew that these council meetings were such a big draw? I guess it was the only entertainment in town.

Mason and O were seated at the end of another row, waving at me and Kyle.

Everyone was there.

Except for my father.

And then I noticed Bruce Conti sitting at the rear of the hall. Our eyes locked for a second, and his face set into an angry line. I don't know what he inspired more of in me: anger or terror.

I turned and faced the stage. The mayor banged his gavel on the table and called the meeting to order. Slowly, they worked their way through the agenda, discussing repairs for a water main break, resurfacing the swimming pool, and changing the municipal tax deadlines. My eyes kept drooping from boredom.

Finally, our spot arrived.

"This is going to be my favourite part of the meeting," Mayor Fontana declared. "We're going to hear from some of our younger residents. Without these young folks, the future of Queensport is pretty grim. So let's watch a short film that was put together by our town's resident auteurs, Tara Dhillon and Noah Cooper."

Kyle patted my back.

I glanced back at Tara, my stomach knotted with terror.

She nodded at me. *It's going to be okay*.

The lights in the hall dimmed, and a white screen lowered behind the stage. The mayor stood off to the side as the opening credits rolled.

"A Messier Production Film by Tara Dhillon and Noah Cooper."

Mr. Fontana beamed like a proud father as the first shot appeared on the screen. But it wasn't an image of the Graham estate, and it wasn't a shot of Max at a telescope.

Instead, it was Bruce Conti.

There was some murmuring in the council chambers. I had to force myself not to bolt out of that building. I glanced to the back of the room — Bruce Conti's face was frozen in shock.

The SD card that Tara had removed from the camera before Conti swiped it might have been poor quality, but not after O's father had used his computer audio equipment to separate out and boost Mr. Conti's voice.

Tara had a huge grin on her face.

O had done the voice-over.

Enjoy Bruce Conti's phone conversation while you read the transcription underneath. Draw your own conclusions.

The screen showed Conti talking excitedly on his cellphone, grinning from ear to ear. It was exactly the view from the clearing behind the juniper bushes. And his words appeared below his image in subtitles.

"We'll have to celebrate with some drinks tonight! Can you believe it? We got rid of this stupid house, and we don't have to worry anymore about it being on the list of protected heritage homes."

Then Conti nodded into the phone and listened.

"So now we have nothing stopping us," he told the person on the other end of the line. "Listen, we're going to expropriate the land from the owner, Raymond Penner, and we'll start construction on the new subdivision as early as next spring. I need to make sure we have all the heavy equipment ready to go and the sewage pipes laid in time."

The audience gasped.

Kyle elbowed me. "You are one bad brother. *Soooo* bad."

"Look, you don't have to worry, Mr. Conti said onscreen. "Gord Fontana's spent years planning this.

Now that the house is wrecked, we can get this land at a rock-bottom price, and the mayor's going to put in thousands of houses. He's going to make a killing, and so am I. We're both going to retire on this project."

Shouts were starting to volley across the small auditorium.

The mayor's eyes were bulging. He waved his hands in the air as he hollered, "Turn it off! Turn it off, Rob!"

But nobody was turning off the film.

O and Mason were high-fiving each other, and Adam was laughing.

"No, no, Gord's a genius. He pinned the whole thing on this new kid in town, Jim Cooper's son. He's like thirteen or something, but we got some evidence. The kid left some of his stuff at the estate a few times, so if anyone takes the fall, it'll be him."

The buzz in the audience soon blew up into yelling.

"Yeah, Gordon arranged the fire too. I'm telling you, the man is a genius."

The film hadn't even finished yet, and everyone was on their feet. There was no oxygen in that room, just rage.

Finally, the film reached the end, but then the funniest thing happened.

It started playing all over again.

Mayor Fontana was screeching at Rob and Doris to turn it off. The lights went on in the auditorium, and the entire audience was howling and shrieking. The film suddenly cut out.

"That doesn't prove *anything*!" Mr. Fontana bellowed. He put on the voice of the dignified politician and grabbed the microphone. "Now, let's just calm down here and not listen to these fraudulent claims by a pair of silly thirteen-year-olds."

"Silly thirteen-year-olds?" Mr. Dhillon shouted, his nostrils flaring. "*Silly*? This is actual evidence!"

"That's ridiculous," the mayor said calmly. Somebody needed to grab that mike from him.

The din in the hall was thunderous. Everyone was screaming. And then something happened that was amazing and miraculous and filled me with awe.

A lone voice bellowed from the back of the room.

It was almost unreal.

Because it was Dad.

Zombie Dad was standing at the rear of the hall, except it wasn't Zombie Dad — it was Living Dad.

"STOP IT, ALL OF YOU!" he thundered.

The audience hushed.

His fists were clenched and he looked so wound up I thought he was going to explode. His face was red as he quietly strode up the aisle toward the front of the room, then climbed the stairs to the stage.

My breath caught in my throat. I could hear Kyle gasp.

There was a sense of danger in the air. All eyes in the room were on my father.

Dad's face was beet red. He took the microphone out of the mayor's hands and tossed it to the floor. Then, in a steady voice with words like fire, he said, "How. *Dare*. You. My *son*? You tried to frame my son, you lying weasel!"

Mr. Fontana's face was hard with rage, and he looked like he was going to punch my dad. "Oh, *please*. Your son is the weasel, slinking around town the way he's been."

Kyle grabbed my arm and squeezed it.

"You are not even *one percent of my son*," Dad said in a threatening growl. "You lying, thieving piece of human garbage. You are *nothing* compared to him." His eyes were popping out of his head like I'd never seen in my life.

"Come on, Jim," Mr. Fontana said in a sneering voice.

"You tried to hurt my son! How *dare* you . . . *scum*. You set up an innocent boy — a boy who's one hundred times the person you are."

The mayor stared at my father with a murderous look. Soon there were shouts from the audience.

"How *could* you, Gord?"

"You were going to sell out our county!"

"What's wrong with you?"

"You set up a kid?"

"What a deceitful mayor."

The atmosphere was starting to get ugly, and people surged toward the stage.

Mr. Fontana was shaking with anger. "*I didn't do anything wrong!*"

"Let's go now, Mayor," one of the police officers said. He wrapped his arm around the mayor's back and quickly ushered him out of the chambers.

Bruce Conti quietly scurried out the back.

Tara, Mason, and O rushed over to me, but my eyes were glued to Dad. He was shaking.

And I knew he was no longer a zombie.

"That was *amazing*!" Tara beamed. "I have to say, this was our best film yet."

"And the most important."

"*Semper fidelis*," she murmured.

"*Semper fidelis*." I squeezed her arm.

Dad was slumped in a chair now, completely spent. Kyle and I wended our way through the crowd and charged up to the stage. And in a moment so subtle that you could have easily missed it, Dad nodded at Kyle and Kyle tipped his head toward him. We placed our arms around our father's shoulders and helped him down the stairs.

Then the three of us embraced each other with a hug that was around two years' worth of hugs all rolled into one.

FORTY-THREE

TRUE FACT:
Outer space is silent.

Dad, Kyle, and I sat in the yard until the middle of the night, reliving the scene over and over while Dad interjected with stories about Gord Fontana growing up. We laughed, we groaned, and we admired Dad's heroism.

The next day, Dad drove Kyle, Tara, and me out to visit Dr. Ray at his sister's place. He was so weak that we got to spend only ten minutes with him. Enough time to tell him about our secret film and replay the council meeting. But more than anything, we wanted to show him *Astronomax*.

Will Banner was there, and we stood around the padded lounge chair while Dr. Ray played the movie on Will's laptop. He grinned from the first scene of Max trotting down the driveway to the last scene, where Max runs away, barking.

We left out the part about the house getting burned down. Because I didn't want to believe that was the end of the story.

When it was over, Dr. Ray wiped tears from his eyes. He could hardly speak. But he turned to Dad and looked at him like he knew him. After hearing me tell his story so many times, he was schooled in Dad and really understood him.

"You have two outstanding sons," Dr. Ray said.

Dad nodded and placed his hands on our backs. "I know."

Kyle and I exchanged a smile.

Dr. Ray turned to Tara. "And you, my dear Tara. You're something."

And that was all. Our last ten minutes with Dr. Ray.

Two weeks later, Dad, Kyle, and I were barbecuing in the backyard when the call came from Will Banner.

Dr. Ray had died.

Dad wrapped me in a hug. "It's okay, bud," he murmured in my ear.

I wasn't shocked, but I was still filled with sadness. And in some ways it was awful, but in other ways it was a bit less awful, because even though it was now a world without Dr. Ray in it, it was also a world with Dad again.

And I would always thank Dr. Ray for that.

We still had no idea how Dad was going to make a living, but at least he now knew the whole story about my quest for a telescope and how we'd caught Bruce

Conti red-handed. And even though the future was still uncertain, we'd become a family again.

A week later, Dad, Kyle, and I went to see Will Banner at his office.

"I thought you were a just friend of Dr. Ray's," I said. "I didn't realize you were also his *lawyer*."

"For the last twenty years," he said, then he turned to Dad. "Ray was very impressed with your son. He was willing to go great lengths for him. He felt that he's a special boy."

Dad threw his arm around my shoulder and squeezed me. "He's *my* special boy. Both of my sons are."

"Well, then you'll be very pleased. Ray made a change to his will before he died."

We waited.

"He was fascinated with your story and asked Noah to repeat it a number of times. He knew your history — about losing your wife, your graduate program, and your job."

"It's not been the most glorious time of life," Dad said with a sigh.

"Well, that might change. When Noah came to visit Dr. Ray at his sister's, he understood what he had to do," Will said.

He put on a pair of reading glasses and flipped through the file until he found the correct page of Dr. Ray's will.

"Dr. Raymond Penner never had any children," he began, "but he has left his house, his property, and his entire estate to the care of the town of Queensport in perpetuity."

"*Queensport*?" I said. "I thought he was trying to keep it out of their hands?"

"I'm not finished. The house will be restored with funds from the estate and, with the town's agreement, will be used only and solely as an educational visitor's centre for the study of astronomy, with the condition that Mr. James Cooper run this facility for school visits and individual research. In addition to rebuilding and restoring the house, the funds from the estate will be used to support this educational facility and pay the salary of Mr. Cooper, as well as to purchase telescopes and other optical aids as necessary, and to produce written materials to further this educational goal."

Dad and Kyle and I all gasped.

No road, no paving, and no new neighbourhoods.

Okay, so maybe eventually, but not yet. And even if Dr. Ray's estate remained a tiny island in a sea of development, there would always be a little corner of the county where you could see a little corner of the sky.

Dad's eyes misted, and he and I embraced each other.

So we were going to stay in Queensport after all, and I would get to make movies with Tara and be licked by Max and share the sky with Dad. And Kyle would get his chess buddy and his skatepark. And maybe one day, new neighbourhoods would surround Queensport and even pave over it, and maybe the estate would be a planetarium instead of an observatory. But for now we'd gotten ourselves a pause, and right now, things were pretty okay.

And that's how Dad got back his stars, and that's how I got back my dad.

ACKNOWLEDGEMENTS

I'm deeply grateful to all of the talented people who helped turn this manuscript into a book: To my wise and wonderful editor, Anne Shone, and to Diane Kerner, Yvonne Lam, Gui Filippone, and the entire team at Scholastic Canada. To Janice Weaver for her brilliant editing and Steven P. Hughes for his fabulous cover art. To Sharon Hart-Green and Debra L. Green, for their fabulous editorial insights, feedback, and encouragement. To Sarah Davies and Chelsea Eberly of Greenhouse Literary Agency for all of their support. To Martin J. Powell of NakedEyePlanets.com for generously answering my astronomy questions. To Shoshana Greenspan and Rabbi Daniel Freedman for additional astronomy help. (All errors are my own.) For help on an early version of this book, M. M. T. Coleman. And very, very special thanks go to my family for their constant support — especially Marty. Thank you, thank you, Marty. This one is for you.

ABOUT THE AUTHOR

SURI ROSEN is the author of *My Best Friend and Other Illusions*. She writes feature articles and short stories for various magazines and newspapers and has worked as a professional artist, filmmaker, journalist, and TV producer. Her first novel, *Playing with Matches*, won the Canadian Jewish Literary Award for Youth Literature, was an Ontario Library Association Best Bet Honourable Mention and a 2015 Toronto Public Library Top Ten Summer Read.